KB055888

강철멘탈

강철멘탈
IRON

MENTAL

부자는 **돈**이 **아니라 마음**을 지킨다

아파트사이클연구소 **이현철** 지음
편집부 엮음

새벽산책

What lies behind us and what lies before us are
tiny matters compared to what lies within us.
우리 뒤에 있는 것과 우리 앞에 있는 것은
우리 안에 있는 것에 비하면 아주 사소한 문제이다.

The only person you are destined to become is
the person you decide to be.
당신이 되기로 정해진 유일한 사람은
당신이 되고자 결정한 사람이다.

• **랄프 왈도 에머슨**, 미국 최초의 철학자이자 시인 •

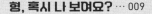 **차례**

형, 혹시
나 보여요?

❖ ❖ ❖

소방관인 덕구 씨는 물이 무섭다. 덕구 씨의 주황색 근무복 등판에는 커다랗게 119가 새겨져 있지만, 소방관으로 근무하면서 불을 꺼본 적은 없다. 덕구 씨가 특수부대 특채로 소방관이 된 지 십여 년이 지났다. 그동안 숱한 목숨을 구했지만, 그중 단 한 명도 덕구 씨에게 구해줘서 고맙다는 말을 남긴 사람이 없다.

덕구 씨의 근무지는 서강대교 남단 하류다. 덕구 씨는 불길로 뛰어드는 게 아니라 자기 코앞의 손바닥도 제대로 보이지 않는 어둡고 차가운 한강으로 뛰어든다. 덕구 씨는 서울특수구조단 수난구조대 소속이다. 3교대로 일하는 덕구 씨는 밤새 화면을 보는 게 일이다. 유유히 흐르는 한강은 서울을 강북과 강남으로 나누고, 강이 갈라놓은 서울을 얼기설기 잇는 건 수많은 다리다. 다리에 설치된 CCTV 화면에는 자동차의 누런 전조등과 빨간 후미등이 까만 밤하늘에 빛의 궤적을 그린다. 낮보다 더 빠르게 움직이는 빛의 물결 사이에 유독 느리게 걷는 이가 등장하면 덕구 씨는 온몸이 긴장으로 굳는다. 덕구 씨는 속으로 빌고 또 빈다. 다리에서 서성이는 이가 그저 차비가 없는 취객이기를, 강북이건 강남이건 어느 한쪽으로 방향을 정해 어서 다리를 건너기만을 빌고 또 빈다.

소방관이지만 불을 끄는 게 주 업무가 아니기에 무너지는 건물에 매몰될 일도 없고, 화상을 입거나 폐를 찢는 유독가스에 질식될 우려도 없다. 수난구조대인 덕구 씨는 그저 차갑고 어두운 물로 뛰어들 뿐이다. 불에서든 물에서든 사람을 구하는 일은 같지만, 불에서 살아나온 사람은 새 삶을 얻은 것에 감사한다. 활활 타오르는 불길에서 벗어나 어떻게든 살아남고 싶었기 때문이다. 반면 물에서 건져낸 사람은 애초에 죽으러 물에 뛰어든 이들이다. 살기 위해 불에서 뛰쳐나오려는 사람과 죽기 위해 물에 뛰어든 사람은 같지만 다르다. 수난구조대원은 골든타임이 지나버린 구조대상자의 시신을 마주할 때가 적지 않다. 죽음의 민낯은 아무리 경험한들 익숙해지지 않는다. 그래서 물은 무섭다. 불은 모든 걸 태운 후 그 자리에 재를 남겨두지만, 물은 모든 걸 삼키고 토해내지 않는다. 물이 망자를 토해낼 때까지 망자는 죽어도 죽은 것이 아니지만, 남은 가족은 살아도 산 것이 아니다.

"아버지!"

덕구 씨는 상념에서 벗어난다. 저 멀리 해병대 정복을 차려입은 아들이 활짝 웃으며 손을 흔들고 있다. 아들은 성큼성큼 다가오더니 오가는 사람 많은 거리 한복판에서 큰소리로 경례한다. 민망해 죽겠다. 첫 휴가 때는 덕구 씨도 큰소리로 경례를 받아줬는데, 이제 아들은 곧 전역을 앞뒀는데도 여전히 그러고 있다. 창피하니까 유난 좀 떨지 말라고 하면 아들은 해병대 정신은 꺾을 수 없다고 말한다. 아들은 아버지인 덕구 씨가 특수부대 중사로 전역했다는 걸 뻔히 알면서도 나이 든 아비를 나약한 민간인 취급한다.

"우리 아들, 뭐 먹고 싶어?"
아들이 뭐라 말할지 뻔히 알면서도 묻는다.
"대패삼겹살요. 대패삼겹살을 산처럼 쌓아놓고 먹고 싶어요!"

아들 하준이는 엄마를 닮았다. 그래서 어려서부터 몸이 약했다. 장인어른은 고졸에 군인인 덕구 씨가 탐탁치 않았다. 훈련 중 자칫 다칠 수도 있는 특수부대 부사관이다 보니 더 그랬다. 덕구 씨는 전역 후 소방관이 되었고, 장인어른은 하나뿐인 딸의 고집을 꺾지 못했다. 몸이 약한 외동딸이 장인, 장모님께 어떤 존재인지 그때는 몰랐다. 덕구 씨는 아내를 닮아 몸이 약한 아들을 얻고서야 처가 부모님의 마음을 비로소 알게 되었다. 나뭇잎처럼 가냘픈 아들은 엄마를 등에 올린 채 팔굽혀펴기를 하는 힘센 아빠를 무척 자랑스러워했다. 아들은 입버릇처럼 아빠처럼 멋지고 힘이 센 남자가 될 거라며 눈을 반짝이며 말하곤 했다. 하지만 덕구 씨의 등에 올라탄 아내는 갈수록 가벼워졌고, 어느덧 아내는 덕구 씨의 등에 올라타는 것도 힘들어해서 종일 누워 있기만 했다. 덕구 씨는 아내 없는 빈집에서 혼자 팔굽혀펴기를 하다가, 그것도 이제는 하지 않게 됐다. 덕구 씨 등에 올라탈 아내가 없으니 너무 가볍고 허전했기 때문이었다.

"아들, 휴가 나오면 친구도 만나고 그래야지, 맨날 늙은 아빠랑만 있으면 어떡하냐?"

"애들 만나는 것보다 아버지랑 이렇게 소주 한잔 하는 게 더 좋은데요?"

"휴가 나오기 기다리는 여자친구도 없어?"

"없어요. 제가 여자들에겐 좀 인기가 없잖아요?"

양 볼 가득 대패삼겹살을 욱여넣는 아들의 빈 잔에 덕구 씨는 말없이 소주를 따라주었다. 누가 보더라도 아들은 아내를 닮았다. 하준이가 입대할 나이가 되자 덕구 씨는 군에서 아들이 다치지나 않을까 걱정이 앞섰다. 아빠의 걱정과 반대로 아들은 해병대에 가겠다며 고집을 부렸다. 제법 공부를 잘하고 시험 운도 있는 아들이었지만, 해병대는 두 번이나 떨어진 후 세 번째에 겨우 붙었다. 대학보다 해병대 가는 게 더 어렵다며 너스레를 떨던 아들이 벌써 전역을 앞두고 있다. 아들의 몸에는 어느덧 근육이 제법 많이 붙었다. 하지만 우락부락하고 까만 덕구 씨에 비하면 아들은 선이 곱고 키도 크다. 아들이라서 점수를 후하게 주는 게 아니라 아들 인물이 아빠보다 백 배는 더 낫다고 덕구 씨는 진심으로 생각한다. 아들을 보면 고왔던 아내가 떠오른다.

첫 면회 때 아들 친구가 넷이나 따라나섰다. 남학생 둘에 여학생 둘이었는데, 아들이 면회장에 들어올 때부터 면회가 끝나 씩씩하게 경례한 후 부대로 복귀할 때까지 아들 얼굴에서 눈을 떼지 못하던 예쁘장한 여학생이 있었다. 아들이 조금 더 잘난 아비를 만났더라면, 조금 더 여유 있는 가정에서 태어났다면 다른 친구처럼 젊음을 즐기며 여자친구도 사귀었을지 모른다. 어쩌면 다른 친구처럼 점심을 먹고 카페에 가서 돈 내고 커피를 사 마셨을지도 모른다. 아들은 늘 학교나 도서관에 있거나 아르바이트하는 일터, 그것도 아니면 아픈 엄마 곁에 있곤 했다. 덕구 씨는 늘 그게 미안했다. 아들은 군에서 받은 월급을 아끼고 아껴 적금을 들고 있다고 했다. 덕구 씨는 아빠로서 무엇을 더 해주지는 못할망정 아들에게까지 부담이 되고 싶지는 않았다.

"아버지! 아들 잔 받으셔야죠!"

아들이 따라준 술이 넘칠 듯 찰랑인다. 아내는 지혜로운 여자였다. 덕구 씨는 뼛속까지 군인이었고, 돈을 어떻게 쓸 줄도 몰라 그저 받는 대로 쌓아두기만 했다. 아내가 기쁜 표정으로 방이 세 개나 있는 아파트 청약에 당첨됐다고 했을 때, 덕구 씨는 솔직히 청약에 당첨된 게 뭘 의미하는지도 몰랐다. "드디어 우리 집이 생겼어! 그것도 브랜드 아파트야!"라고 풀어서 말해 줬을 때 덕구 씨는 비로소 아내 말을 알아들었다. 덕구 씨는 늘 아내와 아들에게 미안한 마음뿐이었다. 덕구 씨의 친형은 사업을 크게 벌인 사장님이었다. 형님은 사업이란 늘 리스크가 따르는 법이라고 했다. 짧게 쓰고 돌려주겠다며 덕구 씨의 형님은 전역할 때 받은 덕구 씨의 퇴직금을 가져갔다. 돌려주겠다는 날짜가 지나도 형님은 아무런 말이 없었고, 이자라며 다달이 주던 푼돈조차 끊겼다.

애는 금방금방 크니까 비싼 옷을 입힐 필요가 없다고 아내는 말했지만, 형수님의 SNS에 올라온 조카들은 세상 물정 모르는 덕구 씨가 봐도 비싸고 좋은 옷을 입고 있었다. 조카들이 해외여행을 좋아해서 어쩔 수 없이 다녀왔다고 했지만, 형님은 해외여행 갈 돈은 있어도 덕구 씨에게 줄 돈은 없는 모양이었다. 덕구 씨는 전역한 지 몇 년이 지나도 군에서 보급받았던 속옷이나 양말을 여전히 입고 신었지만, 아들 하준이에게만큼은 좋은 것을 입히고, 먹이고 싶었다. 어느 날 술에 취한 덕구 씨는 형님네를 찾아가 형님 멱살을 틀어쥐었다. 힘을 쓴 것도 아닌데 형은 제풀에 넘어지더니 허리를 짚고 일어나지 않았다. 누가 봐도 엄살이었지만 형수님은 경찰을 불렀다. 빌려 간 내 돈 돌려달라 했을 뿐인데, 친척들 사이에서 덕구 씨는 돈 몇 푼 때문에 아버지 대신 덕구 씨를 업어 키운 형님 멱살을 잡고 패대기친 패륜아로 소문이 났다. 형수님은 덕구 씨더러 특수부대 출신이라 총질하고 사람 죽이는 거 배워오더니만 그걸 어떻게 자기 남편한테 쓸 수 있느냐며 따지고 들었다. 덕구 씨는 그날 이후로 빌려준 돈도, 형님도 지워버리기로 했다.

"아버지, 싸부님은 잘 계세요?"
"동현이? 그럼, 잘 있지. 동현이는 왜?"
"그분 부동산 투자한다고 하셨죠?"
"동현이는 그냥 투자자가 아니라 투자 전문가야. 아파트도 수십 채 갖고 있고, 요즘엔 빌라 시공까지 하고 있으니까. 그런데 왜?"

"요새 금리가 너무 빨리 오르고 있는데 괜찮으신가 해서요."

"금리? 괜찮아. 동현이가 그러는데 금리랑 부동산은 아무 관계가 없대."

솔직히 덕구 씨는 금리가 오른 것과 동현이의 안부를 묻는 게 무슨 관계가 있는지 이해하지 못했다. 마치 아내가 청약에 당첨됐다고 말했을 때와 같은 기분이었다. 싸부는 덕구 씨의 오랜 고향 후배다. 같이 임장이라는 걸 나간 날, 덕구 씨는 수입차를 처음 타보았다. 군에서는 두돈반 짐칸이나 지휘차량에 선탑자로 타본 게 고작이었고, 직장인 수난구조대까지 30여km 거리는 자전거로 출퇴근한다. 차에 대해 문외한인 덕구 씨 눈에도 싸부의 차는 뭔가 달라 보였다. 시트도 부들부들하니 촉감이 좋다. 덕구 씨가 손바닥으로 시트를 쓰다듬는 걸 본 싸부는 씩 웃으며 말했다.

"어때요? 촉감 죽이죠?"

"그렇네. 이거 쎄무야?"

"아, 형님! 촌스럽게 쎄무가 뭡니까? 이거 알칸타라예요."

"응? 알칸... 뭐?"

"알칸타라요. 쎄무나 가죽보다 휘어얼씬 윗길에 있는 고급 소재예요. 시트랑 핸들에 알칸타라 옵션 하나 넣는 게 웬만한 직장인 월급보다 비싸요."

"뭐? 이게 그렇게 비싼 거야?"

덕구 씨는 화들짝 놀라 시트에서 손을 뗐다. 부들부들하고 촉감이 좋아서 아까 손가락으로 몇 번 문질렀는데 행여 자국이 남는 건 아닌가 싶어 싸부의 눈치를 살폈다. 다행히 싸부 표정은 아무렇지도 않다. 역시 투자 전문가는 배포가 크다고 덕구 씨는 속으로 생각했다. 덕구 씨는 그날 월급보다 비싼 알칸타라로 도배한 수입차를 얻어타고 저녁 늦게까지 인천 곳곳을 누볐다. 서울로 돌아온 싸부는 한우를 사주면서 왜 지금 부동산에 투자해야만 하는지 밤이 늦도록 열변을 토했다. 사실 대부분 이해 못 할 이야기였지만 어쨌든 중요한 건 지금 투자하지 않으면 화폐 가치의 하락으로 점점 가난해질 수밖에 없다는 거였다. 그러니 돈을 쥐고 있을 게 아니라 부동산에 투자해야 한다고 했다. 쥐고 있을 돈도 없다는 덕구 씨의 말에 싸부는 웃으며 말했다.

"형님, 누가 요즘 집을 내 돈 주고 삽니까?"

내 돈을 들이지 않고 집을 산다는 게 도무지 이해가 되지 않았지만, 싸부는 그게 바로 갭투자의 묘미라고 했다. 레버리지를 쓸 용기만 있다면 얼마든지 집 주인이 될 수 있다고 했다. 덕구 씨

총각 시절엔 빚을 내는 걸 '돈을 땡긴다'라 표현했었는데, 요즘은 레버리지라는 말로 고급스럽게 표현한다는 것도 알았다.

　어릴 적 한동네에서 자란 싸부는 덕구 씨네 집보다 살림이 나을 게 없었지만, 지금은 덕구 씨와 전혀 다른 삶을 살고 있었다. 청약 당첨이 뭔지도 몰랐던 덕구 씨는 싸부 덕분에 부동산의 세계에 눈을 떴다. 싸부는 어떤 물건을 사야 하는지 친절하게 콕 집어 주었다. 덕구 씨는 싸부 덕분에 어엿한 다주택자이자 임대인이 되었다. 그런 싸부가 금리와 부동산은 아무 상관 없다고, 바보들은 늘 집을 안 살 핑계를 찾는다고 입버릇처럼 말하곤 했다. 돈 벌 기회가 바로 눈앞에 있는데도 우물쭈물하다가 놓친다고 했다. 덕구 씨는 어느새 후배 동현 씨를 싸부라고 부르고 있었다. 동현 씨 역시 덕구 씨가 싸부라고 불러주는 게 싫지 않은 눈치였다. 싸부를 따르는 사람은 많았지만, 싸부는 유독 덕구 씨를 더 챙겼다.

　"형수도 가고 없는데, 하준이 장가보낼 때 서울에 아파트 하나는 해 줘야 사돈이 형님을 무시 못 할 거 아니냐"고 말할 때 덕구 씨는 그런 꿈같은 일이 자신에게 일어날 수 있을지 반신반의하면서도 기분이 좋았다. 경기도에 분양받았던 방이 세 개나 되는 브랜드 아파트는 몇 년 살지도 못하고 아내의 투병과 함께 살살 녹아내렸다. 덕구 씨가 태어나서 가졌던 가장 좋은 집이자 첫 아파트였지만, 아내를 살릴 수만 있다면 집이 대수인가 싶었다. 허름한 오두막에서 다시 시작하더라도 아내만 있으면 문제 될 게 없었다. 비바람만 겨우 가리더라도 아내만 곁에 있으면 행복할 것 같았다. 하지만 덕구 씨 곁에 남은 건 아들 하준이뿐이다. 덕구 씨는 잔을 들어 술을 털어 넣었다. 혀에 감기는 술이 쓰다. 인생 참 쓰다. 또 술 먹었느냐고 잔소리할 아내가 이제는 곁에 없다.

"아버지, 최근에 싸부한테 연락해 보셨어요?"
"응? 연락?"

그러고 보니 마지막으로 통화한 지 몇 달 됐다. 그냥 무소식이 희소식이려니 하고 있다. 당장 내 코가 석자인데, 싸부 같은 투자 전문가 걱정을 할 때가 아니라는 생각도 든다.

"아버지, 전화왔는데요?"

덕구 씨 안주머니에서 반딧불이처럼 은은한 파란빛이 깜빡인다. 근무 중에 늘 진동으로 해놓는데 소리로 바꾼다는 걸 깜빡했다. 또 다른 후배 석준이다. 푸른 빛을 내며 몸을 떨어대는 게 급한 전화라고 항변하는 듯하다.

"석준이냐?"

"네, 형님! 저 석준인데요, 혹시 동현이한테 연락 없었어요?"

오늘따라 아들이나 후배나 다들 동현이 안부를 궁금해 한다.

"아니, 왜?"

"그게 말이에요… 동현이 없는 데서 이런 얘기 하기는 좀 그런데…"

무슨 어려운 말인지 유독 뜸을 들인다.

"혹시라도 동현이가 돈 좀 꿔달라고 형님한테 전화할지도 모르거든요?"

목청이 큰 석준이의 말은 맞은편 하준이에게까지 똑똑히 들릴 정도다.

"야, 걔가 뭐가 아쉬워서 나한테까지 돈을 꿔달라고 해? 걔가 등기 친 아파트가 몇 채인데. 게다가 걔 요새 연천에다가 빌라도 다 지어놨다는데?"

"그러니까 문제죠! 걔 그거 자기 돈 가지고 한 거 아니잖아요!

동현이 개 돈이 안 돌아서 여기저기 동창이랑 친구들한테 손 벌리고 다녔더라고요. 개가 유독 형님을 잘 따랐잖아요? 분명 형님한테도 전화해서 아쉬운 소리 할 거예요."

덕구 씨가 동현이를 싸부라고 부른다는 걸 석준이는 모른다.

"혹시라도 형님한테까지 돈 얘기하면 모른 척하세요. 들리는 말로는 개 핸드폰 요금도 못 낼 정도래요. 형님은 다 좋은데 사람이 너무 물러서, 괜히 동현이가 앓는 소리 한다고 돈 집어 주고 그러면 안 돼요! 아셨죠?"

덕구 씨는 뭔가 잘못돼가고 있다는 걸 느꼈다. 아니, 그럴 리 없었다. 그럴 수 없었다. 그래서는 안 됐다. 덕구 씨는 통화가 끝난 뒤에도 돌처럼 표정이 굳은 채 멍하니 있다가 다시 핸드폰을 들었다.

"동현이 삼촌한테 전화하시려고요?"

조금 전까지 싸부라고 부르던 아들은 이제 동현이 삼촌이라 말하고 있었다. 아들 표정에는 올 게 왔다는 듯한 결연함마저 읽혔다.

"만약 동현이 삼촌이 진짜로 돈 좀 해달라고 하면 어떡하실 거예요?"

덕구 씨 머릿속에 오만 생각이 스쳤다. 농담 반 진담 반 싸부라고 불렀지만, 아내가 떠난 후 여러모로 동현이가 힘이 돼 준 게 사실이다. 청약도 모르던 덕구 씨가 집을 여러 채 사고 임대인이 된 것도, 계약서란 걸 쓰고 등기를 치게 된 것도 다 싸부 덕이다.

"아버지!"

하준이가 낮지만 단호하게 덕구 씨를 부른다. 아비 민망하라고 길거리에서 대놓고 크게 경례를 올려붙이던 장난기 넘치던 아들 모습은 사라지고 없다. 엄마를 닮아 병약하고 선이 곱던 아들이 아니라 태산 같은 남자가 덕구 씨 앞에 앉아 있는 것만 같다. 그래서 덕구 씨는 자신이 더 초라하게 느껴진다. 며칠 전 세입자에게 문자를 받고 덕구 씨 기분은 무척 심란한 상태였다. 사 년 전 임대인과 임차인으로 만나 서로 웃으며 계약했던 사이였지만, 이제 임차인은 덕구 씨를 사기꾼이라 부르고 있었다. 직장으로 내용증명을 보내겠다는 말도 했다. 싸부에게 전화해서 어떻게 하면 좋을지 물어볼까 고민하다가, 휴가 나온 아들을 마중 나간 길이었다.

아내를 잃은 것도 남편인 자기가 못난 탓이라 여기며 가슴이 썩어가는 심정이었는데, 이제는 아들에게까지 못난 아비가 되는 건 아닌가 싶어 전화를 든 손이 부들부들 떨렸다. 떨리는 손이 멈추질 않는다. 손에 쥔 핸드폰 액정에 '싸부 동현이'라는 이름이 뜬다. 동현이의 전화다. 어서 받으라는 듯 핸드폰은 몸을 떨며 재촉한다. 아들 하준이는 아무 말 없이 액정에 뜬 이름을 내려다본다. 덕구 씨는 전화를 받았지만 한동안 입을 떼지 못했다. 싸부도 말이 없다. 잠시 침묵이 이어진 후 덕구 씨가 힘겹게 입을 열었다.

"어디냐? 괜찮은 거야?"

다시 침묵이 이어진다. 전화 너머에선 말이 아니라 웃음이 먼저 흘러 나온다.

"그렇게 물으시는 거 보니 제 사정 다 아시나 봐요?"

이번엔 덕구 씨의 말문이 막힌다.

"형님, 형님은 잘 모르시겠지만, 저 진짜 형님 좋아했어요."

하준이는 아버지의 표정을 살핀다. 아버지의 육체는 지금도 강철같지만, 마음은 순두부처럼 너무 무르다. 그렇게 사람한테 상처받았으면서도 여전히 사람을 사랑하는 바보 같다.

"있잖아요, 저 중학생 때 옆 동네 애들한테 돈 뺏기고 두들겨 맞은 적 있잖아요? 왜 그때 형님이 저 데리고 가서 그 새끼들 흠 씬 두들겨 패고 돈도 찾아줬잖아요?"

싸부의 혀가 어찌나 꼬였는지, 전화기 너머로 술 냄새가 느껴지는 것만 같다.

"저요, 저 진짜 형님 좋아했어요."
"안다. 다 알아."

덕구 씨는 나지막이 답했다.

"형님, 그래서요 형님. 진짜 죄송해요. 이렇게 될 거라고는 정말 꿈에도 생각 못 했어요."

한동안 말이 없다. 어디인지 바람 소리가 거세다. 흐르는 바람 소리에 숨죽여 우는 소리가 묻어있다. 술 냄새보다 더 깊고 진한 회한이 묻은 울음이다.

"동현아, 지금 어디니? 형이 갈게. 아 참, 너 하준이 알지? 우리 아들 휴가 나왔어. 같이 보자."

눈치 빠른 하준이는 자리를 정리하고 아버지와 함께 나설 준비를 한다.

"형님, 저 여기 양화대교예요. 형님 서강대교에서 일한다고 했죠?"

덕구 씨의 가슴이 철렁 내려앉는다. 수난구조대로 십여 년 일해온 촉이 위험을 알리고 있다. 팔뚝에 오소소 소름이 돋는다.

"형, 덕구 형, 혹시 거기에서 나 보여요? 나 여기 양화대교인데, 난 왠지 형이 보이는 것 같아요. 저기 저 서강대교 아래 반짝이는 곳에 형이 있을 것만 같아. 형! 나 지금 형 있는 쪽으로 손 흔들고 있는데, 혹시 나 보여요?"

덕구 씨는 대꾸하지 않고 자리를 박차고 일어나 고깃집을 나섰다. 하준이도 아버지를 따라 급히 일어섰다.

"저기요, 손님! 여기 계산하고 가셔야죠!"

하준이는 지갑을 꺼내면서도 눈으로는 아버지를 쫓고 있다. 느낌이 좋지 않다.

"동현아, 야! 너 인마, 너 지금 어디야? 너 거기 꼼짝 말고 있어!"
"형, 덕구 형, 형님, 죄송해요. 나도 이렇게 될 줄은 정말 몰랐어요. 다른 사람 말고 형이 가장 먼저 나 찾아줘요. 알았죠? 꼭이요. 꼭 다른 사람이 보기 전에 형이 나 찾아줘요. 미안해요, 형. 진짜 미안해요."

전화가 끊겼다.

"야! 서동현! 야 이 미친 새끼야!"

덕구 씨는 꺼진 전화에 대고 소리를 질렀다. 급하게 다시 전화를 걸어본다. 아무도 받지 않는다. 덕구 씨는 오늘 당직이 누구인지 급히 떠올려 본다. 빨리 출동하면 구할 수 있다. 살릴 수 있다. 아니, 다리에서 배회하는 동현이를 CCTV로 발견하고 이미 출동했을 수도 있다. 분명 출동했을 것이다. 손이 부들부들 떨린다. 한 치 앞의 손도 보이지 않는 심연에서 희뿌연 전화기를 붙들고 있는 것만 같다. 전화기가 손에서 미끄러져 땅에 떨어진다. 액정이 바닥에 부딪혀 거미줄 같은 실금이 뿌려진다. 흥분한 탓에 제대로 터치가 되지 않는다. 덕구 씨는 바닥에 주저앉고 만다. 그럴 리 없는데도 저 멀리 어두운 밤하늘을 헤치고 수난구조대 보트가 물살을 가르는 모습이 눈에 보이는 것만 같다. 하준은 아버지를 일으켜 세워 집으로 향한다. 강철같은 신체를 지니고 언제나 용감하고 강인했던 아버지는 잠깐 새 모든 힘을 빼앗기기라도 한 듯 하준이 손에 힘없이 이끌려 순순히 택시에 탔다. 집에 온 덕구 씨는 한마디 말도 없이 침대로 가 이불을 뒤집어 쓰고 누웠다. 이불로 고치를 만들어 스스로 파묻힌 것만 같았다. 새벽, 핸드폰의 진동이 질식할 것만 같은 침묵을 찢었다. 양화대교 난간에서 투신자의 유품으로 보이는 핸드폰이 발견되었고, 마지막 통화자에게 확인차 안내 전화를 드린 거라 했다. 투신자와의 관계를 묻는 질문에 덕구 씨는 웅얼거리는 목소리로 작게 싸부라 답했다. 잘 못 들었다며 되묻는 상대의 말에 덕구 씨는 폐 속의 물을 짜내듯 깊은 한숨을 토했다. 동현이는 덕구 씨를 '사랑하는 우리 형'이라고 저장해두었다고 했다.

엘리제가 뭐니,
엘리제가

❖ ❖ ❖

죽음과 함께 시간은 멈춘다. 끈적이며 느리게 흘러가는 시간은 산 자의 몫이다. 현실은 덕구 씨가 슬픔에 마냥 빠져있게 내버려 두지를 않았다. 세입자 중 한 명이 내용증명을 보내왔다. 신혼부부였고, 덕구 씨 앞에서 서로 손을 꼭 잡은 채 행복하게 웃던 모습이 기억에 선명하다. 세입자가 보낸 내용증명을 처음 받아본 게 아니었지만 덕구 씨는 적잖이 당황했다. 이걸 보낸 세입자는 전화로든 메시지로든 전세금 반환에 대해 덕구 씨에게 일절 말이 없었기 때문이다. 언제 나갈 거니 보증금을 언제 줄 수 있느냐는 상의 한마디 없이 다짜고짜 내용증명부터 보낸 것이었다. 전화해보니 요즘 역전세니 전세 사기니 하도 말이 많아 내용증명부터 보냈다고 했다. 그래도 이건 좀 아니지 않느냐, 사람 일이라는 게 다 순서가 있는 법인데 이런 경우가 어디 있느냐 물었더니 이런 말이 돌아왔다.

"그러면 저희에게 돌려줄 돈 있으세요?"

선뜻 대답하지 못했다. 덕구 씨 수중에는 돈이 없었다. 대답을 하지 못한다는 건 결국 돈이 없다는 대답이 되었다.

"현금 갖고 계신 거 없죠? 솔직히 저희 줄 돈 없는 거 맞잖아요? 설마 다른 집주인들처럼 돈 없다고 배 째라고 하시는 건 아니죠?"

덕구 씨가 특수부대 부사관으로 어려운 훈련과 고된 시간을 버틸 수 있었던 건 자긍심 때문이었다. 대한민국에서 가장 강한 부대, 그중에서도 가장 강한 군인이라는 자긍심이 모든 걸 버티게 했다. 하지만 사회에 나와보니 자본주의 사회의 자존심은 돈이었다. 돈이 없는 건 내세울 자존심이 없다는 것과 같았다. 군인이었을 때는 조국을 위해 언제라도 피를 흘릴 준비가 되어 있었지만, 자본주의 사회에서는 덕구 씨의 늙은 몸뚱이나 탁해진 피를 원하는 사람이 아무도 없었다. 자본주의를 살아 움직이게 하는 것 역시 돈이었다. '피 같은 돈'이라는 말이 그저 비유가 아니라는 걸 덕구 씨는 민간인이 되어 비로소 실감했다. 돈은 결국 피다. 피가 돌지 않으면 사람은 죽는다. 돈이 돌지 않으면 알량한 자존심 따위는 아무 소용이 없다. 돈이 돌지 않으면 자본주의는 성립되지 않는다. 보증금을 돌려주지 못하는 임대인들은 혈관이 막혀 피가 돌지 않는 동맥경화, 아니 돈맥경화의 주범이었다.

"저희 옆 동 같은 평수 최근에 얼마에 계약했는지 아세요? 거기 전세 7천 빠졌어요. 그나마 여기는 빌라니까 덜 빠진 거예요. 주변 아파트 전세 2억 빠진 건 아세요? 솔직히 저희라고 언제까지 빌라에서 살란 법 없잖아요? 그동안 잘해 주신 건 아는데, 이번에 좀 욕심내서 아파트로 이사하려고요. 그러니까 내용증명에 적힌 날짜까지 돈 좀 준비해 주세요. 저도 사장님하고 얼굴 붉히긴 싫어요."

덕구 씨가 싸부 동현이의 코치를 받아 있는 돈 없는 돈 끌어모아 전세 갭으로 첫 집을 매수한 게 오 년 쯤 전이었다. 반신반의했지만 집값은 쭉쭉 올랐다. 집값만 오른 게 아니었다. 전세 오름세도 미친 수준이었다. 불과 몇 년 전이면 집을 사고도 남았을 큰돈이 겨우 전세 하나 얻는 게 고작일 지경이 됐다. 덕구 씨는 싸부의 코칭을 받아 폭등한 전세 보증금 차액을 몽땅 쏟아부어 외곽의 아파트와 빌라를 갭을 끼고 사들였다. 가진 집을 매도한 게 아니니 손익이 확정된 건 아니었지만, 집값은 연일 오르고 또 오르고 있었다. 덕구 씨는 매일 포털사이트의 부동산 코너를 기웃대며 추이를 살폈고, 화장실 변기에 앉아서 부동산 시세와 커뮤니티를 들여다보는 게 일이 되었다. 조금 더 지나자 배가 아프지 않아도 화장실 변기 칸에 틀어박혀 호가나 실거래가를 체크하곤 했다. 이제는 덕구 씨가 사들인 물건이 아닌 덕구 씨가 사지 못했던 물건의 시세 흐름까지 들여다보며 하루에도 몇 번씩 기대와 설렘의 성을 쌓았다가 다시 무너뜨리곤 했다. 지금처럼 계속해가면 부동산으로 부자가 되는 것도 불가능할 것 같지 않았다. 핸드폰을 보며 웃는 일이 많아지자 후배들은 덕구 씨에게 다시 봄날이 오는 모양이라고 수군거렸다. 누가 보더라도 시도 때도 없이 스마트폰을 붙들고 웃는 걸 보면 그렇게 보일 법도 했다. 수난구조대 팀장님마저 지나가는 말로 "하준이에게 새엄마 생기는 거냐?"고 놀렸지만 덕구 씨는 마냥 즐겁기만 했다. 지금까지 덕구 씨는 본인이 천생 군인이라 생각했지만 이쯤 되니 군인보다는 투자자의 피가 흐르는 게 아닌가 싶을 정도였다. 덕구 씨가 주워 담아야 할 것은 탄피가 아니라 아파트였고, 빌라였다. 이제야 천직을 찾은 건가 싶었다. 분명 그렇게 생각하던 때가 있었다.

"만약 보증금 안 돌려주시면 임차권등기 설정할 수 있다는 것

정도는 아시죠? 전세금 반환소송 들어가서 패소하면 애먼 이자까지 물어주셔야 하니까, 가급적 서로 웃으면서 마무리 지었으면 좋겠어요."

　덕구 씨의 대답을 크게 기대하지도 않았다는 듯, 통화는 그렇게 끝났다. 영원히 계속되리라 믿었던 환상이 깨지는 것 역시 순간이었다. 생각도 못 한 시간에, 상상도 못 한 적의 기습처럼 부동산 시장이 무너져가기 시작했다. 거래량은 바닥을 쳤고, 집값이 뚝뚝 떨어지나 싶더니 전세가마저 흘러내리기 시작했다. 집값이 폭등하는 것 역시 결코 자연스러운 현상이 아니었지만 오르는 것은 당연했고, 당연해야만 했다. 상승을 기정사실로 모든 상황을 세팅했기 때문에 하락이라는 건 꿈에도 생각지 못 한 일이었다. 플랜A는 상승이었고, 플랜B도 상승이었으며, 플랜C 역시 상승이었다. 하락은 애초에 경우의 수에 없었다. 그렇기에 부동산 시장의 변화는 그야말로 적의 야비한 기습과도 같았다. 싸부는 부동산 시장이 정상이 아니라고, 아파트 시장이 이상하게 돌아간다는 말만 반복했다. 집값은 전기가 들어오지 않는 산골 창가에 놓인 양초처럼 순식간에 녹아내려 어느덧 2년 전 계약했던 전세가에 닿을락 말락한 지경이 되었다. 집값이 위에서 찍어누르니 전세가는 버티지 못하고 추락했고, 덕구 씨의 아파트와 빌라 세입자들은 재계약 시점이 다가오자 떨어진 시세만큼 전세

보증금을 돌려줄 것을 요구했다. 그도 아니면 같은 돈으로 더 넓고 좋은 곳으로 이사갈 수 있다며 집을 빼겠다는 연락을 해왔다. 덕구 씨에게 가장 먼저 내용증명을 보낸 40대 임차인도 마찬가지였다.

"이거 완전 순 사기꾼 아냐?"

자긍심 하나로 살아온 덕구 씨에게 사기꾼이라는 말은 그 어떤 비속어보다 더 견딜 수 없는 말이었다. 초등학생 자녀를 둔 40대 세입자는 분명 지난 계약 갱신 때만 하더라도 덕구 씨가 자신들을 내쫓지 않아서 안도하고 감사하는 눈치였었다. 정부가 전세 보증금 상한폭을 못 박은 상태였기에 임대인들은 자신 또는 가족이 들어와 살 거라며 임차인더러 방을 뺄 것을 종용했다. 세입자를 내보낸 후 껑충 뛴 금액으로 새로 전세 계약을 맺으면 앉은 자리에서 수중에 몇억이 떨어지는 시절이었다. 덕구 씨는 싸부의 코칭을 받아 반전세로 계약을 갱신했다. 보증금은 놔둔 채 얼마라도 월세를 받기로 한 것이다. 월급 이외의 돈이 다달이 따박따박 월세로 들어오니 덕구 씨는 공돈이 생긴 것 마냥 그렇게 좋을 수가 없었다. 하지만 계약 갱신할 때만 하더라도 허리를 조아리던 임차인은 이제 덕구 씨를 사기꾼이라고 부르고 있었다.

"사기꾼이라니! 말이 너무 심한 거 아닙니까? 누가 돈을 안 준대요?"

"방금 안 준다고 했잖아요?"

"누가 언제 안 준다고 했습니까? 그때까지 주기 어렵다는 거잖아요?"

"그게 그거잖아요! 맡겨 놓은 전세 보증금 안 돌려주는 게 사기꾼이지, 뭐가 사기꾼입니까?"

"안 준다는 게 아니라 당장은 못 준다니까요?"

"하 참, 진짜 답답하시네! 그러니까 내 돈을 원래 주기로 한 날에 안 준다는 소리잖아요? 내 돈 안 돌려주는 게 사기지 다른 게 사기에요? 아니 저기요, 제 말이 이해가 안 되세요? 전세 보증금이 사장님 돈이에요? 제 돈이잖아요! 근데 왜 내 돈을 못 준다고 하는데요? 나가서 지나가는 사람 붙잡고 물어봐요! 줄 돈 안 주는 거 그게 사기꾼 아니면 뭐예요? 네? 입이 있으면 말해 보시라고요! 집주인이 무슨 벼슬이에요?"

덕구 씨는 말문이 막혔다. 못 주나 안 주나 세입자가 자신의 전세 보증금을 제날짜에 받지 못한다는 건 틀림없는 사실이었다. 하지만 덕구 씨는 세입자의 보증금을 안 주는 게 아니라 못 주는 거였기에 억울한 마음이 들었다. 프로 축구 선수가 곧 있을 A 매치를 위해 시범 경기에 출전하지 않는 건 뭘 수 있어도 '안' 뛰는 거다. 하지만 인대가 파열돼 벤치 신세라면 안 뛰는 게 아니라 '못' 뛰는 거다. 뛰고 싶은 마음은 굴뚝 같지만 못 뛰는 상황인 거다. 지금 덕구 씨 입장은 심각한 부상을 입어 못 뛰는 상황과 같았다. 돈을 주고 싶지만 줄 돈이 없어 못 돌려주는 상황이다. 안 줄려고 잡아떼는 것도 아니고, 처음부터 돌려주지 않을 의도로 계약한 것도 아니었다. 하지만 세입자의 입장은 달랐다. 프로 경기의 관중은 선수가 A매치 때문에 주전에서 빠졌든, 부상을 입어 빠졌든 그라운드에서 뛰는 모습을 볼 수 없다는 결과는 같다. 특정 선수를 보기 위해 돈을 내고 표를 사서 입장한 관객은 그 선수의 결장 과정에 의미를 부여하거나 감정을 이입할 필요가 없었다. 그 선수를 보기 위해 돈 주고 표를 샀는데 그 선수가 결장이라면, 이유가 어쨌든 푯값을 날린 거고 사기인 셈이었다.

"지금 당장 사정이 있어서 못 준다는데 이해 좀 해주면 안 됩니까?"

"뭐라고요? 이해요? 그러면 제가 2년 전 계약 갱신할 때 올려줄 돈도 없고 반전세 전환도 못 해주지만 이사 안 가고 이 집에서 계속 살고 싶다고 했으면 '아이고 사정이 참 딱하시네요. 안 주시는 게 아니라 못 주시는 거니 돈 더 안 받을게요. 그냥 2년 더 사세요.'라 하실 거였어요? 아니 왜 올려받는 건 그렇게 칼같이 하시면서 맡겨둔 내 돈 내가 받겠다는데 왜 그렇게 변명만 하세요?"

　2년 전과 완전히 반대가 되었다. 2년 전 세입자는 덕구 씨가 무슨 말을 할지 몰라 초조하게 손을 비비며 눈치를 살피고 있었다. 하지만 지금은 입장이 역전돼 덕구 씨가 세입자 앞에 고개를 조아리는 꼴이 되었다. 차라리 받았던 돈으로 술이라도 진탕 마셨다거나, 명품이라도 사고 차도 한 대 뽑고 기분이라도 냈다면 사기꾼이라는 말을 들어도 할 말이 없었을 것이다. 하지만 덕구 씨는 손에 들어온 돈을 다시 재투자했을 뿐, 따로 뭐 하나 자기를 위해 쓴 게 없었다. 딱 하나 평소와 다른 행동을 한 거라곤 아들에게 생전 처음으로 한우 생고기를 사주고, 소주 대신 호기롭게 일품진로를 한 병 주문한 정도였다. 올려받은 돈으로 자식 새끼한테 한우 생고기 한번 사 먹인 걸로 사기꾼 소리까지 들어야 하나 싶어 덕구 씨는 정신이 아득해졌다. 상대는 한참을 더 화를 내다가 제풀에 지쳐 전화를 끊었다. 그리고 얼마 뒤 선물처럼 내용증명이 날아왔다. 너무 놀라 싸부에게 물었으나 싸부는 별거 아니라고, 내용증명 그딴 건 법적 효력도 없는 종이 나부랭이에 불과하다고 했다. 분명 아무것도 아니니까 걱정할 게 없다고 했었다. 그리고 이제 덕구 씨는 혼자다. 믿고 안심하라고, 자기만 믿으면 된다고 말해 줄 사람이 없다. 상황이 이렇다 보니 돈이 돌지 않는 고통보다 외로움이 더 크다. 싸부는 가고 없고, 아들에게는 못난 아비의 모습을 보이기 싫어 내색을 안 하고 있다. 덕구 씨는 이 상황을 혼자 짊어져야기에 더 무겁게 느껴졌고, 혼자의 짐이기에 외로움이 사무쳤다. 집값이 오르고 잘 풀릴 때는 투자만큼 재밌는 게 없더니, 이제는 투자만큼 고독한 게 없었다. 먼저 간 아내가 원망스럽기까지 했다. 지금 곁에 있었다면 아내는 무슨 말이든 위로와 힘이 되는 말을 해줬을 것이다. 하지만 혼자다. 우울감이 온 몸을 휘감았다.

창밖으로 한탄강 물줄기가 유유히 흐른다. 덕구 씨는 쉬는 날 연천을 찾았다. 총각 시절 군 후배의 추천으로 연천에 있는 재인 폭포와 허브마을에서 아내와 데이트했던 추억이 떠오른다. 하준이가 어릴 적에도 폭포에 한번 갔었다. 비 온 뒤라 폭포의 물줄기는 더욱 거세게 떨어졌는데, 하준이는 시끄러운 물소리가 무서운 듯 엄마 품에 쏙 안기면서도 한편으론 신기한 듯 폭포에서 눈을 떼지 못했었다. 폭포를 배경으로 어린 하준이를 안고 있는 아내를 찍은 사진은 여전히 식탁 유리 아래 놓여있다. 구름보다 더 높은 고공에서 낙하산 하나 믿고 망설임 없이 뛰어내리곤 했던 덕구 씨였건만, 처음 보는 이에게 사진 한 장 찍어달라고 부탁하는 건 너무 어려웠다. 덕구 씨가 쭈뼛거리고 있으니 아내가 나서서 지나가던 이더러 사진을 찍어달라 부탁하곤 했다. 아내는 늘 그렇게 덕구 씨의 빈 곳을 채워주었다. 하지만 아내 덕분에 어렵게 찍은 몇 장 안 되는 사진들도 이사하는 통에 없어졌다. 하준이 어릴 적 찍은 사진은 그대로인데, 하필 아내와의 기억이 담긴 앨범만 사라졌다. 필름이라도 남았다면 다시 현상하면 될 텐데, 앨범에 딸린 비닐 포켓에 필름을 넣어뒀던 터라 사진들은 영영 사라지고 말았다. 지금이라면 스마트폰으로 수백 장, 수천 장을 찍어서 언제든지 꺼내 볼 수 있다지만, 이렇게 편하고 좋은 시절에 남겨진 건 덕구 씨 혼자다. 만약 아내가 곁에 있었다면 사진이 아니라 온종일 동영상을 찍었을지도 모른다. 그래서 언제든 스마트폰을 꺼내 아내의 웃음소리를 듣고, 눈이 반달이 되도록 웃는 아내의 눈웃음을 보고 또 봤을지도 모른다. 세상이 이렇게 좋아졌는데, 아내가 너무 빨리 가버렸다는 생각에 덕구 씨 마음이 헛헛했다. 날은 더없이 맑았으나 차창 밖 한탄강이 갑자기 흐려지는 듯해 덕구 씨는 투박한 손등으로 눈을 비볐다. 연천은 덕구 씨에게 가족과의 추억뿐만 아니라 싸부 동현이와도 관계있는 곳이었다.

"하, 엘리제가 뭐니, 엘리제가…"

덕구 씨는 헛웃음을 터트렸다. 단순히 집을 사고파는 투자자를 넘어 이제는 빌라 시공까지 주관하는 디벨로퍼라며 큰소리쳤던 싸부가 유작처럼 남긴 빌라에 왔다. 우중충한 콘크리트 맨살이 그대로 드러난 작은 빌라 단지다. 누가 봐도 짓다 만 분위기인데,

뭐가 그리 급했는지 분양 현수막이 담벼락을 따라 죽 붙어있다.

다른 현수막들도 내용은 엇비슷했다. 빌트인 가전이 뭐가 들어가는지 구체적으로 짚어주는 정도의 차이랄까. 식기세척기에 시스템에어컨, 꼭대기 층은 의류관리기까지 딸려 있다 했다. 디벨로퍼인 싸부가 진행한 유럽풍의 모던한 고품격 빌라 이름은 엘리제였다. 싸부 동현이는 부동산 투자에 뛰어들기 전 파주의 물류창고에서 일했다. 동현이는 키가 컸지만 마른 체형에 특별한 기술도 없었기에 허드렛일부터 시작했는데, 나중에는 짬이 되어야 몰 수 있는 전동지게차도 몰았다고 했다. 먼지 가득한 반품 창고에서 팔레트에 적재된 물품을 칭칭 동여맨 랩을 까 반품 수량을 체크하는 까대기를 하다 지게차를 처음 몰았던 날이 동현이에게는 무척이나 강렬했던 게 분명하다. 조작법을 배우고 첫 후진을 할 때 지게차에서 흘러나오던 음악인 베토벤의 '엘리제를 위하여'가 마치 운명처럼 다가왔다고 했다. 사랑하는 이와 첫키스를 하면 귓가에 종소리가 들린다는 우스갯 소리가 있는데, 동현이는 첫키스가 아니라 지게차 첫 후진을 할 때 들려온 엘리제를 위하여가 마치 천사의 종소리 같았다고 했다. 그동안 스스로를 별 볼 일 없는 잡부, 별 볼 일 없는 인생쯤으로 생각했는데, 지게차를 모는 순간 자신의 존재 가치가 한 단계 격상되는 기분이 들었다고 했다. 오죽하면 핸드폰을 여러 번 바꾸는 동안에도 벨소리만큼은 꼭 엘리제를 위하여로 할 정도였다.

유럽풍의 모던한 고품격 빌라 이름이 엘리제인 건 아무리 생각해도 웃겼지만, 다시 생각해보니 동현이의 마음을 조금은 알 것도 같았다. 물류 일을 하는 이들도 힘들다고 혀를 내두르는 까대기나 하던 동현이가 지게차를 처음 몰았을 때, 흔하디 흔한 잡부가 아니라 전문가가 된 듯한 기분이 들었을 것이다. 어쩌면 엘리제를 위하여는 동현이에게 있어 힘이 솟게 하는 주문이었을지도 모른다. 단순한 음악이 아니라 인생이 바뀌는 변곡점에 때맞춰 흐르던 배경음악이었을지도 모른다. 어쩌면 등장할 때 배경음악이 필요한 주인공이 된 기분이었을지도 모른다. 처음으로 짓는 빌라에 엘리제라는 이름을 붙인 건, 다시 한번 인생의 전환점에서 퀀텀 점프를 하리라는 희망과 기대에 가득 찬 가장 멋진 작명이었을지도 모른다. 하지만 동현이는 인생을 바꾸는 도약 대신 양화대교에서 몸을 던졌다. 덕구 씨는 빌라 엘리제를 보며 동현이가 생각나 헛웃음을 지었지만, 동현이가 생각나 조금은 울 것 같은 기분이 들었다.

"근데 여기 누가 살기는 하는 거예요?"

덕구 씨와 연배가 비슷해 보이는 택시 기사는 연신 주변을 두리번거렸다. 빌라가 있던 곳은 그나마 읍내 느낌이 났지만, 지금 차창 밖에 보이는 건 온통 빽빽한 나무뿐이었다. 연천에 온 건 빌라 엘리제를 둘러보는 거 외에도 아들 하준이가 꼭 만나보라고 한 사람이 있기 때문이었다. 투자에 도움이 될 사람이라고 들었는데, 투자자가 아니라 자연인이라도 되는지 택시는 점점 산 안쪽으로 들어가고 있었다. 폭이 4m쯤 돼보이는 포장도로는 울창한 숲을 간신히 비집고 억지로 길을 밀어 넣은 듯한 느낌이었다.

"여기서 내리셔야겠어요. 더 들어가면 차 돌릴 곳도 없겠어요. 원래 이런데 들어오면 빈 차로 나가야 해서 이천 원이라도 더 주셔야 하는데…"

도로 포장이 끝난 지점이었다. 기사는 미터기에 찍힌 요금을 받아든 채 내심 얼마라도 더 주길 바라며 말끝을 흐렸다. 싸부 동현이었다면 '에헤이, 안 그래도 챙겨드리려고 했는데!'라 하면서 오천 원을 건네고 거스름돈은 됐다고 했을 거다. 아들 하준이었다면 '처음 목적지 말씀드릴 때 추가 요금 얘기는 없으셨잖아요?'라며 자연스레 웃고 넘겼을 것이다. 그런 점은 꼭 아내를 닮았다. 정작 덕구 씨는 지갑을 들여다보며 이러지도 저러지도 못하고 있었다. 택시 기사는 룸미러로 덕구 씨를 살피다가 답답했는지 "됐으니까 그냥 내리세요."라 말했다. 택시는 미련 따위 없다는 듯 시야에서 금세 사라졌다. 덕구 씨는 비포장 현황도로를 걷기 시작했다. 이마에 땀이 송골송골 맺힐 즈음 작은 집이 나타났다. 집이라고 하기엔 작고, 농막이라고 하기엔 큰 앙증맞은 집이었다. 집은 작았지만 집을 에워싼 텃밭과 정원은 상당한 규모였다. 작물은 농부의 발소리를 듣고 자란다는데, 가꿔진 솜씨며 가지런히 꽂힌 고춧대를 보니 넓은 밭에 주인의 발자국이 수천, 수만 번은 찍혀있을 것만 같았다. 무척 꼼꼼하고 부지런한 사람이라는 걸 보지 않아도 느낄 수 있었다. 구석에는 네모반듯한 경차가 주차돼 있었다. 그때 문이 열리더니 누군가 나타났다. 농부의 억센 팔뚝을 지닌 중년 남성이 나오지 않을까 싶었는데, 안에서 나온 건 앳된 여성이었다. 화장기 없는 말간 얼굴에 긴 머리를 노란 고무줄로 질끈 묶은 채였다. 그녀는 덕구 씨를 보더니 활짝 웃었다. 근심 걱정 따위는 묻어본 적 없는 싱그러운 웃음이었다.

"하준이 아버님이시죠? 기다리고 있었어요."

그녀는 따라 들어오라는 듯 활짝 열린 현관 안으로 들어섰다. 덕구 씨가 주저하자 그녀는 멈춰 서서 덕구 씨를 바라봤다. 덕구 씨가 재빨리 현관을 훑어보니 남자 신발은 보이지 않았다. 아들 소개로 왔다곤 하나 여성 혼자 있는 집에 불쑥 들어가는 게 경우 없는 일인 것 같았다. 더구나 아들이 말한 투자 전문가라는 이는 외출 중인 듯하니, 차라리 밖에서 기다리는 게 낫지 싶었다. 덕구 씨가 머뭇거리는 사이 덕구 씨를 빤히 바라보던 여성이 웃으며 말했다.

"하준이 아버님은 정말 하준이가 말한 대로네요."
"네? 제 아들이 뭐라 했는데요?"

아들이 자신에 대해 어떻게 얘기했을지 덕구 씨는 아버지로서 호기심이 일었다.

"외모만 보면 맨손으로 황소도 때려잡을 것 같은데, 마음은 여리고 순수한 어린아이 같다고요."

덕구 씨는 자신이 아들에게 애처럼 보였나 싶어 어깨가 움츠러들었다.

"아버지는 강철 같은 남자인데 멘탈은 무르다고 하더라고요. 투자자로 살아남으려면 육체보다 강철 같은 멘탈이 먼저라는 걸 하준이는 잘 알고 있으니까요."

"그럼 제가 만나기로 한 분이 혹시..."

"네. 잘 찾아 오셨어요. 전 수연이라고 해요. 서수연."

아까와 달리 수연은 덕구 씨를 기다려주지 않고 먼저 안으로 들어섰다. 수연을 처음 봤을 땐 그저 귀촌한 부모님을 도우러 주말에 내려온 여대생 아닐까 싶었는데, 본인 이름을 말할 때 풍기는 기운은 자신감과 여유 그 자체였다. 덕구 씨의 육체는 지금도 강철 같지만, 마음의 여유와 크기는 오히려 수연이 더 강철에 가깝다는 인상이었다. 덕구 씨는 쭈뼛대며 집 안으로 따라 들어갔다.

부자가 되려는 이유가 뭐예요?

❖❖❖

수연은 김이 모락모락 올라오는 따뜻한 차를 내왔다. 한모금 마시자 구수한 향이 입안에 가득 찼다. 덕구 씨는 어색한 분위기도 깰 겸 수연에게 차에 대해 물었다.

"차 맛이 좋네요. 이거 무슨 차인가요?"
"겨우살이 차예요. 겨우살이는 나무에 기생하는 식물인데, 겨울이 되면 유독 도드라지고 잘 보이는 식물이죠."
"겨울에 더 잘 보인다고요?"
"겨울이 되면 모든 나무가 잎을 떨구고 앙상한 가지만 남는데, 겨우살이 혼자 싱그러운 녹색을 띠고 있거든요. 공처럼 동그랗기 때문에 나뭇가지에 매달린 푸릇한 둥지 같기도 하죠. 꼭 썰물 때 갯바위가 드러나는 것처럼 겨울이 되면 겨우살이는 쉽게 찾을 수 있어요. 혼자만 녹색이니까요."

겨울에 혼자만 푸르른 겨우살이 얘기를 듣고 보니, 덕구 씨는 어제 본 부동산 커뮤니티의 덧글이 떠올랐다. 유명한 주식 투자자가 한 말이라는데, '물이 빠지면 누가 발가벗고 수영을 하고 있었는지 드러난다'는 얘기였다. 덧글은 덕구 씨 같은 영끌한 다주택자를 비웃고 있었다. 실력도 없고 돈도 없으면서 상승장 때는 자기 실력으로 돈 버는 줄 알고 나대더니, 이젠 역전세 맞고 세입자에게 돌려줄 보증금 한 푼 없는 영끌 거지라고 했다. 본인이 잘해서가 아니라 단지 상승장이라 운 좋게 터진 것뿐인데, 이제 물이 빠지니 발가벗고 있는 꼴이 드러나는 거라고도 했다. 덕구 씨는 그 덧글을 보며 얼굴이 화끈거렸다. 누가 옆에서 몰래 들여다보기라도 한 듯 자기 사정이 그대로 적혀있으니 정말 발가벗고 광장에 선 기분이었다. 그 아래 달린 답글은 반대로 바로 위 덧글을 비웃으며 무주택자 거지는 꺼지라고 했고, 그 아래에는 한마디도 지지 않고 '시드머니 모았다가 바닥에서 줍줍할 예정이니 영끌 거지는 닥치'라고 남겨져 있었다. 그러자 질 수 없다는 듯한 답글이 또 달렸다. "찐 바닥 찾다가 결국 평생 집 한 채 못 살걸? 그렇게 바닥을 잘 알면 이번 상승장 때 집 안 사고 뭐 했음?" 서로 한마디도 안 지려는 듯 덧글은 서로를 원수처럼 여기며 말싸움을 이어가고 있었다. 마치 자기 꼬리를 물려고 같은 자리에서 뱅글뱅글 도는 강아지 같았다.

"혹시 겨우살이 꽃말이 뭔지 아세요?"

상념에 젖어있던 덕구 씨는 고개를 저었다.

"인내심. 강한 인내심이에요."
"그럼 제가 가진 집들도 인내심을 가지고 쭉 쥐고 있어야 하는 걸까요? 그냥 버티는 게 답일까요?"

덕구 씨는 자신도 모르게 불쑥 속마음을 꺼내고 말았다.

"여유 있는 부자라면 굳이 매도하지 않고 들고 있어도 되겠죠?"

부자는커녕, 지금 덕구 씨는 가진 게 없다. 수연은 다 안다는 듯 말을 덧붙였다.

"하지만 대부분은 그럴 여유가 없으니까, 기회가 올 때 반드시 매도해야죠."

"그런 기회가 오긴 올까요?"

"그럼요. 반드시 기회는 와요. 주식 시장에는 '기술적 반등'이란 말이 있어요. 폭락하던 주가가 별다른 호재 없이도 상승하는 경우를 말하죠. 폭락하면 너도나도 무작정 매도하는 투매가 벌어지는데, 그게 다 공포심 때문이거든요. 매도 물량이 동시에 쏟아져서 주가가 폭락하다 보면 어느 시점에 '너무 많이 내려간 거 아닌가? 이제는 바닥을 친 게 아닐까?'라며 사람들이 슬금슬금 매수하는 순간이 와요. 데드 캣 바운스(dead cat bounce)라는 말 들어 보셨죠? 죽은 고양이도 높은 곳에서 떨어뜨리면 한번은 꿈틀한다고, 폭락장에서 끝없이 하락만 이어지는 게 아니라 반드시 상승하는 추세가 나타나는 걸 일컫는 말이에요."

"그건 주식 시장 얘기 아닌가요? 부동산에서도 그런 일이 벌어질까요?"

"주식이든 부동산이든 모든 투자는 심리 싸움이에요. 더 따고 싶은 욕심과 물리지 않을까 싶은 공포 사이의 줄다리기죠. 결국 기술적 반등은 반짝하고 사라질 잠깐의 신기루 같은 거예요. 때를 놓치면 이후로는 걷잡을 수 없는 하락뿐이니까요."

"팔아야 할 때가 왔다는 건 어떻게 알 수 있을까요?"

수연은 말없이 덕구 씨를 바라봤다. 덕구 씨는 말실수라도 한 건가 싶어서 어깨가 움츠러들었다.

"드디어 때가 왔다고 말해주면, 사람들은 그 말을 믿고 망설임 없이 행동할 수 있을까요? 사람들은 대부분 자신만이 답을 알고 있다고 생각해요. 특히 자기 돈이 들어간 투자에 있어서는 자기 의견과 다른 말을 하는 사람들을 용납하지 못하죠. 자신과 반대되는 사람은 모두 악(惡)이자 이단이에요. 광신(狂信)에 빠진 사람과 다를 게 없죠. 그런 이들을 계몽하거나 생각을 바꿀 수 있다고 생각하는 사람이야말로 가장 미친 사람일 거에요. 그것도 아니라면 사기꾼이겠죠. 그래서 전 투자에 대해서 일절 개인 상담을 하고 있지 않아요. 어차피 말해봤자, 결국 자기가 하고 싶은 대로 패를 던지거든요."

주식이든 부동산이든 어떤 투자를 막론하고 사람들은 사서는 안 될 때 사고, 팔아서는 안 될 때 판다. 본인이 볼 때는 그때야말로 가장 확실한 매수, 매도의 타이밍이기 때문이다. 누가 뭐래도 들리지 않고 보이지 않는다. 열등감이나 공포는 사람을 바보로 만든다.

"개인 상담 같은 걸 안 하신다면, 하준이는 왜 절 이곳으로 보낸 걸까요?"

수연은 쓸쓸하게 웃었다. 포장되지 않은 거친 길을 헤치고 건

너온 자만이 보일 수 있는 웃음이었다.

"한때 여의도에 있었어요. 워런 버핏이 금융의 대량 살상무기(Financial Weapons of Mass Destruction)라 말한 파생상품 쪽에 있었죠. 부동산 투자에서 절대 손대지 말아야 할 게 지역주택조합이라면, 주식에서는 선물이에요. 오죽하면 '원수에게 선물옵션을 권하라'는 말이 있겠어요."

여의도는 금녀의 영역이다. 전문가라 불리는 이들은 거의 다 남자였다. 금융계에 몸담은 이들은 모두 정장 차림인데, 점심시간에 여의도의 높은 빌딩들은 셔츠에 넥타이를 목줄처럼 맨 사내들을 토해냈다. 투자에 관심을 기울이는 주된 투자자 역시 남자였다. 투자와 거리가 먼 이들은 젊은 남자, 또는 대부분의 여자였다. 젊은 남자나 대부분의 여자마저 주식 시장을 기웃거린다는 건 유동성의 불꽃이 세상을 집어삼킬 지경이 되었다는 뜻이었고, 바꿔말하면 불길이 거품처럼 사그라들 시간이 점점 다가오고 있다는 뜻이기도 했다.

수연은 누구보다 성실했고 진지했지만 새파란 신입사원인데다 여자였다. 수연이 할 일은 사실 많지 않았다. 하지만 그때는 유동성의 불길이 슬슬 거세지던 시기였다. 당시 팀장은 퇴사하면서 수연에게 손을 내밀었다. 언제까지 신문 스크랩이나 하고 해외 기사 번역기나 돌려서 이슈를 추리는 허드렛일이나 하고 있을 거냐고, 죽도록 공부한 게 선배들 뒤치다꺼리하려던 거였냐고 술 잔을 내려놓으며 말했다. 팀장은 진짜 투자의 세계로 함께 가자고 말했다. 눈빛에서 진심이 읽혔고 수연은 팀장을 따랐다. 여의도에서는 아무도 믿으면 안 된다는 걸 그때는 알지 못했다. 상승 장에서는 모두가 동료이고 전우이지만, 하락장에서는 남보다 못 한 원수가 될 수 있다는 걸 그때는 알지 못했다.

팀장은 수연에게 가르치는 달란트가 있다고 추켜세웠다. 퇴사를 결심하기 전 팀장은 강화군 석모도에 있는 보문사를 제집처럼 드나들던 불자였지만 수연에게는 교회에서나 쓸 법한 달란트라는 말을 하곤 했다. 자신이 지닌 금융 달란트를 초보 투자자들에게 두루 전달해 모두가 함께 부자가 되는 선한 영향력을 끼치고 싶다는 포교자 같은 말을 하기도 했다. 하지만 수연은 자신에게 제대로 된 일이 주어진 게 좋았다. 수연은 하루에 두 개 이상 주식 투자에 대한 영상을 촬영했다. 사실 무엇을 가르치는지는 중요하지 않았다. 시장은 상승을 향해 달려가고 있었고, 평소에는 주식의 ㅈ도 모르는 이들이 자진해서 구독자가 되고 좋아요, 알림 설정을 했다. 채널을 개설한 초반에는 단순히 수연의 곱상한 외모에 혹한 나이 많은 투자자가 기웃거렸다면, 어느새 젊은 남자들이 몰려들며 투자에 대해 사뭇 진지한 덧글을 남기곤 했다. 시간이 더 지나자 수연을 '언니'라 부르며 팬심까지 내비치는 초보 투자자들로 덧글창은 인산인해를 이루었다. 수많은 경제 채널 중 수연이 맡은 채널의 성장 속도가 압도적이었고, 기존 공중파 경제 채널에서 콜라보 제안까지 들어올 정도였다. 그러던 중 수연은 재현을 만났다. 재현은 경제 전문 기자였고, 고리타분한 언론사들이 체질을 바꿔 금융교육의 새로운 방향을 제시하는 채널을 새로 만들어야 한다고 말했다. 그런 의미에서 수연의 채널과 수연의 모든 활동은 귀감이 된다고 했다. 대한민국의 내로라하는 언론사의 경제 기자인 재현이 인정해 주니 수연은 그간의 노력을 보상받는 듯했다.

좋은 일은 연이어 터졌다. 한때 팀장이었던 이는 이제 대표가 되었다. 대표는 자신의 방으로 수연을 불렀다. 그가 내민 건 법인 카드였다. 조심스레 카드 한도를 묻는 수연더러 대표는 그런 걸 묻는 건 쪽팔리니까 신경 쓰지 말고 마음껏 쓰라고 말했다. 그가 준비한 선물은 또 있었다. 대표는 키를 하나 건넸다. 당장이라도 뛰쳐나갈 듯 앞발을 든 검은 말이 새겨진 자동차 키였다. 지하주차장에 도착해 키를 누르니 저 구석에서 검은 야생마 한 마리가 번뜩이는 빛으로 화답했다. 수연은 벅찬 가슴을 달래며 차를 향해 다가갔다. 또각거리는 수연의 하이힐 소리가 주차장의 고요를 깨우고 있었다. 반들거리는 보닛은 마치 흑요석으로 빚은 거울처럼 매끄러웠다. 번쩍이는 차의 표면은 공덕역 인근 수연이 홀로 자취하는 좁디좁은 오피스텔 화장실의 거울보다도 더 명징하고 아름다웠다. 흑경과도 같은 차체에 비친 자신의 모습이 오늘따라 더 아름답다고 수연은 속으로 생각했다. 조심스레 문을 여니 조수석에 놓인 꽃다발과 가방이 보였다. 수연은 명품을 잘 몰랐지만, 조수석에 놓인 가방이 수연의 한 달 월급보다 비싸다는 것쯤은 알았다. 어디에 갈 것도 아니면서 수연은 괜히 시동을 걸어보았다. 로고에 새겨진 건 흑마였으나 시동을 걸자 튀어나온 건 매끄러운 근육질의 몸을 지닌 흑표범의 으르렁거림이었다. 가속 페달을 지긋이 밟자 어서 자신을 꺼내달라는 듯 엔진은 그르렁거렸다. 수연은 만족감에 웃음을 감추지 못하고 차 안에서 깔깔거리며 웃었다. 가장 먼저 재현에게 이 차를 자랑하고 싶었다. 모든 것이 잘 풀리던 시절이었다. 꿈만 같았다. 꿈에서 깬 눈을 뜨고 일어나야 한다는 걸 그때는 몰랐다.

"그런데 여의도에 있던 분이 왜 부동산 투자로 넘어온 거예요?"

덕구 씨의 순진한 물음에 수연은 상념에서 벗어났다.

"돈을 쫓지 않고, 돈을 좇기 위해서요."

발음이 비슷하다보니 덕구 씨는 잘 이해를 못 한 모양이었다. 돈을 쫓나 돈을 좇나 자음 하나 차이인데 무엇이 다르냐 할 수도 있다. 하지만 수연은 가장 소중한 걸 잃어버린 후에야 그 차이를 알았다. 산에 들어오기 전, 수연은 돈의 뒤꽁무니만을 성급히 쫓아다니곤 했었다. 돈 이외에는 아무것도 보이지 않았다. 하지만 지금은 돈이 목적이 될 수 없으며, 그저 행복의 수단이라는 걸 알기에 돈을 좇는다. 좇아야 할 목표, 이상, 행복 따위에 돈이라는 항목이 하나 추가된 것이다. 오로지 돈만 쫓는 삶과는 다르다. 하지만 이걸 알고 느끼기 위해서 너무나 큰 대가를 치렀다. 할 수만 있다면 시간을 되돌리고 싶었지만 이미 지난 일이다.

"전에는 돈이 목표였어요. 하루 종일 돈의 꽁무니만 쫓아다녔죠. 벽이나 모니터에 '서른아홉에 100억 부자 달성!' 따위를 써 붙여놓곤 했었어요."

"그런데 왜 하필 서른아홉을 목표로 한 건가요?"

"그러게요. 지금 생각하면 왜 그랬나 모르겠어요. 제가 순진했던 거겠죠."

고등학생 때 수연은 단순히 공부를 잘하는 것으로는 결코 부자가 될 수 없다고 생각했다. 모범생이었던 수연은 부자가 되기 위해 정석적인 길을 택했다. 학교가 끝나자마자 교복 차림으로 서점에 들른 수연은 경제경영 코너를 한참 헤매다 두 권의 책을 집어 들었다. 두 권 모두 약속이나 한 듯 '39세 100억 부자'라는 말이 제목에 붙어 있었다. 두 권의 책은 출간된 시기도 1년 남짓 차이였고, 책 표지에 저자 사진이 큼지막하게 박힌 것도 똑같았다. 표지 속 저자들은 넥타이에 수트 차림이었고, 당당하고 자신만만한 눈빛으로 수연을 바라보고 있었다. 두 책이 다른 것은 딱 하나였다. 한 명은 주식부자였고, 다른 한 명은 땅부자였다. 부자가 되기 위해 수십 권의 책을 헤집다 마지막에 결승전처럼 남은 두 책을 보며 수연은 결론을 내렸다. 둘 중 한 명을 부자 스승으로 택해 책에서 시키는 대로 따라할 생각이었다. 스승을 택한다는 것은 곧 스승의 투자 영역을 따라간다는 것이었다. 수연은 심호흡을 한 후 예비 스승1인 땅부자의 책을 펼쳐 들었다. 땅부자는 '천만 원으로 법원 토지경매를 시작하라'고 외치고 있었다. 하지만 당시 수연에게 있어 천만 원은 백억 원보다 더 큰 돈이었다. 애초에 백억이란 돈은 유니콘이나 드래곤처럼 만나본 사람이 아무도 없는 판타지 속의 액수였다. 가늠조차 할 수 없으니 꿈꾸기도, 목표하기도 힘든 대상이었다. 수연은 다음으로 주식부자의 책을 집어 들었다. 사실 주식 부자 역시 종잣돈을 천만 원 이상 모으라는 건 다를 게 없었지만, 수연이 주목한 것은 다른 점이었다. 바로 '주식 투자 수익률 10000%!'였다. 세상에, 수익률이 1만 프로라는 건 원금을 100배로 뻥튀기한다는 소리다. 그 말은 곧 1만 원으로 주식투자 수익률 10000%를 달성한다면 1백만 원이 된다는 얘기다. 그걸 그대로 재투자해서 다시 또 10000% 수익률을 달성한다면 1백만 원이 1억 원이 된다는 소리이기도 했다. 초등학생 때 꿈이 뭐냐 물으면 아이들 중 꼭 대통령이 꿈이라 말하는 아이가 있다. 대통령은커녕 9급 공무원 되는 것마저 얼마나 힘든지 아직 모르기 때문에 하는 소리다. 초등학생 때 꿈이 대통령이라 말하는 것과 100억은 그런 면에서 같다. 부르짖기는 쉬우나 만질 수도 없고 닿을 수도 없기 때문이다. 100억은 밤하늘에 뜬 달과도 같다. 우주 어딘가 달이 있다는 건 알겠는데 죽을 때까지 갈 수 없기 때문이다. 그렇기에 수연은 39세에 100억 부자가 되겠다는 목표를 쉽게 세울 수 있었다. 100억 부자라는 목표는 초등학생이 자기 꿈은 대통령이라며 손을 들고 발표하는 것처럼 쉬운 일이었다. 하지만 종잣돈 1천만 원은 전혀 다른 문제였다. 1천만 원은 현실이었다. 사회생활을 해보지 않은 수연도 그 돈의 무게를 충분히 실감할 수 있었다. 중학생 때 수연은 운 좋게도 지인에게서 교복을 물려 입을 수 있었다. 고등학생이 되어 처음으로 새로 산 교복값은 동네에서 가장 인기 있는 햄버거 프랜차이즈의 가장 인기 있는 세트를 두 달 가까이 매일 먹을 수 있는 수준이었다. 수연이는 그 햄버거 세트를 한 달에 한 번, 아끼고 아꼈다가 가장 마지막 날에만 먹었다. 한 달 동안 고생했다고, 어떻게든 또 버티고 견뎠다며 스스로에게 주는 상이었다. 그런데 종잣돈 1천만 원은 교복을 삼백 벌 넘게 사고도 남을 돈이자 꾹 참고 참았다가 한 달에 한 번 먹는 가장 인기 있는 햄버거 세트를 사 년 반 동안 매일 먹을 수 있는 돈이었다. 사 년 반이면 무려 1천6백일 이상이며, 지금처럼 한 달에 한 번씩만 먹는다면 138년을 살아도 다 먹지 못할 양이었다. 한마디로 죽을 때까지 먹고도 남는다는 소리였다. 대통령이 꿈이라거나 달을 따주겠다는 달콤한 말은 호기롭게 외칠 수 있어도, 교복 삼백 벌에 해당하는 1천만 원은 현실에서 손에 잡히는 어마어마한 크기의 돈이었다.

"블라우스 한 벌 더 하실 거죠?"

교복 판매점의 여사장님이 수연의 아빠에게 다가와 물었을 때, 아빠는 그게 무슨 소리인지 바로 알아듣지 못했다. 수연이 주변을 둘러보니 엄마와 함께 온 아이들은 여분 블라우스를 보통 두세 벌, 못해도 한 벌씩은 더 사고 있었다.

"요즘 아이들 활동량이 많잖아요. 그렇다고 블라우스를 매일 세탁하기도 힘들고."

눈치 빠른 여사장은 아빠의 표정을 살핀 후 친절한 설명을 덧붙였다.

"그… 블라우스는 얼마나 하나요?"

블라우스 한 벌은 대충 햄버거 세트 다섯 개 정도의 값이었다.
수연은 블라우스 값을 듣던 아빠의 표정을 잊을 수 없었다. 아빠
는 알음알음 딱 교복 한 벌 값을 준비한 게 분명해 보였다. 아빠
는 허둥대며 여사장과 수연의 표정을 번갈아 살폈다. 아빠는 거
짓말을 하거나 당황하면 얼굴에 그대로 드러나는 순진한 사람이
었다. 어느 부모든 자신의 가난을 아이는 느끼지 않게 하려 애쓰
지만, 가난의 냄새는 생선 비린내와도 같아서 옷을 갈아입는다고
해서 사라지는 게 아니었다. 가난은 머릿결 한 올 한 올에 스며든
비린내와 같았다. 가난은 상한 생선의 탁한 눈빛처럼 어디에서나
늘 수연을 바라보고 있었고, 다가오는 사람을 피하게 만드는 짠
내를 품고 있었다.

"일단 오늘은 교복만 하고요, 블라우스는 집에서 입어보고 나
중에 와서 따로 할게요."

수연은 아빠 대신 밝게 대꾸했다. 가난은 어쩔 수 없지만 가난
하다는 걸 들키긴 싫었다. 아빠가 블라우스 한 벌 값 때문에 쩔쩔

매는 것 또한 보고 싶지 않았다. 수연이 주식부자를 마음속 스승으로 택한 건 어찌 보면 필연이었다. 땅부자는 '종잣돈 1천만 원만 있으면 됩니다!'라고 말했지만, 1천만 원은 '부자'라는 추상보다 더 냉정한 현실이자 넘을 수 없는 성벽이었다. 수연은 그저 수익률 10000%, 100배의 이익을 내는 게 중요했다. 1만 원은 가질 수 있는 현실이었고, 1만 원을 10000% 불려서 1백만 원으로 만들어 준다며 39세 100억 부자는 책 표지에서 스마트하게 웃고 있었다.

"그 스승님들은 지금쯤 더 큰 부자가 되었겠네요? 서른아홉이라는 젊은 나이에 백억 부자였다면, 그때로부터 십 년도 더 지났으니까 못 해도 이삼백 억 부자가 되셨을까요? 아니지, 십 년이면 강산도 변한다는데 오백 억 정도 되려나?"

덕구 씨는 현실적이면서도 상식적인 질문을 했다. 자산이 일정 금액을 넘어서면 돈이 돈을 벌어들인다. 서른아홉에 벌써 백억 원이라는 어마어마한 자산을 축적했다면, 세상일에 정신을 빼앗기지 않는 불혹의 40대나 하늘의 명을 깨닫는 50대 지천명이 된다면 백억이 이백억, 삼백억 원으로 불어나는 것도 아주 불가능하지는 않을 것이다. 어디까지나 상식적으로 생각하면 그렇다. 하지만 수연은 웃으며 고개를 가로저었다.

"39세 100억 땅부자는 그 후로도 책도 여러 권 내고, 강연도 많이 하고, 토지 투자 컨설팅이나 개발뿐만 아니라 요식업까지 진출했어요. 워낙 왕성하게 활동하며 TV에도 얼굴을 자주 보인 덕분에 수많은 투자자도 모았고요. 그런데 몇 년 지나 투자자들로부터 고소당했어요. 실제로는 100억 어치 땅이 있는 땅부자도 아니었고, 그나마 얼마 있는 땅도 근저당이 과한 상태였죠. 투자자들의 돈을 불려줄 능력도, 생각도 없었고요."

십여 년 전 100억 땅부자는 지금 어디에서 무얼 하고 있는지 모른다. 자신을 고소한 투자자들과 합의해서 실형은 겨우 면했다고 들은 것 같기도 하다. 상황이 이럼에도 그의 책은 여전히 서점에 가면 찾아볼 수 있다.

"그렇다면 39세 100억 주식부자는요?"

"그분도 비슷해요. 책도 여러 권 내고, 강연도 많이 하고, 투자 컨설팅도 하셨죠. 그래도 그분은 최근까지도 활동하셨으니 십 년도 더 넘게 투자시장에서 살아남긴 했네요."

"그럼 주식 부자야말로 더 큰 부자가 됐겠네요? 부자가 되는 길은 역시 부동산보다 주식인가요?"

"아뇨. 다르지 않아요."

39세 100억 주식 부자란 이도 이전에 수연이 몸담았던 회사와 대동소이한 일들을 벌였다. 리딩방을 운영하며 정보 제공을 미끼로 돈을 받았고, 미리 사둔 주식을 리딩방 회원들에게 추천했다. 회원들이 너나 할 것 없이 몰려들어 매수하니 주가는 계속 올랐다. 회원들이 사들여서 주가가 오르는 것이었건만 주식 부자 밑에 딸린 각 리딩방의 전문가라는 이들은 주가가 날아갈 종목을 자신들이 선구안으로 잘 찍은 것처럼 포장했다. 눈앞에서 오르고 있으니 믿음이 깊어졌고, 믿음은 광신이 되었다. 그는 차액결제거래(CFD)를 이용하기도 했는데, 그렇게 매수할 경우 '외국인 매수'로 포장됐다. 순진한 투자자들은 기관보다 더 영리한 외국인들의 대량 매집을 보며 자신의 투자에 확신을 지녔고, 더 많은 돈을 털어 넣었다. 국민연금은 늘 한발 늦은 투자만 하고, 국내 기관은 공매도 말곤 할 줄 아는 것도 없지만, 외국인 투자자들은 제대로 된 프로 투자자라는 맹신이 있었기 때문이다. 회원들은 맹신에서 비롯된 광신이 아니라 순수한 믿음이라 자부하며 기꺼이 헌금을 바쳤다. 조금만 상식적으로 생각해 봐도 시가총액 4백억 원짜리 중소기업, 한국인도 제대로 들어본 적 없는 기업에 외국인이 그렇게 큰돈을 투자할 리 없다. 하지만 이미 헌금이 투입된 종목이니 투자자들은 그 종목과 사랑에 빠질 수밖에 없었다. 주식 부자는 시뻘겋게 올라가는 차트를 흐뭇하게 바라보며 회원들에겐 계속 주식을 들고 있으라고, 홀딩하라고 친히 지침을 하달했다. 그러고는 고점에서 자신의 물량을 전량 매도했다. 깔끔하게 털고 나간 것이다. 상당한 물량이 갑자기 빠져나가니 시퍼런 폭포처럼 차트는 아래로 아래로 처박혔다. 검찰은 주식 부자에게 징역 7년, 벌금 120억, 추징금 49억 원을 구형했다. 49억 원의 추징금을 구형했다는 건 선행매매 후 털고 빠지는 식으로 개미들로부터 49억 원을 빨아먹었다는 소리다. 땅 부자건 주식 부자건 스승님들은 어떻게 하면 백억 부자가 되는지 정확히 알고 있었다. 다만 자신의 투자로 백억을 버는 게 아니라 다른 순진한 투자자들로부터 헌금을 걷었을 뿐이다.

"책까지 내고 강연도 다니던 사람들이 그정도라면... 서민이 부자가 되는 길은 정말 없는 건가요?"
"돈을 목표로 하지 않으면 얼마든지 부자가 될 수 있죠."

수연은 알듯 모를듯한 말을 했다. 공부하는 학생은 서울대를 목표로 하고, 부자가 되려면 언제까지 얼마를 벌겠다는 구체적인 목표를 세워야 하는 게 아닌가 싶었다. 아니, 그렇게 구체적인 목표도 없이 부자가 되겠다고 생각하는 건 부자에 대한 열망이 부족한 채 그저 뜬구름 잡는 것이라 여겨왔다. 부자라는 목표를 세우고 구체적인 목표를 하루에 백번 씩은 외쳐야 결국 그 길에 닿을 거라 여겼다. 하지만 대중이 알고 있는 그런 방식은 다 틀렸다. 다들 언제까지 십억을 벌겠다, 백억을 벌겠다 말하지만, 돈의 액수만 정해 놓았을 뿐 번 돈으로 무얼 하겠다고 정한 사람은 많지 않다. 왜 부자가 되려고 하는지, 부자가 돼서 뭘 하려고 하는지는 없이 언제까지 얼마를 벌겠다는 사람들 뿐이다. 이건 부자가 목표인 게 아니라 돈의 액수가 목표인 셈이다. 다들 부자가 되어서 자신이 진짜 하고 싶은 일이 무엇인지를 그리기보다 액수나 숫자를 목표로 삼는다. 몇억을 벌겠다, 아파트 등기는 몇 개를 치겠다는 식이다. 그도 그럴 수밖에 없다. 부자라고 자신을 소개하는 이들은 하나같이 몇 년 만에 얼마를 벌었다, 몇 살에 경제적 자유를 얻었다는 식으로 자신을 소개하기 때문이다. 스스로 부자라고 말하는 사람 중 부자가 되어 비로소 달라진 내 삶에 대해 얘기하는 사람은 단 한 사람도 없었다. 현재 살고있는 바로 이런 삶을 살기 위해 부자가 되려고 노력해왔다고 말하는 사람은 만나보기 힘들다.

고등학생에게 꿈이 뭐냐 물으면 가고 싶은 대학을 얘기한다. 취업 준비생에게 꿈을 물으면 취업하고 싶은 기업을 얘기한다. 진학하고 싶은 대학이나 입사하고 싶은 기업은 자신의 능력보다 더 높은 곳을 바라보고 정하기 마련이다. 모범생으로 자란 아이들은 의대 진학이나 의사가 되는 것을 꿈이라 얘기한다. 하지만 그것은 꿈이 아니다. 그것은 꿈이 아니라 갖고 싶은 직업일 뿐이다. 직업은 꿈이 될 수 없다. 부자가 되는 게 꿈이라는 사람들 또한 다를 게 없다. 의사가 꿈이라고 말하는 것처럼 부자가 꿈이고, 백억 원을 갖는 게 꿈이라 얘기한다. 알다시피 원하는 대학에 진학하고 원하는 직업을 얻는다고 인생이 술술 풀리는 게 아니다. 오히려 인생은 그때부터 시작일 뿐이다. 부자가 되어 얼마를 손에 쥐었다고 해도 결국 또 다른 시작일 뿐, 종착지가 될 수는 없다. 의사가 되어서 어떤 삶을 살겠다, 부자가 되면 이것만큼은 꼭 이루고 싶다, 백억을 손에 쥐었을 때 진짜 하고 싶은 것은 이것이다, 식으로 내가 진짜 원하는 것을 분명히 알지 못하는 사람은 목표만 있고 꿈이 없는 사람이다. 지하철 환승역이 어디인지는 아는데 종착역이 어딘지는 모르는 것과 똑같다. 종착역이 어딘지를 모른다면 갈아타는 것 또한 의미가 없고, 환승역에 갈 이유가 없다는 걸 알지 못하는 이들이 오로지 환승역인 '부자', '몇십억 부자'라는 목표만 세우고 눈을 가린 채 달려간다. 문제는 또 있다. 흔들리지 않는 명확한 꿈이 없는 목표는 작은 난관을 만나도 목표에서 마음이 멀어지게 만든다. 어떠한 시련에도 참고 버티게 만드는 빛나는 꿈이 없다면, 난관을 극복할 수 있는 간절함도 생기지 않기 때문이다. 간절함이 있다면 난관은 난관이 되지 못한다. 문제는 그것을 문제로 인식하기 때문에 문제가 된다. 하지만 진정한 꿈에서 눈이 멀어지면 작은 것 하나도 큰 문제로 느껴지며 흔들릴 수밖에 없다. 그러기에 부자가 되려면 부자나 돈을 목표로 하면 안 된다. 내가 왜 부자가 되려고 하는지, 부자가 된 이후에 어떠한 삶을 살고자 하는지를 구체적으로 그려야 한다.

행복은
목표가 아니다

❖❖❖

"얘기를 듣고 보니, 전 행복해지기 위해서 부자가 되려고 해왔던 것 같아요."

덕구 씨는 고민 끝에 답을 내렸다. 아들 하준이는 편부 밑에서 자랐으니, 훗날 며느리 볼 시기가 되어 사돈댁에게 기 안 죽고 아들놈 위신을 세워주려면 서울에 있는 아파트 한 채를 해주는 것만큼 좋은 것이 없다. 아끼고 안 먹고 모아서 부자가 되려는 건 결국 다 행복해지기 위해서다. 맞다. 덕구 씨는 행복해지려고 부자라는 목표를 세운 것이다. 흔히 하는 말로 돈으로 행복을 살 수는 없지만, 돈으로 불행을 피할 수 있기 때문이다. 돈이 전부는 아니지만 돈 만큼 좋은 게 없는 것은 결국 불행을 피하기 위함이고, 불행을 피하면 그 자리에 행복이 들어찰 자리가 생기기 때문이다.

"행복해지기 위해서 부자가 되려고 하신 거라면, 지금은 부자가 아니라서 불행한 거예요?"

수연의 물음에 덕구 씨는 허를 찔린 듯 선뜻 대답하지 못했다. 행복하냐고? 행복할 리가 없었다. 세입자 중 벌써 여럿이 내용증명을 보내왔다. 사기꾼이라는 말까지 들었다. 계약 갱신이 곧 돌아올 것이다. 계약을 연장하건, 계약 종료로 세입자가 방을 빼건 간에 돌려줄 돈이 필요하다. 돈이 필요한데 돈이 없다. 돈 때문에 쫓기는 마음이다. 문자 수신 알림이 울리거나 전화벨만 울려도 신경질적으로 반응하는 자신을 보고 놀라곤 한다. 부자가 되려고 투자를 시작했는데 오히려 투자하기 전보다 더 불행해진 것만 같다.

"행복을 목표로 삼으면 안 돼요. 행복은 목표가 아니에요."
"네?"

부자가 되려면 부자를 목표로 하면 안 된다더니, 이제는 행복마저 목표로 삼지 말라니 이게 무슨 소리인가 싶었다. 행복해지면 안 된다는 말인가. 가난한 사람은 부자가 되어서도, 행복해서도 안 된다는 건가. 아니면 부자가 되려면 피도 눈물도 없는 냉혈한이 되어 행복조차도 사치처럼 여겨야 한다는 말인가. 덕구 씨는 혼란스러웠다. 당장 돈을 토해내라는 세입자들을 대응할 뾰족한 방법을 알려줄 거라 기대했더니만 행복을 목표로 삼으면 안 된다니 이게 무슨 말장난인가.

"행복은 강도가 아니라 빈도예요. 한방의 큰 행복이 아니라 작은 행복의 연속이라고요. 돈도 행복도 마찬가지죠. 인생이 바뀌는 한방이 아니라 매일 행복하고, 매일 조금씩 어제보다 더 나아지면 매일매일 부자에 더 가까워지는 거예요. 부자가 되어 행복해지는 게 목표라면 목표 금액을 달성하기 전까지는 행복을 보류하는 것이나 마찬가지잖아요?"

덕구 씨는 한 대 맞은 것만 같았다. 부자든 행복이든 마치 로또 한 방처럼 여기고 그것만 바라고 살아온 게 아닌가 싶어서였다. 행복을 목표로 삼지 말라는 말은 불행해지라는 게 아니다. 큰 행복을 얻기 위해 이를 꽉 깨물고 참으라는 게 아니다. 100억 부자가 된 이후에 비로소 행복해지라는 게 아니라 작고 소소한 행복을 매일 누리라는 뜻이다. 행복은 죽기 직전 주마등처럼 일생이

스칠 때 딱 한 번 느끼는 게 아니다. 행복은 인생의 최전성기에 잠깐 맛보는 게 아니다. 하지만 사람들은 행복마저 목표라고 착각한다. 행복은 목표가 아니라 과정이다. 다시 한번 말하지만 행복은 목표가 아니라 과정이다. 행복이 들어갈 자리에 '부자'를 넣어도 일맥상통한다. 부자는 목표가 아니라 과정이다. 십억, 오십억, 백억이라는 숫자를 달성해야만 부자인 게 아니라 작은 부를 매일 누리라는 뜻이다. 하지만 사람들은 다들 '몇 년' 안에 '몇십억 원'을 달성하는 것을 부자의 기준으로 정해놓는다. 39세에 백억 부자가 되겠다는 건 39세에 행복을 얻겠다는 것만큼 어리석은 말이다. 행복은 보류하는 게 아니고 지금 당장 누려야 하는 가치다.

사람들은 '남들이 볼 때 충분히 인정해 줄 만큼 돈이 많은 상태'를 부자로 생각한다. 결국 내 주변 사람보다 더 돈이 많거나, 더 비싼 아파트를 갖고 있어야만 한다. 이렇다 보니 단기간에 더 큰 결과와 이익을 얻기 위해 자신의 능력을 벗어난 투자를 하게 된다. 무조건 잘 될 거라는 낙관에 감당할 수 없을 정도의 레버리지를 쓰는 것이 그렇다. 문제는 레버리지를 끌어 쓸 당시에는 이것이 결코 무리한 투자라는 걸 인식하지 못한다는 것이다. 행복은 강도가 아니라 빈도이듯, 부자는 한 번에 크게 버는 게 아니라 작더라도 꾸준히 맛보는 성공의 누적이다. 평생을 찡그리고 살던 사람이 죽기 전에 턱이 빠질 정도로 크게 한번 웃었다고 해서 그의 인생을 부러워할 사람은 아무도 없다. 상승장에 내가 보유한 주식이나 부동산, 코인 가격이 크게 올랐다 해도 매도 타이밍을 놓치고 길고 긴 하락장에 무리한 레버리지의 여파로 찡그린 채 살아야만 한다면 과연 그를 부자라고 할 수 있을까? 투자는 평생 하는 것이며 진정한 부자는 상승장이든 하락장이든 상관없이 꾸준하게 평생 갈 수 있는 사람을 일컫는 말이다. 행복 또한 마찬 가지로 평생 누려야 할 가치이자 시장의 상황과 상관없이 늘 행복할 수 있는 사람이 진정한 승자다. 십여 년 전에 100억 부자였다고 책을 낸 저자들, 스스로 전문가라 말하며 강단에 서고 사람들을 구름처럼 불러 모으던 숱한 이들 중 십여 년 후인 현재에도 살아남아 여전히 사람들로부터 존경을 받는 이가 과연 얼마나 있나 주변을 둘러보기 바란다. 코로나 팬데믹 때 주식판에서 개미 투자자들을 이끄는 선한 목자처럼 추앙받으며 여러 채널과 심지어 공중파TV 예능 프로그램에까지 출연한 이들은 선행매매로 불명예 퇴진을 하거나 유사한 구설수에 올라 2선으로 물러났다. 공교롭게도 약속이라도 한 듯 똑같은 결말이다. 갑자기 구세주처럼 밤하늘의 별로 반짝이며 대중에게 길이 되는 것 같더니만, 명이 다한 별처럼 사그라지는 방식도 똑같았다.

부자가 되는 건 예술 중에서 글을 쓰는 작가가 되는 것과 같다.

예술의 여러 장르 중 음악 분야는 얼마든지 신동이 출연할 수 있다. 절대음감을 지니고 태어났다거나 십 대의 나이에 세계적인 콩쿠르에서 우승할 수도 있다. 하지만 음악가의 유통기한은 젊음의 끝과 같다. 나이가 들어 손이 굳으면 아무래도 말랑한 근육을 지닌 젊은 피아니스트에 비해 힘이 부칠 수밖에 없다. 음악은 필연적으로 기술을 필요로 한다. 어떤 악기를 다루건, 악기 없이 성대를 사용하며 노래를 부르건, 춤을 추며 노래를 부르건 간에 그걸 다루는 능숙한 경지의 기술이 필요하다. 기술, 스킬을 받쳐주는 건 젊음이다. 몸이 늙으면 음악 역시 늙을 수밖에 없다. 목소리를 내는 성대 역시 한낱 근육일 뿐이며, 근육은 나이가 들면 젊을 때의 성능을 발휘하지 못한다. 철저히 관리해도 시간의 흐름은 역행할 수 없다. 물론 잘 관리했을 경우 오래된 클래식카처럼 우아하고 아름답게 세월을 입을 수는 있다. 하지만 오래된 엔진은 최신형 엔진의 마력과 토크를 결코 따라잡을 수 없다. 클래식카가 아름다운 건 헤리티지, 역사의 유산을 몸에 두르고 있기 때문이지 성능 때문이 아니다. 사람들은 백 년의 세월을 입은 클래식카가 그저 움직이는 것만으로도 열광한다. 반면 최신 기술을 입은 슈퍼카들은 제로백으로 경쟁한다. 1초도 아닌 0점 몇 초를 줄이기 위해 슈퍼카들은 카본으로 차체를 떡칠하고 어떻게든 차를 가볍게 만들려고 노력한다. 차체가 가벼워지는 것과 비례하여 찻값은 비싸진다. 슈퍼카는 올드카와는 전혀 다른 영역의 싸움을 벌인다. 오늘의 슈퍼카는 언젠가 올드카로 늙는다. 결국 늙음은 낡음과 동의어다.

　반면 글은 정반대다. 수많은 경험과 생각이 내 안에 차곡차곡 쌓일 때 비로소 부끄럽지 않은 글을 쓸 수가 있다. 어릴 적 솜털이 보송보송할 때 밤을 새워 쓴 연애편지보다 노인이 되어 먼저 간 친구를 기리는 추도사에 더 깊은 울림이 있다. 연륜과 경험이 쌓이고 사유가 깊어지면 글 또한 깊어지기 마련이다. 글과 인문에서는 신동을 찾아보기 어렵다. 간혹 어린 천재 작가가 등장했다고 떠드는 건 출판사의 마케팅일 뿐이다. 설령 어린 나이에 기가 막힌 첫 작품을 완성해서 천재라 칭송받은 작가가 있다 해도 소포모어 징크스의 덫에 빠지기 쉽다. 자신의 첫 작품을 뛰어넘는 차기작을 발표하지 못한 채 원 히트 원더의 주인공으로 잊혀가는 것이다. 투자 역시 글과 인문의 영역에 가깝다. 반드시 명심해야 한다. 투자는 글과 인문의 영역에 가깝다. 어려서 한 번에 큰돈을 버는 것이 아니라 조금씩 조금씩 쌓이는 생각의 깊이만큼 투자의 깊이도 깊어지는 것이다. 쉽게 버는 돈은 없고, 세상이 무섭다는 걸 아는 이가 오래 살아남는 게 투자 시장이다. 오늘날 많은 이가 투자에 실패하는 건 '영 앤 리치'라는 신기루를 쫓기 때문이다. 한 살이라도 더 어릴 때 남보다 더 많은 돈을 벌려는 욕심이 발 앞의 웅덩이를 못 보게 만든다. 사람들은 꽃이 지고 나서야 비로소 봄이었음을 알게 된다. 산을 오를 땐 보지 못했던 꽃은 내려올 때 비로소 보이는 법이다. 덕구 씨도, 수연도, 수많은 투자자 역시 소중한 것을 잃고 나서야 자신이 걷고 있는 길이 잘못된 길이었음을 비로소 알게 된다. 그전까지는 아무리 말해줘도 지금 봄이 지나고 있음을, 문밖의 벚나무가 바람에 꽃잎을 떨구고 있음을 알지 못한다. 꽃이 지고 나서야 봄이었음을 알 뿐이고, 계절은 반복되며 사람들의 실수 또한 반복된다. 역사가 반복되는 게 아니라 사람들의 욕심과 실수가 반복되는 것이다. 늘 우리 앞에는 다른 상황이 펼쳐지지만 창세 이래 사람의 욕심은 변한 적이 없었다.

"선작오십가자필패(先作五十家者必敗)."

선작오십가자필패. 50집을 먼저 짓는 사람이 진다는 바둑 용어다. 50집을 먼저 지었으니 승기가 자신에게 왔다고 생각하여 방심하게 되고, 방심은 패를 불러오는 것을 경고하는 말이다. 리딩방 대표가 뽑아준 포르쉐를 끌고, 법인카드로 양주를 마시며 명품을 수집하던 수연에게 바둑을 좋아하던 재현이 한 말이 바로 선작오십가자필패였다.

"뭐야? 지금 나한테 훈계하는 거야? 선작오십 뭐? 지금 오빠되게 꼰대 같았던 거 알아?"

재현은 말없이 수연을 바라봤다. 재현이 등지고 선 아파트 창문 너머로 한강이 보였다. 유유히 흐르는 한강은 서울의 불빛을 머금어 마치 크리스마스 트리처럼 반짝이고 있었다.

"소년등고과(少年登高科)라잖아. 너 요새 너답지 않아."
"누가 기자 아니랄까 봐 문자 쓰고 앉았네. 이상한 소리 그만하고 앉아서 한잔 해. 이거 좋은 술이야."

수연은 대표가 선물한 위스키를 크리스탈 잔에 따랐다. 은은한 향이 금세 실내를 채웠다.

"소년등고과, 어려서 출세하는 건 인생의 세 가지 불행 중 첫째야."
"웃기네. 누가 그런 소릴 해? 어려서 출세하면 오래오래 해먹고 좋기만 하지. 나머지 불행 두 가지는 뭔데? 어디 들어나 보자."
"석부형제지세(席父兄弟之勢), 권세 있는 부모형제를 만나는 것. 유고재능문장(有高才能文章), 재주가 많고 문장에 능한 것."

심각한 표정으로 말하는 재현을 보며 수연은 코웃음을 쳤다.

"뭐야, 불행이 아니라 인생의 세 가지 행복을 잘못 말한 거 아냐? 어려서 출세했는데 심지어 금수저야. 게다가 재주 있고 글도 잘 쓰면 더 바랄 게 없겠다."

"수연아."

재현은 수연을 만난 이후로 한 번도 낸 적 없던 가장 슬픈 목소리로 수연을 불렀다. 수연 역시 재현의 목소리에 묻은 슬픔을 느낄 수 있었다. 하지만 수연은 인정할 수 없었다. 지금 손에 든 명품, 주차장에 잠든 포르쉐, 한강이 보이는 아파트들은 어릴 적 블라우스 한 장 값이 없어서 망설였던 수연으로서는 결코 꿈꾸지 못할 것들이었다. 수연은 사랑하는 남자인 재현에게 가난을 들키기 싫었다. 그동안 가난이라는 게 대체 뭔지 모르고 살아왔던 사람처럼 굴었던 게 사실이다. 하지만 수연은 작심한 듯 입을 열었다.

"오빠. 오빠는 태어날 때부터 집이 서울이었지? 아버지는 의사, 어머니는 변호사에 오빠는 전형적인 목동 키즈였잖아? 그뿐이야? 오빠는 지금 대한민국에서 내로라하는 신문의 경제부 기자잖아. 그렇담 오빠는 불행의 세 가지 조건을 완벽하게 갖춘 거네? 오빠 말대로라면 오빠는 지금 불행해? 오빠 말이 맞으면 오빠는 지금 행복하지 않겠네?"

재현은 아무 대꾸도 하지 않았다. 그의 두 눈은 끝을 모르는 동굴처럼 더 깊은 슬픔에 침식되어가는 것처럼 보였다.

"오빠는 이미 다 갖고 태어났잖아. 하지만 난 아니라고. 어릴 때 집 나간 엄마는 얼굴도 기억 안 나고, 죽을둥 살둥 공부해서 좋은 대학 붙었는데 매번 등록금 걱정을 해야만 했다고. 오빠는 태어나자마자 서울에 집이 있었으니 모르겠지만, 나 같은 사람은 서울에 내 집 한 채 갖는 게 과분한 욕심일 뿐이야. 아무리 버둥거리고 노력해도 서울에는 바늘 하나 꽂을 내 땅, 내 집이 없다고. 애초에 지방에서 가난하게 태어나면 욕심도 부려서는 안 되는 거야? 그냥 그렇게 운명이라 생각하고 받아들여야 해? 왜? 왜 그래야 해?"

"지금 네가 누리는 것 중에 진짜 네 것이 있니?"

틀린 말이 아니었다. 법인카드는 수연의 것이 아니다. 수연이 몰고 있는 포르쉐는 법인차다. 이 집 역시 회사 명의로 월세가 지급되고 있다. 수연의 회사 대표는 여러 이름으로 법인을 만들었다. 다른 이름의 여러 리딩방을 차려서 회원들을 끌어모으고, A리딩방이 추천한 종목은 사전에 B리딩방에서 매집했다. A리딩방의 회원들이 그 종목에 달려들어 주가가 오르면 B에서는 고점에 팔아치우고 빠졌다. 만약 B리딩방에서 추천했던 종목이 상장폐지가 되거나 주가가 급락하면 단톡방을 닫고 B사는 C사로 회사 이름을 바꿨다. 회원들의 항의가 쏟아지면 '담당했던 직원들은 다 퇴사했다'고 둘러대면 그만이었다. A든 B든 C든 각 법인에는 대표에게 충성하는 바지사장을 앉혀 두었다. 그들에게도 고가의 수입차가 제공되고, '쪽팔리니까 한도는 묻지 마라'는 법인카드가 제공되었다. 각 리딩방에 소속된 직원들은 바지사장이 타고 다니는 차, 두르고 다니는 명품을 보며 자신도 조금만 더 열심히 일하면 저 자리에 설 수 있으리라 굳게 믿었다. 리딩방 팀장들의 메신저 상태창 단골 소재는 비싼 시계를 두르고 삼각별 로고가 보이는 운전대를 쥔 사진이었다. 팀장의 자리를 탐내는 팀원들의 상태창에는 갖고 싶은 수입차 사진이나 하면 된다 따위의 말들이 적혀있었다. 하지만 그들은 그걸 끝내 갖지 못했다. 계약직인 그들은 사고가 터지면 바로 잘려나갔다.

수연의 역할은 그들과 조금 달랐다. A, B, C, D 법인이 추천한 종목에 대한 정보제공과 초보 투자자를 위한 주식 스터디 영상을 촬영하는 게 일이었다. 제공되는 정보는 감질나는 수준이었고, 더 자세한 투자정보를 알고 싶으면 자신의 전화번호를 남기라는 말도 늘 따라붙는 멘트였다. 순진한 이들이 전화번호를 남기면 콜센터처럼 굴러가는 수연의 회사에서는 전화를 걸어 주식정보제공을 미끼로 입금을 요구했다. 장이 좋을 때는 열 번 전화하면 꼭 걸려드는 한 명의 바보가 있었다. 그 바보는 지금껏 아끼고 모은 돈, 딸의 결혼자금 등을 어처구니없을 정도로 쉽게 건넸다. 적게는 수백에서 많게는 수천만 원까지 보내왔다. 물건을 만들어 파는 것도 아니고, 그저 말 몇 마디로 꼬드기면 하루에도 수억 원이 입금되었다. 매출이 저조하다 싶으면 전화 영업을 담당한 이들을 닦달하면 그만이었다. 수연의 회사 대표는 주식뿐만 아니라 부동산, 그중에서도 아파트에까지 영역을 넓혔다. 주식이든 부동산이든 사람을 낚는 건 어려운 일이 아니었다. 물고기를 잡아다 주는 게 아니라 물고기 잡는 법을 알려준다고 열심히 홍보하면 됐다. 본인은 충분히 벌어서 이미 백억 부자가 되었지만, 자본주의 사회에서 인플레이션으로 인해 살살 녹아 없어질 현금만 믿고 있는 흙수저 서민을 위해 부자가 되는 길을 알려주는 선한 영향력을 펼치는 선한 부자가 되고 싶다고 떠들어대면 사람들은 알아서 몰려들었다. 대표는 물고기가 아니라 물고기 잡는 법을 팔았다. 그 방법으로 물고기를 실제로 잡을 수 있는지 없는지는 아무 상관없었다. 방법을 팔아서 돈이 되면 그뿐이었다. 상승장이니 아무거나 말해도 어차피 다 오르는 시절이었다. 어느 날 수연을 부른 대표는 주식뿐만 아니라 아파트 투자 영상도 찍으라 했다. 수연이 부동산은 잘 모른다 하자 대표는 피식 웃으며 말했다.

"뭐 어때? 어차피 주식도 잘 알아서 영상 찍는 거 아니잖아? 시놉시스 짜 줄 테니까 그냥 써준 대로 자연스럽게만 읽으면 돼. 어때? 잘할 수 있지?"

수연은 지금껏 자신의 노력으로 여기까지 올라왔다고 생각했다. 길지 않은 경력이었지만 그래도 투자에 있어서는 많은 지식을 쌓았다고 자부했다. 하지만 대표는 '어차피 주식도 잘 알아서 찍는 게 아니'라며 수연의 노력을 평가절하했다. 지금껏 그렇게 생각해온 게 분명해 보였다. 수연의 입술이 파르르 떨렸지만 대표는 스마트폰만 들여다보느라 수연의 표정을 미처 살피지 못했다.

"주식도 잘 모르는 저한테 왜 투자 강의 영상 찍으라고 하셨어요?"

수연은 애써 화를 감추고 짐짓 장난처럼 물었다. 대표는 비로소 스마트폰에서 시선을 떼더니 수연을 똑바로 바라보며 말했다.

"왜냐고? 너 왁구가 좀 되잖아. 예쁜애가 주식도 잘하면 얼마나 멋져 보여? 낚시하기 딱 좋지."

대표의 책상에는 네 개의 모니터가 놓여 있었다. 모니터 두 개에는 주식 시세창이 떠 있었고, 다른 하나는 회사의 유튜브 채널을 보여주고 있었다. 마지막 하나는 직원들을 감시하는 수많은 CCTV 화면이 바둑판처럼 보이는 화면이었다.

"자, 이거 봐봐. '한 달 1억 버는 20대 미녀 투자자의 하루', 이 영상 조회수 72만이야."

대표가 말한 영상의 썸네일에는 포르쉐 운전대를 잡고 샤넬 투피스를 입은 수연이 환하게 웃고 있었다. 브이로그 형식으로 연출한 영상에서 수연은 새벽에 일어나 아파트 커뮤니티에 있는 피트니스센터에서 운동하는 것으로 하루를 시작했다. 레깅스 차림의 수연을 카메라가 훑었고, 수연의 목덜미에 맺힌 땀방울에 핀트를 맞춘 화면이 순식간에 바뀌어 푸른 하늘과 하늘만큼 푸르른 한강을 비췄다. 범고래처럼 까맣고 강력한 힘을 지닌 포르쉐는 수연을 태운 채 물비늘이 반짝이는 한강을 건넜다. 수연은 여의도의 수많은 빌딩 중 가장 최근에 지어진 가장 높은 빌딩에서 일했다. 집에서뿐만 아니라 사무실 수연의 방 너머로도 한강 뷰가 펼쳐졌다. 누가 봐도 성공한 권력자의 자리였다. 그 자리에 젊고 예쁜 수연이 앉아 성공한 자만이 지을 수 있는 당당한 표정으로 카메라를 바라보고 있었다. 하지만 수연은 화면 속 자신과 차마 눈을 마주칠 수 없었다.

"이 영상 나가고 회원DB 역대급으로 모았잖아? 이런 게 섹시한 기획 아니니?"

　리딩방을 운영하는 회사에게 있어 회원DB는 곧 자산이었다. DB가 모이지 않을 때는 돈을 주고 개인정보를 사오기도 했다. 수천 개의 전화번호를 끌어모아 주식투자를 권유하는 문자를 뿌렸고, 그중 한 명만 잘 걸려들어도 개인정보를 사는데 쓴 돈을 뽑고도 남았다. '제 전화번호는 어떻게 아셨어요?'라고 따지고 드는 이에게는 '회원님께서 개인정보 제공에 동의하셨기에 연락드렸다'고 눙치면 그만이었다. 물론 거짓말이었다. 그래도 상관없었다. 불법이든 합법이든 어떻게든 긁어모은 개인정보는 낚시터에 둥둥 떠다니는 물고기와도 같았다. 물반 고기반인 상태에서 낚시를 던져야 뭐라도 낚을 수 있는 법이다.

"봐봐, 얼마나 그림이 좋니? 확실히 보기 좋은 떡이 먹기도 좋잖아. 안 그래?"

　대표는 싱글벙글 웃으며 말했다. 대표가 퇴사하며 수연에게 함께하자고 한 게 수연의 실력이나 가능성 때문이 아니라 수연이 보기 좋은 떡이었기 때문인지 혼란스러웠다. 대표의 얘기를 듣고 나서 하루 종일 기분이 좋지 않았는데, 하필 재현이 그날 저녁 바둑 얘기를 꺼내며 훈계 아닌 훈계를 시작한 것이었다. 당연히 그런 말들이 수연의 귀에 들어올 리 만무했다. 내 것이 아니면 어떤가. 지금 이걸 누리고 있는 건 수연 자신이다. 햄버거 세트 다섯 개 값인 블라우스 한 벌을 못 사서 벌벌 떨던 수연은 더 이상 없다. 보기 좋은 떡이든, 주식도 모르면서 주식방송을 찍든 간에 한 강뷰의 아파트에 살면서 수입차와 명품을 누리는 건 수연 자신이었다. 그것만큼은 누구도 부정할 수 없었다.

"넌 행복하니?"

재현의 말에 수연은 선뜻 대답을 못 했다. 대답을 못 하면 꼭 지는 것만 같아 수연은 스트레이트 잔에 담긴 독한 위스키를 단숨에 털어 넣었다.

"수연아, 난 너 처음 만났을 때 설레고 행복했어. 그때의 넌 설렘으로 반짝이는 사람이었으니까. 그런데 요새는 전혀 다른 사람을 만나고 있는 것만 같아."

그 뒤에 다른 말이 있었지만, 재현은 차마 그 말은 하지 못 한 채 삼킨 것만 같았다. 수연은 두려웠다. 재현이 다른 사람처럼 변해버린 수연을 만나는 요즈음은 행복하지 않고 불행하다고 말할까 봐, 수연은 다시 혼자가 될까 봐 두려웠다. 술에 절어 살던 아버지는 작년에 죽어버렸다. 이제는 친구도 남지 않았고, 수입차를 끌건 명품을 걸치건 보여줄 사람이 없었다. 인스타그램 속 수연은 찬사와 좋아요를 한몸에 받는 인플루언서였지만, 스마트폰을 끄면 그들의 환호도 순식간에 사라져 버리곤 했다. 마치 성냥팔이 소녀가 자신의 성냥을 그어 환상을 보다 딱 성냥 한개피 만큼의 시간 동안만 행복을 누리는 것과 같았다. 재현의 눈에 슬픔이 깊어졌고, 수연의 눈은 외로움에 흔들렸다. 재현은 현관으로 향하다 말고 뒤돌아 수연을 보며 말했다. 수연에게 들으라기보다는 꼭 혼잣말 같은 읊조림이었다.

"누나가 있었어. 엄마 말씀을 어긴 적 없는 모범생이었지. 그런데 한 번도 전교 1등을 하지 못했어. 엄마는 누나를 이해하지 못했지. 누나가 엄마에게 반항하느라 일부러 1등이 아닌 2등을 하는 건 아닐까 생각하셨어. 진심으로. 엄마 아빠의 딸이면 1등을 못할 수가 없다고 생각했거든."

수연은 재현에게 누나가 있다는 얘기를 처음 들었다. 단 한 번도 재현은 누나 얘기를 꺼낸 적이 없었다.

"누나는 죽도록 노력했어. 그리고 처음이자 마지막으로 전교 1

등을 했지. 신이 나서 돌아온 누나가 1이라는 숫자가 찍힌 성적
표를 자랑스레 내밀었을 때 엄마가 뭐라 했는 줄 알아? 이렇게 1
등 할 수 있으면서 그동안 왜 안 했던 거냐고 한마디 하셨어."

재현은 쓰게 웃으며 말을 이었다.

"그 말을 듣자마자 누나는 베란다로 달려갔어. 그러고는 순식
간에 사라졌지."

수연은 침을 꼴깍 삼켰다.

"사람이 떨어져 죽을 때, 그렇게 큰 소리가 나는 줄 몰랐어."

베란다 너머 서울의 빛이 일렁이던 한강은 더 이상 크리스마스
트리처럼 보이지 않았다.

"어쩌면 누나 덕분에 난 1등을 하지 않아도 됐어. 아빠처럼 의
사도, 엄마처럼 변호사도 될 필요가 없었지. 그냥 뭐든 되기만 하
면 됐어. 어쨌든 하나 남은 자식이니까 살아 있는 걸로 만족하셨
겠지. 그래도 난 계속 죽은 누나를 등에 업고 살았어. 그래서 난
불행했어. 쭉 불행했는데, 수연이 널 만나고서야 비로소 행복하

다고 느꼈어. 나도 이제 조금은 행복해져도 괜찮지 않을까 싶었지. 그런데."

수연은 자리에서 일어섰다. 재현에게 다가가려는데 재현은 뒤로 한발 물러섰다.

"요즘은 널 봐도 행복하지 않아. 이게 맞나 싶어."

침묵이 이어졌다. 다섯 걸음만 가면 재현의 품에 안길 수 있었다. 슬퍼하는 재현을 안아줄 수 있었다. 하지만 그 다섯 걸음은 이승과 저승, 산 자와 죽은 자 사이에 놓인 망각의 강처럼 손에 쥔 것을 모조리 내려놓지 않고는 건널 수 없는 간극이었다. 재현은 수연을 빤히 바라보다 등을 돌렸다. 현관문이 열렸다 닫혔다. 도어락이 잠기는 소리가 빈집에 메아리로 울렸다. 수연은 한참을 멍하니 서 있었다. 그때 재현을 잡았어야 했다. 그 때 그를 잡지 못했고, 그는 그렇게 수연을 떠났다.

살아남은 이에게
내일이 찾아온다

❖❖❖

아생연후살타(我生然後殺他). 수연이 덕구 씨에게 건넨 쪽지에 적힌 말이었다. 바둑 격언이라 했다.

"수연 씨는 바둑 잘 두세요?"
"네? 아뇨, 전혀요. 저 오목이랑 알까기 밖에 할 줄 몰라요."

손사래를 치며 수연은 배시시 웃었다. 조금 전까지만 해도 마음에 산신령이라도 들어 앉은 게 아닐까 싶을 정도로 인생 2회차를 사는 사람처럼 보였는데, 천진하게 웃는 모습은 아이처럼 해맑아 보였다.

"바둑을 무척 좋아하던 이가 해준 말이에요. 아생연후살타, 내가 살 궁리를 먼저 한 다음에 상대를 치라는 거죠."

이기려면 상대의 돌을 잡는 것보다 살아남는 게 먼저다. 전혀 다른 분야라 할지라도 경지에 오르면 원리가 같으니 결국 일맥상통한다는 걸 느낄 수 있다. 마라톤을 즐기는 이는 자기 페이스를 피니시 라인까지 유지해야 하는 점에서 인생은 마라톤이라 말할 것이고, 산을 좋아하는 이는 묵묵히 오르고 또 오르면 결국 구름이 내 발아래 놓일 것이니 굴곡진 인생은 곧 등산이라 할 것이다. 골프를 좋아하는 이들은 18홀의 필드가 인생의 굽이와 같다고 역설할 게 분명하다. 벙커샷을 날릴 때도 있지만, 희망의 홀인원처럼 기사회생을 기대하며 나아가는 게 인생 아니겠는가. 만약 바둑을 좋아하는 이라면 바둑의 승부가 인생의 축소판이라고 말할 것이다. 재현은 무슨 일이든 바둑에 빗대어 말하는 걸 즐겨했다. 그는 고민이 있을 땐 기보를 보곤 했는데, 바둑의 신이라 추앙받은 이창호 9단의 기보를 보며 마음의 안정을 찾곤 했다. 남이 바둑 둔 기록인 기보를 왜 보느냐 물으면, 재현은 그 속에 길이 있다고 했다. 동굴처럼 깜깜한 인생이지만 어디에선가 불어오는 바람을 더듬더듬 따라가면 결국 입구를 찾을 수 있듯이, 백돌과 흑돌 사이에도 살길이 있어서 바람처럼 끌어준다고 했다. 재현이 투자의 길 역시 기보에 담겨 있다는 생뚱맞은 말을 할 때면 젊은 기자가 아니라 마을 초입 백 년 묵은 느티나무 아래 평상에 앉아 부채질하는 수염 허연 노인네 같아 보이기도 했다.

재현은 포커페이스로 이름난 돌부처 이창호가 상대를 반집 차이로 이긴다며 너무 대단하지 않냐 말하곤 했지만, 수연은 그게 왜 대단한지 도무지 이해할 수 없었다. 아슬아슬하게 반집으로 겨우 이기는 것보다 이왕 이길 거 화끈하게 이기는 게 더 폼나지 않느냐 되묻곤 했다. 바둑의 신이라면서 쩨쩨하게 반집으로 겨우 이기는 건 모양이 빠져 보였다. 그러면 재현은 백번쯤 말한 이야기를 다시 들려주곤 했다.

"한 건에 맛을 들이면 암수(暗手)의 유혹에 쉽게 빠져들게 된다. 정수(正手)가 오히려 따분해질 수 있다. 바둑은 줄기차게 이기지 않으면 우승할 수 없고, 줄기차게 이기려면 괴롭지만 정수가 최선이다."

돌부처 이창호가 한 말이라 했다. 악수(惡手)와 묘수(妙手)는 가까이 있다. 실로 기묘한 수라 생각했던 게 종국에는 악수가 되어 판을 패배로 이끌 수 있다. 투자의 세계 역시 쉽고 빨리 가는 길은 없다. 돈을 주고 물고기 잡는 법을 배우면 하루아침에 배가 가라앉을 지경의 만선을 기록할 수 있다는 말은 언뜻 신묘막측한 묘수처럼 보이지만, 실은 악수 중의 악수다. 유럽의 전설적인 주식 투자자이자 투자는 곧 심리 게임인 걸 역설한 앙드레 코스톨라니조차 빨리 부자가 되는 법은 알려줄 수 없는 대신, 빨리 가난해지는 방법은 정확히 알려줄 수 있다고 말했다. 바로 빨리 부자가 되길 바라면 빨리 가난해질 수 있다고 확언했다. 동서고금을 막론하고 승리를 이끄는 수는 지루한 정수다. 정수는 늘 따분해 보이니 사람들을 끌어모을 수 없다. 빨리 부자가 될 수 있다는 말은 묘수처럼 사람을 혹하게 만든다. 하지만 빨리 부자가 되는 법을 알려주겠다는 말은 빨리 가난하게 만들어 주겠다는 말과 다름없다. 줄기차게 이겨야만 우승하는 게 바둑이고, 줄기차게 이기려면 괴롭더라도 정수가 최선이라는 말은 투자에도 그대로 적용된다. 바둑은 묘수로 이기는 게 아니라 꾸준히 정수를 쌓아나갈 때 상대의 실수로 이기는 것이다. 수에 욕심이 깃들면 결국 실수를 하기 마련이다. 묘수도 결국 성벽처럼 단단히 쌓인 정수 가운데 빛을 발한다. 프랑스의 계몽주의 작가 볼테르는 '부자의 안락함은 가난한 이의 풍부한 공급에 달려 있다'고 말했다. 부자가 투자 사이클을 체득하여 아무도 사지 않을 때 사고, 모두가 살 때 파는 건 정수를 두는 것과 같다. 대중은 자신이 두는 수가 틀림없는 묘수라 생각하며 부자들이 던진 물건을 사들인다. 결국 묘수로 착각한 서민의 실수는 자본으로 치환되어 부자의 주머니로 들어가게 된다. 부자는 단번에 될 수 없다. 많은 이가 부자가 되어본 적이 없기 때문에 벌기만 하면 끝인 줄 안다. 하지만 부자가 된다면 버는 것보다 지키는 것이 더 어렵다는 걸 비로소 깨닫게 될 것이다. 물이 들어왔으니 노를 젓는 것은 맞지만, 운이 좋아 큰돈을 번 이들이 패망하는 수순은 한결같다. 오늘의 부가 영원할 것처럼 사세를 확장하고, 직원을 뽑고, 대출을 얻어 건물을 사거나 사옥을 신축한다. 거품은 언젠가 꺼지기에 거품이다. 하락장의 한파가 다가오면 늘렸던 사세를 축소하고, 뽑았던 직원들을 해고하고, 늘어난 대출 이자를 메우기 위해 그나마 몇 남지 않은 직원을 쥐어짜서 더 매출을 내라 닦달한다. 기업이든 개인이든 다를 게 없다. 운의 파도에 올라타 신나게 노를 저은 것까지는 좋았는데, 곧 물이 빠지리라는 것을 아는 이는 없다시피 하다. 물이 빠지면 결국 배는 갯벌에 처박혀 오도가도 못 하게 된다. 너무 멀리 나와 다시 뭍으로 돌아갈 길도 보이지 않고, 발은 뻘에 푹푹 빠지니 한 걸음 떼는 것조차 쉽지 않다. 이쯤 되면 차라리 배를 띄우지 않은 채 뭍에 있던 이들보다 상황이 더 나빠진다. 물이 다시 들어오면 배를 띄울 수 있겠지만, 사이클은 더딘 호흡으로 움직인다. 특히 아파트를 필두로 한 사이클은 1, 2년으로 장이 바뀌지 않는다. 5년, 7년 이상 물이 들어오지 않는 뻘 위에서 뜨거운 태양 아래 몸을 숨긴 채 망연자실 버텨야만 하는 것이다.

평소 5백 미터까지 쉬지 않고 수영할 수 있는 사람이 바다에 나간다면 본인 실력의 절반인 2백5십 미터까지만 나가야 한다.

돌아올 힘을 남겨둬야 하기 때문이다. 하지만 상승장의 파도가 밀물처럼 들어올 때, 대부분의 투자자는 자신이 5백 미터를 수영할 수 있으므로 5백 미터까지 헤엄쳐 간다. 이 정도만 해도 양반이다. 많은 이가 레버리지라는 오리발의 도움으로 6백, 7백 미터까지 멀리 나아간다. 그러고는 뒤돌아보며 물에 들어오지 않은 채 여전히 땅을 딛고 선 이들을 겁쟁이라고 비웃는다. 하지만 슬슬 힘에 부쳐 다시 뭍으로 돌아가겠다고 마음 먹었을 때는 이미 늦다. 돌아갈 힘을 남겨두지 않고 너무 멀리 나온 까닭이다. 밀물이 밀어주고 오리발까지 써서 바다 한가운데로 쉽게 나왔다는 걸 모른 채 자기 실력보다 너무 멀리 나왔기 때문이다. 상승장일 때는 운의 파도가 도와주지만, 다시 뭍으로 복귀하는 길은 역풍이 불기에 아무리 발버둥 쳐도 파도가 나를 뭍에서 멀리 밀어낸다. 썰물이 되어 물이 빠졌을 때, 수년 동안 물이 들이치지 않아 이제 다시는 물이 차지 않을 거라 여기며 아무도 바다로 나가지 않을 때, 물이 빠져 단단해진 땅을 걸어 조개를 줍는 이들은 조개속에서 진주처럼 영롱한 보물을 얻을 것이다. 투자는 결국 부화뇌동하지 않는 역행인데, 사람들은 욕심에 따르는 걸 순리로 여기며 묘수로 승리를 얻으려 한다.

줄기차게 벌어야만 하고 괴롭더라도 정수를 두어야 하는 게 바로 투자다. 행복도 마찬가지다. 백 집 차이로 이기려고 무리한 투자를 하다가는 판을 잃을 수밖에 없다. 실제 이창호의 스승인 조훈현 9단이 왜 유리한 판세에서도 대마를 노리거나 큰 집 차이의 승부를 볼 생각을 하지 않고 작은 집 차이로 이기는 승부를 두는지 제자 이창호에게 물은 적이 있다. 스승의 질문에 제자는 이런 답을 했다.

"큰 집 승부를 하려면 대마를 잡아야 하는데, 대마를 잡기 위해 준동하다간 상대에게 기회를 줄 수도 있어요. 하지만 대마를 살려주는 대신 다른 곳에서 차근차근 대가를 치르게 하면 작은 집 차이로 확실하게 이길 수 있습니다."

큰 걸 노리다 역습당하느니, 적을 살려둔 채 야금야금 성벽을 허물다가 추호의 의심도 없는 확실한 승리를 챙기겠다는 말이다. 내가 다른 이보다 얼마나 더 갖고 있느냐, 어느 정도의 차이를 벌리느냐가 중요한 게 아니다. 승부에서는 이기는 게 중요하다. 큰 투자를 하는 게 중요한 게 아니라 투자에 성공하는 게 중요하다. 드라마틱한 승리를 꾀하는 한수보다는 안전하고 확실한 승리가 훨씬 값지다. 알파고를 이긴 유일한 인류로 기록된 이세돌이 이창호를 일컬어 바둑의 신이라며 끝내 그를 뛰어넘지 못했다고 백하는 이유가 바로 여기에 있다. 바둑이 얕은 이는 이창호에게 패한 후 겨우 반집 차이로 아깝게 졌다며 아쉬워하지만, 스승 조훈현이 볼 때는 상대가 아쉬워할 이유가 전혀 없다. 반집 차이로

지는 것 또한 이창호가 판을 그리 이끌었기 때문이다. 반집 차이로 지는 것을 설계한 후 지는 것을 허락했다고 보는 게 맞다. 투자 역시 그렇다. 남들 보기에 얼마나 큰 자산을 지녔는지 드러내는 게 중요한 게 아니다. 투자는 이기고 살아남는 게 중요하다. 많은 이가 시장이 흥해서 자신의 자산이 불어나는 것을 자신의 능력으로 자산을 불린 거라 착각한다. 그러다가 결국 악수를 둔다. 자기 그릇과 주제를 벗어나는 베팅을 하는 것이다. 도박꾼들 또한 이번에는 정말 다르다며 팔자에 없는 돈을 여기저기에서 끌어모아 크게 벌려 하다가 결국 쪽박을 차고 만다. 크게 벌려 하면 결국 크게 잃는다. 전장에서 적장을 베고자 하는 장수라면 자신 역시 적의 칼에 베일 수 있다는 각오를 하고 뛰어들어야 한다. 죽이려다 오히려 내가 죽을 수 있다는 말이다. 우리의 목적은 전투에서 이기는 게 아니라 전쟁에서 승리하는 것이다. 바둑의 목적 역시 대마를 잡는 게 아니라 끝내 얻어내는 승리다. 흐르는 물은 앞을 다투지 않는다. 더 빨리 부자가 되려는 욕심은 물을 거스르는 역행이자 먼저 나서려는 다툼이다.

"쭉 들어보니까 나중에 웃는 놈보다 평소 많이 웃고 산 놈이 승자라는 말이네요?"

덕구 씨의 새로운 해석에 수연은 소리 내어 깔깔 웃었다.

"그 말도 맞는 말이네요. 투자든, 행복이든 부자가 되는 것이든 한방이 아니라 죽을 때까지 늘 행복하고, 죽을 때까지 투자를 계속하는 것이니까요."

부동산 투자는 특히 더 그렇다. 주식과 달리 부동산 투자에 실패하면 재기가 어렵다. 훨씬 더 큰 돈, 훨씬 더 큰 레버리지를 쓰기 때문이다. 주식과 달리 부동산에는 패자부활전이라는 게 없다. 주식판에 지하실 아래 지하실이 존재한다면, 부동산은 지하정도가 아닌 불지옥 그 자체다. 세상에는 몇 년 만에 얼마를 벌었다고 자랑하는 부자들로 넘쳐난다. 묘수로 대마를 잡았다는 이들이다. 하지만 그들이 단판으로 반짝하고 끝날지, 길고 지루한 대국에서 끝내 승자로 남을지 스스로에게 질문을 던질 수 있어야 한다. 불과 십여 년 전에 수십 억, 백 억 부자라던 이들 중 투자 시장에 남아 있는 사람은 찾아보기 힘들다. 유명인의 성공담은 각색되고 미화되어 평범한 사람의 인생을 망친다. 사람은 듣고 싶은 대로 듣고 기억하고 싶은 대로 기억하며, 추억은 덧칠되어 아름다운 역사로 각색된다. 스스로 부자라 말하는 이들은 실제가 아닌 덧칠된 경우가 많다. 그 길은 잘못된 기보처럼 다시 수를 둬도 결국 패배하는 길일 가능성이 크다.

"부탁 하나만 드릴게요. 무슨 일이 있어도 꼭 잊지 않으셨으면 좋겠어요."

웃음을 거둔 수연의 말에 덕구 씨는 긴장한 표정으로 수연을 바라봤다.

"이기려고 하지 말고 비기려고 하세요. 마음이 흔들릴 땐 아까 드린 쪽지에 적힌 말, '아생연후살타'를 꼭 기억하시고요. 살아남 는 게 먼저예요. 내가 살아야만 후일을 도모하고 승리의 수를 둘 수 있어요."

집값은 떨어지는 중이고 세입자가 보내온 내용증명이 쌓여 있 지만 수연은 처음이자 마지막인 탈출의 기회가 곧 올 거라 했다. 데드 캣 바운스, 기술적 반등의 시기가 올 때 망설이지 말고 매 물을 던지라 말했다. 행여 잠깐의 상승이 마치 다시 찾아온 상승 의 마중물처럼 보여도 많이 벌어 이긴다 생각하지 말고 비기려 는 생각으로 본전만 찾아도 다행이라 생각하고 미련을 두지 말 고 팔라고 했다. 주식판에서 장기투자를 하는 이들 중 열에 아홉 은 가치투자에 기반한 장기투자가 아니라 비자발적 장기투자자 란 말도 덧붙였다. 주가가 하락하다 잠시 반등하는 데드 캣 바운 스를 상승으로 착각하고 매도 타이밍을 놓치는 바람에 본의 아 니게 몇 년씩 들고 가는 경우가 장기투자자의 거의 전부라 말했다. 데드 캣 바운스 이후 본격적인 하락이 시작되면 본전 생각이 나서 더더욱 매도할 수 없어서 마냥 들고 있다 보니 수년을 그대로 들고 가는 상태가 지속된다는 말이다. 파는 순간 손실 확정이니 팔지 않고 들고 있으면서 '그래도 팔아 치운 건 아니니 아직 손해는 아니야'라고 정신 승리하며 겨우 버티는 지옥 같은 시간이 펼쳐지는 거라 했다. 반면 상장폐지의 순간에도 반등하는 구간이 있는 게 주식이라면, 부동산은 폭락 후 게걸음으로 수년을 횡보하니까 절대 기회를 놓쳐서는 안 된다며 수연은 신신당부했다. 살아남은 이에게만 내일이 찾아오는데, 그 기회를 놓치면 살아도 산 게 아니라는 무서운 말까지 빼놓지 않았다.

"에이, 그쯤 말하면 저도 다 알아들었어요. 설마 그걸 까먹고 집 안 팔고 끼고 있을까 봐 그래요?"

덕구 씨는 자신 있다는 듯 말했지만, 수연의 눈에는 여전히 걱정이 서려 있었다.

"하준이에게도 말해 둘게요. 곁에서 아버지 잘 지켜 드리라고요."

수연의 말은 덕구 씨에게 아들 칭찬으로 들렸다. 덕구 씨는 못 미덥더라도 아들 하준이는 충분히 믿을만하다고 말이다. 덕구 씨는 아버지이기 때문에 그렇게 들을 수밖에 없었다. 아버지가 되어보지 않은 사람들은 왜 날 못 믿느냐고, 누구더러 누굴 지키라고 하느냐고 따졌을지도 모른다. 하지만 아버지라면 아들이 아버지보다 낫다는 말만큼 아버지를 기분 좋게 하는 말이 없다. 아비보다 자식이 낫다는 말에 기꺼이 인정하며 기뻐하는 게 모든 아버지의 마음이다. 수연 또한 덕구 씨의 표정에서 그런 마음을 읽었다.

"멘탈이 약하다는 건 어쩌면 섬세하다는 것의 다른 말일 수도 있어요."

처음 들어보는 얘기였다. 덕구 씨는 스스로 섬세하다고 생각해본 적이 없었다. 소심하고 멘탈이 약했기에 육체가 강해지면 마음도 강해지리라 생각해서 특수부대에 자원한 것이었다. 하지만 육체를 단련하는 건 쉬웠으나 마음을 단련하는 법을 알려주는 이는 지금껏 아무도 없었다. 멘탈이 강했다면 그렇게 어이없이 친형에게 돈을 빌려주고 못 받는 일도 없었을지 모른다. 딱 잘라 거절하고, 싫은 소리도 아무렇지 않게 했을지도 모른다. '안 돼!', '못 해!', '그건 좋은 생각이 아닌 것 같아!'라고 말할 수 있었을지 모른다. 세상에 기분 좋은 거절이란 없다는 걸 덕구 씨는 뼈아픈 수업료를 낸 이후에야 겨우 깨달을 수 있었다. 수연의 말대로 내가 먼저 산 이후에야 주변을 둘러볼 수 있는 것인데, 덕구 씨는 제 코가 석자이면서 남을 둘러보다 본인만 시궁창에 빠질 때가 많았다. 정작 덕구 씨를 시궁창에 빠트린 사람들은 아무 일 없이 잘만 살아가고 있는데 말이다. 스스로 머리라도 한 대 쥐어박고 싶은데 섬세하다니, 덕구 씨는 정말 생전 처음 듣는 말이었다.

"섬세함이나 예민함은 신이 주신 선물이에요. 남들 눈에는 안 보이는 문제가 내 눈에 보인다는 건, 남들은 알 수 없는 수많은 답을 만날 수 있다는 거잖아요."

전혀 새로운 접근이었다. 정말 그럴까 반신반의하면서도 덕구 씨는 마음 한켠에 살포시 위로가 내려앉는 것을 느꼈다.

"더 잘하고 싶었지만 어쩌겠어요. 이렇게 되어버린걸. 하지만 이것도 괜찮아요. 포기하지만 않는다면 어디에나 길은 있는 법이니까요."

수연의 말은 덕구 씨뿐만 아니라 예전의 수연 자신에게 건넨 말이기도 했다. 사업이나 투자 실패로 우울이 나를 잠식하게 됐을 때, 어떤 일이 있어도 피해야만 할 네 가지가 있다. 바로 자기만의 공간에 틀어박혀서 혼자 고민하는 것, 낮밤이 바뀌는 것, 답이 없는 문제를 계속 붙들고 있는 것, 문제의 원인을 과거에서 찾는 것이다. 문제를 혼자 끌어안고 있어서 잠도 못 이루고 낮밤이 바뀐다 한들 달라질 건 없다. 문제를 풀지 못한다는 건 답이 없다는 뜻이고, 이미 지나버린 과거를 백날 곱씹고 되새김질해봐야 오늘이 바뀌지는 않는다. 우리가 바꿀 수 있는 건 내일 뿐이며, 내일을 바꿀 수 있는 기회는 바로 오늘에 있기 때문이다.

수연이 주식판을 떠나 처음 부동산 투자에 뛰어들었을 때, 하락장을 맞이한 중년 남성의 사연을 접한 적이 있었다. 그는 주공 아파트에 전세로 살고 있었는데, 집주인이 집을 매물로 내놓기 전 혹 아파트를 매수할 생각은 없느냐 묻더란다. 생판 모르는 남에게 파느니 세입자에게 팔면 서로 편할 것이라 생각했기 때문이다. 남자는 집을 사는 걸 반대했지만 자신이 출근한 사이 아내가 집주인과 계약서를 써버려서 한 달이나 싸우고 말도 안 했단다. 그러다 집값이 서서히 오르기 시작했고, 아내는 살던 집을 팔고 상급지 갈아타기에 성공했다. 그저 집을 샀다가 팔았을 뿐인데 본인 연봉에 가까운 수천만 원의 이익을 얻고 보니 남자는 공돈을 얻은 기분이 들었다고 했다. 그 후로 남자는 아내가 집을 사고 파는데 일절 관여하지 않았고, 집을 팔았으니 이사 가야 한다고 말하면 군소리 없이 따랐다. 남자가 출근한 후 아내는 포장이사를 시작했고, 남자는 이사한 집으로 퇴근하는 식이었다. 아파트를 사고팔아 어느덧 억대의 이익을 얻은 아내는 친정뿐만 아니라 시댁의 돈까지 끌어다 투자를 하게 됐고, 명절에는 다들 아내더러 어디 아파트를 사야 하느냐, 어디가 좋으냐는 질문이 끊이지 않았다. 아내의 투자 덕분에 부모님을 모시고 한우를 먹으러 가서 양껏 드시라고 큰소리를 칠 수 있었고, 십 년 가까이 탄 국산 중형세단 대신 삼각별이 달린 수입 중형차를 끌 수 있게 되었다. 아내는 큰 노력 없이 누구나 부자가 될 수 있다며 주변 사람에게도 아파트 투자를 적극 권했다. 동창이 아파트를 매수하는 데 동행하기도 했고, 조카가 신혼집 계약서에 도장을 찍을 때 예비 신랑이 아닌 그의 아내가 함께했다. 아내는 단체 대화방만 해도 여러 개가 있었다. 이른 아침에도, 늦은 밤에도 누군가가 아내에게 말을 걸어왔고, 주말에는 빈도가 더했다. 다들 드라이브를 빙자한 임장을 다니며 매물을 보다가 조금이라도 긴가민가하면 아내에게 답을 구하곤 했다. 그들에게는 확신이 없었으나 욕심이 있었고, 아내는 그들에게 하사할 답을 지니고 있었다. 아내는 아파트 투자를 마치 진리의 복음처럼 여기며 전도에 열심이었다. 이렇게 쉽게 돈을 벌 수 있는데 왜 망설이느냐는 것이었다. 언젠가는 집값이 떨어지지 않겠냐며 끝끝내 매수 행렬에 동참하지 않는 지인이나 가족과는 자연스레 멀어지게 됐다. 추종자들의 눈에 비친 아내는 자본주의를 완벽히 이해한 승리의 여신처럼 보였다.

하지만 영원한 것은 없는 법이다. 자연에 사계절이 있듯, 투자의 세계에도 사이클이 있다. 얼어붙은 땅에 새싹이 비집고 나오는 투자의 봄을 지나, 모두가 열광하고 과열되는 뜨거운 여름이 지나니 잎이 지는 가을이 되었다. 여름의 싱그럽고 풍성한 나뭇잎은 가을이 되면 스스로 몸을 떨군다. 손이 데일 듯한 과열의 여름에는 천지가 푸른 나뭇잎이었으나, 투자의 가을이 되니 매수세가 낙엽처럼 떨어지기 시작했다. 사실 이때가 시장에서 손을 털고 벗어날 때다. 나무는 꽃을 버려야 열매를 맺고, 강은 강물을 버려야 바다에 이르는 법이다. 하지만 그와 아내는 겨울이 다가오고 있음을 알지 못했다. 한쪽에서는 영원히 뜨거운 여름이 지속될 거라 외치고 있었고, 그 반대쪽에서는 곧 다가올 겨울은 영원처럼 길 거라 외치고 있었다. 겨울에는 수확할 것이 없으니 여름과 가을에 얻은 것 중 가장 좋은 것 두어 개를 빼고 돈이든 먹을 것이든 바꾸는 것이 안전했으나 세상은 미처 알지 못했다. 뜨거운 여름에는 돈이 들어올 길을 묻는 지인의 메시지가 아내를 괴롭혔다면, 겨울이 다가오자 살길을 닦달하는 이들의 메시지가 하루 종일 울려댔다. 물음은 한결같았다. 이대로 괜찮은 거냐고, 문제가 없는 거냐고 점잖게 묻는 듯했지만, 질문 너머에는 '내 돈 어떡하냐?'라는 초조함이 묻어있었다. 아내는 그들을 달래느라 바빴고, 때론 자신을 못 믿느냐며 화를 내기도 했다. 자신을 믿지 못하더라도 시장을 믿으라는 말을 하기도 했다. 본인 역시 아파트에 묶여있는 돈이 많은데, 만약 집값이 떨어질 거 같으면 자기부터 나서서 매물을 내놓지 않겠느냐고 되묻곤 했다. 내 돈 어떡하냐 따지던 사람들도 아내 역시 같은 처지라는 걸 알면 슬그머니 누그러들곤 했다. 하지만 남자는 알고 있었다. 요즘 아내는 밤에 잠을 이루지 못했다. 안방과 거실을 왔다 갔다 하거나, 괜히 냉장고 문을 열었다 닫았다 하는 등 의미 없는 행동을 새벽까지 반복하곤 했다. 그러다 하락이 멈추고 간헐적이나마 집값이 다시 꿈틀거리는 조짐이 보였다. 아내는 단체방마다 희망을 퍼 날랐다. 자기를 믿고 추운 겨울을 견뎠으니 이제는 다시 봄이 오는 걸 보는 일만 남았다는 말도 덧붙였다. 아니, 겨울은 오지 않는다고 말을 바꾸었다. 잠시 아파트값이 떨어진 건 겨울이 와서가 아니라 봄날에 으레 지나가는 꽃샘추위일 뿐이라고도 했다. 아내는 다시 재테크의 여왕으로 숭상받았다. 언제 걱정하고 따졌냐는 듯 어떤 이는 진짜 겨울이 온 거였다면 집값이 이렇게 빨리 반등을 보이지 못했을 거라고, 자기는 애초에 하나도 걱정이 되지 않았다며 너스레를 떨었다. 하지만 그때가 겨울을 대비할 마지막 시기였음을, 던질 수 있는 마지막 기회였음을 아무도 알지 못했다. 기술적 반등은 채 1년을 이어가지 못했다. 집값은 커다란 군함처럼 서서히, 조금씩 침몰하기 시작했다. 다들 침몰을 눈치채고 인정하며 받아들일 때 즈음엔 이미 너무 늦어있었다. 탈출하고자 해도 구명정이 남아 있지 않았다. 건설사들은 분양을 미뤘다. 재개발이나 재건축, 탄탄대로가 놓여 있을 것만 같았던 도시 계획들은 슬그머니 뒤로 밀리거나 입장을 바꿨다. 분양시장에서도 하락의 조짐이 명확히 드러나기 시작했다. 분양 완판되었다며 축배를 들었던 현장이었건만, 계약 당일에 취소가 쏟아졌다. 파티장의 음악은 멎었고 반짝이던 샹들리에는 빛을 잃고 먼지가 쌓이기 시작했다. 공인중개사 사무실이 문을 닫기 시작하더니만, 이 사업체들도 일이 없어 문을 닫는 경우가 생겼다. 마지막으로 인테리어업체들도 일감이 줄었다. 상승장이 한참일 때는 1년 치 일감이 밀려있던 유명 인테리어업체들이 영업을 다니기 시작했다. 아파트 분양 현장도 분위기는 완전히 달라져 있었다. 미분양 현장이 속출했다. 수천만 원에서 억 단위로 깎아주겠다는 분양 현장이 등장했다. 완공하여 입주가 시작되었는데도 본사 보유분이라는 명목으로 팔리지 않은 빈집이 늘었다. 팔리지 않은 재고라는 걸 들키지 않기 위해 빈집에도 밤마다 불이 켜졌지만 온기 따위는 없었다. 끝내 본사 보유분 30% 할인, 40% 할인, 계약 시 소형 수입차를 선물로 준다는 곳까지 등장했다. 최초 분양가 7억 원에 입주했던 사람들은 40%가 할인된 4억2천만 원에 매수한 사람들이 이사 오지 못하도록 아파트 입구를 차로 막았다. 아파트값만 할인이 아니었다. 세금까지 할인되었으니 최초 분양가를 주고 산 이들은 연신 분통을 터트렸다. 그들은 피 같은 돈 3억 가까이를 베란다에서 허공에 뿌린 것과 다를 게 없었다.

재테크의 여신으로 추앙받던 아내는 천하의 몹쓸 년이 되었다. 어느 날 남자의 여동생이 말도 없이 찾아왔다. 현관을 열면 보통 반려견이 먼저 꼬리를 살랑거리며 달려들었는데, 그날은 지독한 술냄새가 찌르듯 반겼다. 여동생은 거실 한복판에서 아이처럼 다리를 버둥거리며 고래고래 소리를 지르고 울어댔다. 얌전히 있는 시누이 꼬드겨 아파트를 사게 만들더니, 이제는 어떻게 책임질 거냐며 아내를 향해 악을 썼다. 알고 보니 남자의 여동생은 살던 집을 담보로 대출을 받아 아파트를 여러 채 사들인 모양이었다. 문제는 남편이 그 사실을 전혀 몰랐다는 것이다. 매제는 수더분한 사람이었고, 물욕 또한 없는 이였다. 첫 집을 살 때도 공동명의로 하자는 부인 말에 '귀찮으니 그냥 당신 명의로 해'라 했던 사람이었다. 그러나 십여 년의 직장생활로 번 돈을 모두 쏟아부은 집이 담보로 잡혔으며, 빚을 낸 이유가 아파트를 사들이기 위해서라는 걸 안 순간 매제의 눈이 뒤집혔다고 했다. 매제 몰래 담보를 잡을 때만 해도 금리가 낮았고, 은행에서도 큰 문제 없이 시원시원하게 돈을 내줬었다. 하지만 금리가 오르며 대출 이자도 올랐고, 집값이 떨어지니 담보가치가 하락하여 대출해준 은행에서는 담보 보충을 요구해왔다. 집값이 떨어진 만큼 돈이 될 만한 무언가를 추가로 담보로 잡히라는 소리였다. 만약 대출 이자를 제때 내지 못하면 이자에 대한 지연배상금이 붙고, 이자 지급 약정일에서 한 달이 넘을 때까지 이자를 못 내면 이자에 원금까지 더한 금액에 대한 지연배상금을 물린다는 협박 아닌 협박 까지 받게 되었다. 조금 더 지나면 협박은 사실이 되어 목을 죄어올 게 분명했다. 있는 돈 없는 돈 싹싹 끌어 모아 투자에 박은 터라 먹고 죽으려 해도 토해낼 돈이 없었기 때문이다. 원리금은 커녕 이자 내는 것도 버거웠다. 여동생의 남편은 멋대로 돈을 끌어썼으니 처가에 손을 벌리던지 어떻게 해서든 알아서 갚으라며 무섭게 화를 냈다. 처가에다 그 큰돈을 어떻게 달라 말하냐 되물으니 '시댁은 뭐 돈이 어디에서 솟아나는 줄 아느냐'며 화를 냈다고 했다. 매제의 퇴근 시간은 점점 늦어졌고, 늦게 들어와도 여동생에게 눈길조차 주지 않았다고 했다. 어쩌다 말이라도 걸면 욕부터 튀어나왔다고 했다. 왜 이렇게 늦게 퇴근하느냐는 말에 '집구석에 들어와봤자 내 집도 아니고 은행 집이니 살맛이 안 난다'며 부인을 벌레 보듯 봤다고 했다. 결정적인 사건은 어젯밤에 벌어졌단다. 매제는 새벽이 되어서야 집에 들어왔다. 돈 걱정에 누워도 잠을 잘 수 없던 부인은 집에 들어서는 남편을 보자마자 한숨을 내쉬었다. 남편 들으라는 한숨이었다. 내가 이렇게 힘드니 도와달라는, 살려달라는 한숨이었다. 그러나 부인의 한숨을 들은 남편이 내뱉은 말은 이랬다.

"하, 진짜 재수 없으려니까."

듣고자 했던 말이 아니었다. 많이 힘드냐는 다정한 말은 기대도 안 했지만, 안 자고 뭐 했느냐는 말이라도 해줬으면 했다. 자려고 누워도 잠이 오지 않고 피가 마르는데, 아무리 피곤해도 잠이 붙지 않는 마음을 조금이라도 알아줬으면 했다.

"뭐? 재수 없어? 이젠 내 숨소리도 듣기 싫은 거야?"

오는 말이 날카로우니 가는 말 역시 살처럼 날아가 꽂혔다.

"너 숨소리도 듣기 싫은 거 알기는 아냐? 알면 들어가서 잠이나 처 잘 것이지 뭘 잘했다고 거실에 불 켜고 앉아 있어? 전기세는 뭐 땅에서 솟니? 하여간 지 손으로 돈을 벌어봤어야 알지, 그저 대가리에 똥만 들어찼나 진짜 하는 짓거리라곤, 쯧."

연애할 때, 결혼하고 아이를 낳고 한 번도 안 싸웠다고 말할 순 없지만 이처럼 거칠게 말한 적은 없었다. 이제는 부부가 아니라 서로를 적으로 여기고 말을 칼처럼 휘둘렀다.

"당신 지금 말 다했어? 지금 당신 부인한테 뭐? 대가리에 똥이 찼다고? 그게 할 말이야?"
"왜? 내가 틀린 말 했어? 더해줘?"

"어떻게 나한테 이럴 수가 있어? 당신이 어떻게 나한테 이럴 수가 있냐고!"

"야, 진짜 내가 하고 싶은 말이다! 넌 어떻게 나한테 이럴 수가 있냐? 내가 지금까지 너 몰래 딴 여자를 만나기를 했어, 이상한데 돈을 꼬라박기를 했어, 몰래 빚보증을 서주기를 했어, 네 시댁에 돈을 퍼주기를 했어? 근데 넌 어떻게 나 모르게, 어떻게 나 모르게 이럴 수가 있냐고! 그동안 뼈 빠지게 일만 해온 나한테 어떻게 이럴 수가 있냐고, 네가 진짜 사람이냐? 어?"

"그럼 어떡해! 난들 뭐 이렇게 될 줄 알고 이런 줄 알아? 돈 나올 구멍이 없는데 그럼 어떡하라고!"

"그걸 왜 나한테 물어? 네가 싼 똥이니까 네가 치워야지! 왜 네가 싼 똥을 내가 치워야 하는데? 돈 나올 구멍 없으면 나가서 몸이라도 팔던가!"

끝내 해서는 안 될 말까지 나오고 말았다. 눈물을 뚝뚝 흘리는 부인을 남겨둔 채, 매제는 옷도 갈아입지 않고 다시 밖으로 나갔다고 했다. 어디에서 잤는지, 출근은 제대로 했는지 소식 하나 없는 남편은 오후 늦게야 단 한 줄짜리 문자 메시지를 보내왔다고 했다.

이혼하자. 더는 이렇게 못 살겠다.

바로 전화했으나 받지 않았다고 했다. 그 수더분하던 매제가, 화라는 걸 낼 수는 있는 사람인가 싶던 매제가 그런 독한 말을 여동생에게 쏟아냈다는 게 믿기지 않았다. 그러나 여동생 부부의 사정이 안타깝다 해서 남자가 해줄 수 있는 건 아무것도 없었다. 당장 남자도 사정이 다르지 않았기 때문이다. 더구나 이렇게 사달이 난 경우를 처음 보는 것도 아니었다. 아내는 재테크의 여왕으로 군림했기에 추종하는 이가 많았다. 들어간 돈의 크기가 다를 뿐 다들 사정은 마찬가지였고, 아내는 여왕에서 한순간에 나라를 팔아먹은 매국노가 되어 쉴 틈 없이 시달리고 있었다. 아내는 며칠째 전화를 꺼둔 상태였다. 전화가 꺼져있으니 남자의 여동생이 집까지 찾아온 것이다. 여동생은 목이 쉴 때까지 악다구니했다. 자기가 당한 만큼 그대로 퍼붓는 모양새였다. 어찌나 악을 써대는지 인터폰이 울리는 줄도 모를 정도였다. 경비실에서는 이웃의 민원이 끊이지 않는다며 소란이 계속되면 경찰에 신고할지도 모른다고 했다. 매제와 통화해서 달래보겠다는 남자의 말에 여동생은 겨우 울음을 멈췄다. 현관에서 손등으로 눈물을 훔치고 머리를 매만지는데, 여동생의 머리끝과 바짓단에 토사물이 묻은 게 눈에 들어왔다. 마시지도 못하는 술을 대체 얼마나 마셨기에 이 꼴로 왔나 싶어 남자는 마음이 아팠다.

"오빠, 우리 남편한테 말 좀 잘 해줘. 오빠 알잖아, 나 그 사람

없으면 죽어. 우리 애도 지 아빠 얼마나 잘 따르는지 오빠도 알잖아? 그치? 오빠는 알지?"

"오늘 늦었으니까 내일 전화해볼게. 택시 불렀으니까 택시 타고 가."

남자는 여동생에게 만 원짜리 몇 장을 쥐어 주었다. 여동생은 울듯 말듯한 표정을 짓다 "꼭 전화해 줘."라 말하며 집을 나섰다. 현관문이 닫히기 무섭게 아내의 말이 등 뒤에서 날아와 꽂혔다.

"아니, 누가 아파트 안 사면 죽인다고 칼 들고 협박이라도 했어? 내가 시누이더러 투자하라고 등 떠밀었어? 지가 나 귀찮게 쫓아다닌 건 생각도 안 하고 왜 나한테 저런데? 진짜 이웃 창피해서 정말."

"뭐?"

남자의 눈썹이 꿈틀거렸다.

"내가 틀린 말 했어? 뭐, 왜? 집값 오를 때는 귀한 며느리 들어왔다며 그렇게 좋다고 하더니, 이제는 완전히 천하의 몹쓸 년 취급이잖아, 안 그래?"

"너도 잘한 거 없으니까 적당히 해라, 진짜. 마음 같아선 확 다

부숴버리고 싶은 거 참고 있으니까!"

남편의 살기 어린 말에 아내는 입을 비죽이며 방으로 휙 들어가 버렸다. 매제나 자신이나 다를 게 없었다. 이제는 아내와 한 공간에 있는 것조차 부담스러웠다. 여동생이 잘 들어갔나 싶어 1층으로 내려가 보니 이미 간 건지 보이지 않았다. 지나가던 경비 아저씨가 목례하며 아는 척했다. 남자가 몇 호에 살고 있는지 뻔히 아는 분이다. 아마 아까 저분이 인터폰으로 조용히 해달라고 부탁했을 것이다. 남자는 편의점에 들어가 캔맥주를 하나 집어 들고 카운터에 섰다. 초록색 조끼를 입은 편의점 아르바이트생 뒤에 있는 진열대에 아파트처럼 네모 반듯하게 줄을 맞춘 담배가 눈에 들어왔다. 5년을 참고 안 피운 담배다.

"삑-"

바코드 리더기의 소리가 혼자 경쾌하다.

"저것도 하나 주세요."

마치 이름을 말하면 저주에라도 걸리는 것처럼, 남자는 담배 이름은 말하지 않고 손가락으로 특정 담배를 가리켰다.

"아뇨, 그거 말고 그 옆에 있는 거요. 네."

내야 할 돈을 일러주는 아르바이트생에게 남자는 한마디 덧붙였다.

"라이터도 하나 주세요."

편의점에서 나오는 길에 담배를 포장한 비닐을 뜯어 무신경하게 길에 버리자 비닐은 꽃잎처럼 나풀거리다가 쓰레기통 옆면에 찰싹 달라붙었다. 담배를 돌돌 만 종이가 타들어 가는 소리를 들으며 깊게 한모금을 삼켰다. 5년 만에 피우는 담배라 머리가 순간 띵했다. 남자는 한숨과 번뇌와 함께 연기를 내뱉었다. 독한 담배 연기는 폐의 가장 밑바닥까지 훑고 몸을 돌아 입과 코로 새어 나왔다. 두 개피 째 담배에 불을 붙일 때, 초록 조끼를 걸친 아르바이트생이 나오더니 남자 옆에서 담배를 꺼내 물고 불을 붙였다. 5년 동안 담배를 어떻게 참았나 싶게 이제는 담배 연기가 달게 느껴진다. 한숨과 연기를 토해내지만 땅은 꺼지지 않고 멀쩡하다. 딛고 선 땅도, 우뚝 솟은 아파트도 그대로인데, 무너지는 것은 사람뿐이다. 매제를 설득할 수 없으리라는 건 여동생도, 그리고 남자도 안다. 매제는 시골에서 자랐고, 소를 팔아 대학에 갔다고 했다. 일과 가정밖에 모르는 남자였다. 계란 프라이에 김치와 김만 있어도 세상 바랄 것 없이 맛있게 먹는 남자였다. 술도, 담배도 안 하고, 친구들과 모임도 없었다. 저렇게 살면 무슨 재미가 있을까 싶게 무미건조했지만, 생애 처음으로 집을 마련해서 이사한 날 저녁, 매제는 짬뽕에 소주 한 병을 반주로 마시더니 베란다에 나가서 혼자 울었다고 했다. 너무 꿈만 같아서, 너무 좋아서 울었다고 했다. 시골에 계신 노모를 집들이에 초대했을 때, 노모는 아들이 출세해서 새 아파트를 샀다며 주름진 손으로 아들의 손을 맞잡았다고 했다. 아파트 명의가 아들이 아닌 며느리 명의라는 말을 듣고 조금 서운해 하셨다지만, 며느리가 살림을 잘하고 아낀 덕분에 집을 샀다는 아들의 말에 이내 웃으셨다고 했다. 매제에게 있어 아파트는 지금껏 성실히 살아온 자신에게 수여하는 빛나는 훈장과도 같은 거였다. 계란 프라이와 김치와 김만으로도 마냥 행복해하던 매제에게 있어 새 아파트는 치사량에 가까운 행복이었다. 그 행복을 아내가, 남자의 여동생이 뺏은 것이다. 자신도 모르는 새 부인이 모든 걸 망쳐버린 것이다. 매제의 마음을 돌리긴 어려워 보였다. 여동생 역시 그걸 아니 저렇게 오빠 앞에서 막무가내로 생떼를 썼을 것이다. 어느새 담배는 필터 끝까지 다 타들어 가고 있었다. 택시에서 내린 손님이 편의점으로 들어서자 아르바이트생은 절반쯤 남은 담배를 황급히 끄더니 편의점으로 들어갔다. 세 대 째 담배를 꺼내려다 남자는 잠시 휘청이며 벽을 짚었다. 어지럽다. 집이 있어도 마음 편히 쉴 집이 없다. 남자는 여동생과 매제가 아니라 자신의 가정부터 걱정해야 할 때라는 걸 안다. 손에 쥔 적 없는 집값은 오르고 내린다. 사고 팔아도 내 손에 돈을 쥐는 게 아니라 통장에 숫자가 찍힐 뿐이다. 좋은 때가 있었다는 게 실감이 되지 않는다. 모든 게 사막에서 만난 신기루 같다. 이토록 절망적인데, 세상은 아무렇지도 않은 듯 시간은 재깍재깍 흘러간다. 무너지는 것은 오로지 사람일 뿐이다.

수연은 그 이후로 남자의 소식을 듣지 못했다. 여동생 내외는 이혼했는지, 남자의 가정은 안녕한지, 길고 긴 하락장을 버텼는지, 혹한의 하락장을 버티고 버티다 집값이 오르기 직전에 더는 못 견디고 집을 팔아버렸는지 알지 못한다. 살았는지, 죽었는지, 어디로 숨어버렸는지 알지 못한다. 다만 길고 긴 겨울이 끝나고 다시 봄이 찾아오며 바닥을 찍은 집값이 날개를 달고 하늘 높이 치솟았다는 것만 알고 있다. 계절처럼, 그렇게 사이클이 다시 돌았다는 것을 똑똑히 봐서 알고 있다. 수연은 그렇게 상승이 꺾여 가던 가을 즈음에 부동산 시장에 첫발을 내디뎠고, 투자자들에게 더없이 혹독한 겨울이 지나는 걸 보았으며, 다시는 오지 않을 것만 같던 봄이 오는 것도 보았다. 이제 계절은 돌고 돌아 다시 한 번 겨울의 입구에 서 있다. 춥고 외롭던 겨울에 하준을 만났고, 이제는 하준의 아버지인 덕구 씨를 마주하고 있다.

"아셨죠? 아생연후살타. 살아남아야만 비로소 다음 수를 둘 수 있는 거예요. 반드시 기억해 주세요."

덕구 씨는 자기만 믿으라는 듯 웃으면서 고개를 크게 끄덕였다. 수연은 내색하지 않았지만, 덕구 씨가 그 말을 잊으리라는 것을 이미 알고 있었다. 이건 덕구 씨의 문제가 아니다. 빠져나갈 마지막 기회가 왔을 때 제 손으로 그 기회를 놓아버리는 사람을 수연은 너무나 많이 보아왔다. 그리스 신화에 등장하는 기회의 신 카이로스는 뒷머리가 없다. 사람들은 풍성한 앞머리를 휘날리는 카이로스를 보며 기회가 늘 자기 곁에 있을 거라 착각한 나머지 그의 발에 달린 날개는 미처 보지 못한다. 순간의 점과 같은 기회가 지나가면 카이로스는 날아가듯 사라져 버리는데, 뒷머리가 없으니 낚아챌 수도 없다. 수연의 시선은 벽에 걸린 달력에 닿았다. 작년 겨울 읍내 단위농협에서 받아온 달력이다. 글씨도 큼직하고, 음력이나 절기와 함께 손 없는 이삿날이 표시된 달력이다. 이달 말 어느 날짜에 빨간색 동그라미가 굵게 그려진 게 보인다. 바로 하준이 전역하는 날이다. 수연은 조금 안심이 되었다. 하준이가 전역하면 덕구 씨에 대한 걱정을 덜 수 있어서인지, 아니면 다른 이유인지 수연은 알지 못했다. 그저 하준을 생각하면 슬며시 웃음이 나왔다. 웃음이 나올 뿐이었다.

집과 함께
늙어가고 싶어요

❖ ❖ ❖

거짓말처럼 집값이 다시 오르기 시작했다. 집을 지닌 이들은 어떻게든 팔려고 내놓았던 집을 다시 거둬들였다. 한참 좋을 때에 비하면 집을 보러 오는 이는 여전히 가뭄에 콩 나듯 했지만, 주변 어디에선가 신고가를 찍었다는 소리가 들려왔다. 덕구 씨는 지금의 상황이 수연이 말한 데드 캣 바운스인지, 아니면 시장이 다시 살아나는 조짐을 보이는 것인지 딱 잘라 말할 수 없었다. 하지만 집값이 다시 오른다니 숨통이 트인 기분이었다. 덕구 씨에게 내용증명을 보내왔던 이 중 하나는 이사가지 않고 반전세로 눌러앉기로 했다. 아마 이사 가려고 봐뒀던 집 주인과 얘기가 틀어진 모양이었다. 집값이 다시 오르니 전세 보증금을 너무 싸게 내놓았다는 생각이 들었을지 모른다. 세입자 역시 포장이사 비용에 복비에 이것저것 계산기를 두드려 보니 이사간다 한들 득 볼게 크지 않다는 판단이 들었을 수도 있다. 어찌됐건 덕구 씨 입장에서는 근심 하나를 던 셈이었다. 내용증명을 보내온 또 다른 세입자는 이사 날짜를 확정한 상태라 걱정이 이만저만이 아니었는데, 다행히 매매하려고 내놓은 집이 팔려서 겨우 전세금을 내어줄 수 있게 되었다. 언론에서는 다시 집값 반등의 조짐이 보인다며 연일 떠들어댔다. 언론이 신나게 나팔을 불어준 덕분에 덕구 씨의 집을 사겠다는 사람이 나타났으니 언론사에 대고 절이라도 해야 하나 싶었다. 집을 판 돈으로 전세금을 내어주고 복비며 세금이며 이것저것 처리하고 나니 실질적으로 덕구 씨 손에 남은 건 없었다. 하지만 덕구 씨는 전세금을 제때 돌려줄 수 있었다는 사실 하나만으로도 만족했다. 한편으론 스스로 대견하다는 생각도 들었다. 수연이 나부터 살고 나서 훗날을 도모하라며 못 미더운 듯 신신당부했는데, 수연의 걱정이 기우였다는 걸 증명한 듯해 덕구 씨는 내심 뿌듯했다. 남들과 말을 섞기 전까지는 말이다.

"예? 집을 팔았다고요? 얼마 주고 팔았는데요?"
같이 일하는 수난구조대 후배 하나가 밥을 먹다 말고 눈이 똥그래져서 덕구 씨에게 물었다. 후배는 덕구 씨의 답을 기다리지도 않고 질문을 이어갔다.

"이번에 판 집, 처음에 얼마 주고 샀어요?"

덕구 씨는 본인이 뭐 잘못이라도 했나 싶어 우물대며 매수 당시의 금액을 말해주었다.

"아니 그 돈 주고 사셨는데 그것밖에 안 받고 팔면 어떡해요? 이건 뭐 손해 본 거나 마찬가지잖아요?"

목소리 큰 후배 준식의 나무라는 듯한 말투에 지나가던 이들이 덕구 씨 곁으로 모여들었다. 관객이 생기니 준식은 신이 나서 더 큰소리로 떠들었다.

"아무리 전세금을 빼줘야 해도 그렇지, 그걸 그렇게 싸게 팔아버리면 어떡해요? 어떤 투자상품이든 조정 기간이야 당연히 있는 거고, 아파트는 결국 계속 오를 수밖에 없으니까 좀만 더 버티시지!"

후배는 입으로는 참견을 하면서 손으로는 덕구 씨가 판 아파트 단지를 빠르게 검색하고 있었다.

"이거 보세요, 일주일 전에 매도했다고 하셨죠? 그때보다 호가가 오천만 원이나 올랐잖아요?"

호가가 아무리 올라도 사려는 이가 없고 팔리지 않으면 아무 소용이 없건만, 후배는 덕구 씨가 당장 생돈 오천만 원을 손해 본 것처럼 호들갑을 떨었다.

"세상에, 오천만 원이면 어디야, 그랜저 한 대 사고도 남겠네."

후배가 확신에 찬 어조로 훈수를 두니 덕구 씨는 정말 잘못한 건가 싶기도 했다. 게다가 옆에서 듣던 이들도 한마디씩 거들기 시작했다.

"하긴 아파트가 언제 떨어진 적이 있어야 말이지. 왜 그런 말도 있잖아? 서울 아파트는 오늘이 가장 싸다고."

"그러니까요. 집값 떨어질 거라는 사람들 말만 듣고 집 안 샀는데, 이젠 뭐 쳐다도 볼 수 없는 가격이니까."

덕구 씨는 집을 팔아 전세금을 내줬을 때 앓던 이를 뺀 것처럼 속이 후련했었다. 전세금을 못 돌려준다고 사기꾼 소리까지 들었는데, 다행히 집을 팔고 잠시나마 손에 돈을 쥐고 보니 오랫동안 잊고 있던 여유도 다시 찾은 느낌이기도 했다. 돌려줄 돈이 있으니 오히려 세입자에게 큰소리칠 수도 있었다. 전세금 중 일부는 이삿짐 다 빠지고 집 상태를 확인한 후 돌려주겠다고 문자 메시지를 보냈을 때, 덕구 씨는 세입자에게 사기꾼 취급당했던 것에 대한 소심한 복수라도 하는 기분까지 들었었다. 물론 짐을 빼고 집 상태를 확인한 후 잔액을 건네는 게 일반적이기에 세입자는 덕구 씨가 잔금을 나눠서 돌려주는 것에 그렇게까지 의미를 두었으리라고는 전혀 생각도 안 했지만 말이다.

"야, 김준식! 덕구 형님 집 사고 팔 때 복비 한 푼 보태준 적 없으면 오지랖 그만 부려."

평소 털털하고 듬직해서 덕구 씨가 편하게 생각하는 후배 용범이가 준식의 훈수를 싹 자르고 들어왔다.

"꼭 보면 집이든 차든 내가 좋아서 샀는데 그 돈이면 SUV사지왜 세단 샀냐, 중형 사지 애매하게 왜 준중형 샀냐, 국산차 살 돈에 조금만 더 보태면 수입차 가는데 왜 국산 샀냐, 풀옵션을 했어야지 왜 옵션을 넣다 말았냐, 남자는 풀옵션 아니냐 따지고, 소형차 풀옵션 사면 그돈으로 중형차 깡통을 사지 왠 풀옵션이냐 그러고 아주 끝이 없지. 무슨 경차 사러 갔다가 제네시스 사오겠다."

용범의 등장에 준식은 입을 비죽거렸다. 삼십대 초반의 준식은 자신과 나이 차가 큰데다가 평소 불만을 잘 표현하지 않는 덕구 씨 앞에서는 할 말 못 할 말 가리지 않았지만, 본인보다 몇 살 위인 용범에게는 꼼짝도 못 했다. 용범이는 마냥 털털한 것 같다가도 누구든 아슬아슬하게 선을 넘을 것 같으면 몇 마디의 아주 매서운 말로 호되게 나무라곤 했다. 그래서 준식은 덕구 씨 앞에서 깐족대다가도 용범이 앞에서는 슬슬 눈치를 보곤 했다. 덕구 씨가 아내를 보낸 후 장례식장에 와준 동료들에게 감사의 의미로 술을 샀을 때 일이다. 준식은 뭐가 그리 기분이 좋았는지 덕구 씨 옆으로 술잔을 들고 오더니 묻지도 않은 자산 자랑을 하기 시작했었다.

"선배님, 요새도 아파트에만 매달려 계세요?"

"어? 어, 그렇지 뭐. 왜?"

"누가 요새 촌스럽게 아파트만 합니까? 혹시 지산 알아요? 생숙은 들어본 적 있어요?"

"지산? 생숙? 그게 뭔데?"

"하, 내 이럴 줄 알았어. 지산, 지식산업센터. 생숙, 생활형숙박시설. 이런 것도 모르면서 무슨 투자를 한다고 그러세요?"

덕구 씨는 꿀 먹은 벙어리가 되었다. 이때만 해도 덕구 씨는 싸부를 따라다니며 이제 막 전세 갭이 적은 허름한 아파트를 매입하며 투자를 늘려가던 시기였다.

"사람이 아파트에 살듯이 공장이나 사무실이 들어가는 아파트는 지식산업센터잖아요? 진짜 모르세요?"

대각선 건너편에서 조용히 술을 마시며 둘의 대화를 듣던 용범의 눈썹이 꿈틀거렸다.

"호텔 객실에서 삼겹살 구워 먹을 수 있어요? 없죠? 근데 이 생활형숙박시설, 그러니까 생숙은 거실에서 삼겹살도 구워 먹고 한우도 구워 먹고, 취사가 가능한 숙박시설이에요. 아주 그냥 아파트랑 똑같이 생겼는데 이게 뭐가 좋냐, 1가구 1주택에 안 들어간다는 거죠, 그러니까 이거 개꿀이에요, 개꿀!"

준식은 아파트 분양권을 사들였다가 피를 붙여 파는 분양권 단타에 재미를 붙이더니, 최근에 생숙 분양권으로도 꽤 재미를 본

터였다. 뿐만아니라 세를 놓았던 지산에 웃돈을 붙여 팔며 돈맛을 보기도 했다. 돈이 착착 붙다 보니 어디에라도 돈 자랑을 하고 싶었던 모양이었다. 하지만 덕구 씨는 준식의 말이 귀에 잘 들어오지 않았다. 사실 덕구 씨가 싸부를 쫓아다닌지 꽤 되었으나, 아내 병세가 급격히 나빠지는 바람에 한동안 투자에 신경 쓸 겨를이 전혀 없었다. 더구나 아내를 먼저 보낸 후에는 아무것도 손에 잡히지 않던 터였다. 그러다 싸부가 그렇게 폐인처럼 지내지 말고 드라이브라도 하자며 억지로 집 밖으로 끌고 나와 드라이브를 빙자한 임장을 데리고 다닌 덕분에 아파트라도 하나둘 사 모은 것이었다. 형수는 먼저 가고 하나뿐인 아들도 군에 있으니, 자기 아니면 누가 이 독거노인을 들여다보기나 할 거냐고 싸부는 매일같이 전화했다. 뿐만아니라 덕구 씨가 비번일 때마다 찾아와 얼굴을 비춘 게 싸부였다. 아마 싸부가 아니었다면 덕구 씨는 쉬는 날마다 술독에 빠져있을지도 몰랐다.

"형수님 병수발 하느라 있는 아파트도 팔았다면서요? 그거 다시 메워야 할 거 아니에요? 근데 언제까지 갭 천짜리 이천짜리 썩어가는 아파트나 쫓아다닐 거예요? 그래서 언제 돈 모으려고요?"

준식이 순간 선을 넘어 한발을 들이밀었다. 하지만 덕구 씨는 상념에 젖어 준식이 무슨 말을 하는지도 귀에 잘 들어오지 않았기에 그게 기분이 나쁜 말인지, 화를 내야 하는지도 모른 채 그저 빈 술잔만 만지작거리고 있었다. 덕구 씨가 별다른 반응이 없자 준식은 술김에 선을 넘은 발을 쭉 뻗어 안쪽까지 치고 들어왔다.

"아닌 말로, 제가 선배님보다 나이도 많이 어리고 경력도 짧지만, 솔직히 자본주의 사회에서는 돈이 계급 아닙니까? 그렇게 따지면 오히려 제가 형님보다."

"야, 김준식이."

용범의 낮게 깔리는 목소리가 공기를 흔들었다. 시끄럽던 술자리가 일순 조용해졌다. 용범은 생글생글 웃으며 준식에게 한마디 던졌다.

"재밌냐?"

단 세글자였지만 용범이 던진 말은 준식의 얼굴에 찬물이라도 끼얹은 듯했다.

"투자할 시간은 있으면서 선배님 잔 따라드릴 시간은 없고? 덕구 형님 잔 빈 거 안 보이냐?"

욕을 내뱉은 것도, 그렇다고 언성을 높인 것도 아니었다. 오히려 용범은 웃고 있었다. 하지만 용범은 조곤조곤한 말로 준식의 뺨이라도 갈긴 듯했다. 준식은 당황한 기색으로 두리번거리며 술병을 찾았다.

"선배님, 제 잔 한잔 받으시죠!"

준식에게는 서슬 퍼런 모습을 보였지만, 용범은 덕구 씨에게는 깍듯이 다가와 두 손으로 술병을 감싸 쥐곤 덕구 씨의 잔을 채웠다.

"큰일 치르느라 고생 많으셨어요."

용범의 덤덤한 위로에 덕구 씨는 그제야 세상이 보이고, 들리기 시작했다. 용범은 발인까지 지켜보는 걸로도 모자라 추모공원까지 동행하며 덕구 씨가 짊어진 슬픔을 조금이라도 나누려 했다. 일터 밖에서는 싸부가 덕구 씨를 붙들어 주었고, 일터에서는 용범이 말 없는 의지가 되어주었다. 그런데 그날 용범에게 지청구를 들은 이후 준식은 틈만 나면 어떻게든 덕구 씨를 이겨 먹으려 들었다. 본업인 수난 구조에서는 덕구 씨에게 겨룰 실력이 안 되었기 때문에 틈만 나면 덕구 씨 앞에서 자기 자랑으로 덕구 씨 기를 죽이고 싶어했다. 그러다가 또다시 용범에게 딱 걸린 것이다. 용범의 지적에 준식은 변명 아닌 변명을 늘어놓았다.

"아뇨, 다른 뜻이 있는 건 아니고 그냥 아까워서 그렇죠. 집값이 다시 오르고 있는데 덕구 형님이 너무 싸게 던진 건 아닌가 싶어서요."

"싸든 비싸든 파는 사람 맘이지 뭘 그리 훈수질이야. 너나 잘해, 인마!"

준식은 용범의 눈치를 살피더니 이내 자리를 피했다.

"쟤 말 신경 쓰지 마세요. 준식이 쟤도 지난 달까지만 해도 생숙 때문에 머리 싸매고 있었잖아요? 제 코가 석자면서 잘난 척은."

용범은 일부러 더 너스레를 떨었다. 하긴 준식 역시 덕구 씨처럼 집값이 떨어질 조짐을 보일 때 누가 봐도 안색이 안 좋아 보였던 게 사실이었다. 없어서 못 사던 생숙이 어느새 애물단지가 되는 건 아닌지, 빌어먹을 정부가 전입신고 받아줄 때는 언제고 이제는 적폐 취급을 하면서 도망갈 구멍을 막아 놓고서 숨통을 조여댄다며 줄담배를 피우며 성토하던 걸 못 본 게 아니다. 시장을 내버려 두면 알아서 잘 굴러갈 텐데 쓸데없이 규제니 뭐니 21세기에 공산당도 아니고 일일이 간섭하려 들더니, 이제는 생숙에까지 시비를 거는 거냐고 구시렁거리던 게 얼마 전 일이었다. 그러다가 집값이 다시 오를 조짐이 보이니까 비로소 얼굴에 핏기가 돌던 참이었다.

"그래도 뭐 잘 팔았지. 그거 안 팔았으면 전세 보증금도 못 줄 뻔했으니까."

덕구 씨는 혼잣말처럼 중얼거렸다. 아내가 떠났을 때도 용범은 덕구 씨의 의지가 되어주었고, 싸부가 시키면 강물에 몸을 던지던 날 밤에도 야간 근무 중 덕구 씨 대신 싸부를 찾아낸 것 또한 용범이었다. 용범은 두 번의 죽음을 통해서 덕구 씨의 삶에 깊이 관여하고 있었다. 덕구 씨가 죽음과 거리를 두고 삶에 더 힘을 낼 수 있었던 것에는 용범의 지분이 컸다. 삶뿐만 아니라 투자에서도 어떤 이와 함께하느냐가 큰 의미를 지닌다. 중요한 건 속도보다 방향이다. 빨리 부자가 되는 길은 세상 그 어디에도 없지만,

애초에 빨리 부자가 되려고 엉뚱한 길에 들어서면 오히려 길을 잃고 헤맬 수밖에 없다. 같은 출발선에서 단 10도 정도의 미세한 각도 차이라 해도 멀고 먼 길을 오래 걸은 후 주위를 둘러보면 함께 출발했던 이가 보이지 않을 만큼 저 멀리 떨어져 있을지도 모른다. 결국 올바른 방향은 속도에 앞선다. 여행의 즐거움은 어디를 가느냐보다 누구와 함께 가느냐에서 이미 절반 이상이 판가름 나듯, 투자 인생은 출발점에서 이미 절반을 먹고 들어가는지, 접고 들어가는지 결정된 상태에서 시작하는 것이다. 안타까운 것은 잘못된 길을 걸어왔다는 걸 자각하는 건 이미 돌이키기 어려울 정도로 멀리 오고 난 다음이라는 것이다. 그러므로 인생에서 방향이 아닌 속도를 강조하는 이들을 멀리 해야 한다. 인생은 단거리가 아닌 장거리 레이스이기에 느리더라도 방향과 현재의 만족을 말하는 이와 함께 길을 떠나는 것이 좋다. 여행의 최종 목적지는 여행지가 아니라 결국 집이다. 집은 나의 출발지인 동시에 목적지다. 즐거운 여행의 시작과 끝은 어디를 가느냐가 아니라 즐거운 이와 다투지 않고 자신만의 속도로 나아간 후 다시 안온한 집으로 돌아오는 것이다. 성취를 위해 여행을 떠나는 이는 없다. 여행은 과정이며 추억이다. 투자 또한 과정이며 추억이다. 누구나 여행을 떠날 때 돌아올 집을 생각하며 편도가 아닌 왕복표를 구입한다. 투자 또한 모든 돈을 거는 도박이 아니다. 모든 것을 거는 건 집으로 돌아올 생각 없이 편도티켓을 구한 채 멀리 떠나는 것과 같다. 여행은 다시 돌아올 길을 염두에 두고 떠나는 것이지 돌아갈 다리에 불을 지르고 배수진을 치는 게 아니다. 모든 것을 걸고 모든 것을 던지는 것은 전쟁이지 투자가 아니다. 아무리 좋은 여행지라 해도 그곳에 정착하면 그것은 더 이상 여행이 아니라 삶이 된다. 좋은 사람과 좋은 곳을 누리고 다시 집으로 돌아오기 때문에 여행이 완성되는 것이다. 투자는 늘 돌아올 곳, 행복한 나의 가정을 등에 업고 진행해야 한다.

"하온이는 잘 지내?"

덕구 씨의 물음에 용범은 품에서 핸드폰을 꺼내더니 대뜸 동영상을 재생했다. 초등학생쯤 돼 보이는 아이가 자전거를 타고 까르르 웃는 영상이었다. 용범은 아들 바보였다. 하온은 삼십 중반에 어렵게 얻은 하나뿐인 아들이었다. 하온은 세상에 너무 일찍 나와 한동안 아크릴 감옥 같은 인큐베이터 신세를 져야만 했다. 하온에게 인큐베이터는 생명의 공간이었지만, 엄마 입장에서는 작은 아이가 갇힌 유리관처럼 보였다. 하온의 엄마는 늘 아기에게 미안하다며 울었고, 용범은 그런 아내에게 아들 하온이는 분명 아빠를 닮아 튼튼할 게 뻔하니 곧 품에 안아볼 수 있을 거라며 위로하곤 했다. 아내 앞에서는 한없이 강한 남편이자 아빠인 척했지만, 용범 역시 사람일 뿐이었다. 용범은 덕구 씨처럼 아내랑 아들과 셋이서 오순도순 살고 싶다며 펑펑 울기도 했었다. 덕구 씨는 말주변이 없어서 그런 용범의 어깨를 툭툭 치며 다독이는 게 전부였다. 그런 사정이 이젠 바뀌었지만 말이다.

"우와, 하온이 안 보던 사이에 진짜 많이 컸네?"

"그러니까요. 그냥 계속 아기였으면 좋겠는데, 잠깐 한눈 팔다 돌아보면 금세 자라있다니까요?"

"하긴, 우리 하준이도 마냥 애인 줄로만 알았는데 어느새 군대 간다 하더니 내일모레 전역이라니까."

동영상이 끝나자 용범은 아들 사진을 보여줬다.

"여긴 어디야? 어디 놀러 갔었어?"

사진 속 용범과 하온이는 개울에 발을 담근 채 활짝 웃고 있었다.

"하온이가 할아버지네 놀러 가서 찍은 사진이에요. 저희 본가에서 얼마 떨어지지 않은 곳에 이렇게 개울이 있어서 하온이가 되게 좋아해요."

말마따나 하온이의 표정은 무척이나 즐겁고 행복해 보였다.

"하온이가 아빠 쏙 빼닮았네. 나중에 크면 아빠 젊을 때랑 똑같겠는데?"

"에이, 지 아빠 닮으면 어떡해요? 아빠 닮으면 공부도 못 하고 쓸데없이 힘만 셀 텐데?"

그렇게 말하면서도 용범은 하온이가 아빠를 닮았다는 덕구 씨의 말에 기분 좋은 표정을 숨기지 못 했다.

"저는요, 우리 아들한테 바라는 거 아무것도 없어요. 어차피 저도 학교 다닐 때 공부를 잘한 것도 아니고, 전 그냥 우리 아들이 건강하고 행복하게만 살면 좋겠어요."

다들 그렇게 말하다가도 아이가 중학생이 되고 고등학생이 되면 좋은 대학에 가길 바란다. 좋은 대학에 가야만 좋은 직장에 들어간다고 생각하기 때문이다. 하지만 용범은 달랐다. 아이가 제발 살아있기만 바라고 기도하며 눈물로 밤을 보낸 기억이 있기 때문이다. 덕구 씨는 수연이 적어준 말이 떠올랐다. 아생연후살타. 내가 먼저 살아야만 훗날을 도모할 수 있다. 겨우 목숨만 붙인 상태가 아니라, 내 삶에 감사하고 행복해야만 살아도 산 것이다. 1등의 자리는 단 한 명에게만 허락된다. 불행은 내가 가질 수 없는 것을 가지려는 데서 시작된다. 나에게 없지만 남이 지닌 것을 갖고자 할 때, 남과 내 형편을 비교할 때 행복은 내 곁을 떠난다. 투자는 남보다 더 가지려 하는 게 아니다. 매일 일기를 쓰듯 어제보다 더 나은 오늘을, 오늘보다 조금이라도 더 나은 내일을 위해 매일 꾸준히 정진하는 게 투자다.

"아들 다 커서 장가가고 나면 시골 본가로 내려갈 생각이에요. 저희 아버지가 터 닦고 기둥 세우고 손수 지으신 집인데, 이제는 꽤 낡았거든요. 저도 아버지처럼 낡은 집 손봐가면서 마당에 강아지도 키우고, 텃밭에 고추랑 상추도 기르면서 집과 함께 늙어가고 싶어요."

용범의 눈은 자연의 품에서 사는 노년의 자신을 상상하는 듯
했다.

"저랑 아내랑 둘만 남으면 뭐, 적게 벌어도 적게 먹으면 되니
까요. 전 농사도 안 지을 거예요. 그냥 딱 둘 먹을 만큼 작은 텃밭
가꾸면서 살 거예요."

버는 만큼 먹으면 모자랄 게 없다. 버는 것은 그대로인데 버는
것보다 더 쓰는 것이 문제다. 용범이도 덕구 씨처럼 자전거를 타
고 출퇴근을 했다. 주간조일 때 차를 끌고 출근하면 용범이네 가
족이 사는 김포에서 근무지인 서강대교까지 한 시간 반이 걸렸
다. 용범은 주간조일 때 차 대신 자전거를 타고 출근했다. 용범
이나 용범의 아내는 투자를 잘 몰랐지만 벌이의 대부분을 예금
과 적금으로 묶어두었다. 하온이가 어릴 적 아팠던 기억이 너무
강렬했기에, 갑작스레 가족이 아팠을 때를 대비해 언제든 현금
이 있어야 한다는 생각을 강박처럼 지니고 있었다. 주식판에서는
현금 또한 종목이라 말한다. 장이 안 좋을 때는 현금이라는 종목
을 들고 있으라 말한다. 시장이든 가정이든 언제든 맑은 날이 지
나고 먹구름이 낄 때가 온다. 그때는 현금만한 효자가 없다. 장
이 좋으면 투자할 다른 종목을 찾아야 하지만, 시장 자체에 먹구
름이 낀 하락장 때는 현금을 들고 있는 것 자체가 투자나 마찬가
지다. 용범이 능숙한 투자자인 것은 아니었지만, 자신만의 기준
을 세우고 현금 보유를 통해 운신의 폭을 항상 여유로이 지니고

있는 면에서 뛰어나다고 할 만했다. 누가 뭐라든 안전장치가 없는 상태에서의 섣부른 투자는 예적금만 지닌 이보다 더 위험하기 마련이다. 하이 리스크 하이 리턴이라는 말을 사람들은 때때로 오해한다. 확신 없이 리스크를 짊어진 채 투자에 뛰어드는 건 하이 리턴이 아닌 엔드게임이 될 뿐이다. 용범은 남들이 다 주식이나 부동산에 투자할 때 우직하게 예적금만 붙들고 있었다. 용범의 관점에서 집은 자신과 함께 늙어가는 것, 끊임없이 돌보고 아끼며 대를 이어가는 추억의 공간이었다. 이것은 틀린 것이 아니라 다른 것이다. 그저 판단 기준이 다를 뿐이다. 아파트에 투자하지 않는다해서 미련한 것이 아니며, 투자한다 해서 더 낫고 잘난 것도 아니다. 중요한 것은 자신만의 철학이 있느냐다. 기준 없이 분위기에 휩쓸리는 것이야말로 어리석은 일이다. 아들 내외가 손자와 함께 놀러 왔을 때 함께 개울에 놀러 가고, 화려한 조명 대신 은하수가 쏟아질 듯한 시골 밤하늘을 누리는 것은 그것대로 멋지고 행복한 삶이다. 마찬가지로 편리한 아파트에 거주하면서 투자 이익으로 인한 성취감을 얻으며 만족하는 것 역시 멋지고 행복한 삶이다. 균형 잡힌 삶이란 남의 삶을 평가하거나 재단하지 않고 자신의 삶에 집중하고 만족하는 삶이다. 삶의 기준과 철학이 분명하지 않은 사람일수록 남의 삶을 평가하며 자기와 다른 삶을 사는 이들더러 불행한 삶을 산다며 제멋대로 판단하기 마련이다. 시장이 한참 불타오르던 좋은 시절에 어떤 이는 감히 '가난은 정신병이다'라는 주장을 하기도 했다. 가난은 정신병이고, 자신은 가난이라는 정신병을 치료할 수 있으니 자기에게 치료를 받으라는 광고였다. 그가 어떻게 가난이라는 정신병을 치료하는지는 잘 모르겠다. 한 가지 분명한 것은 가난이라는 정신병을 치료해서 부자가 되려면 자신의 약을 사야만 한다는 것이었고, 그는 다른 게 아니라 그런 약을 팔아 부자가 되려 했다는 것이다. 세상은 영화 매트릭스처럼 빨간 약을 삼키기만 하면 세계의 진실에 눈이 뜨이는 기적을 보여주지 않는다. 쉽게 얻은 것은 쉽게 사라지며, 쉽게 얻을 수 있는 것은 없다는 게 세상이 알려주는 진실이다. 쉽게 부를 얻으려는 이들은 '가난은 정신병이다'라는 정신병자의 말 같은 광고에 낚여 돈을 주고 부자가 되는 빨간 약을 사 먹는다. 빨간 약을 먹어 부자가 될 수 있었다면 그 약을 만든 이는 남에게 그 약을 팔지 않고 자신이 모든 약을 삼켰을 것이다. 주식이든 코인이든 부동산이든 다들 자신이 만든 빨간 약만이 오리지널 신약이라고 외친다. 투자로 이미 큰돈을 벌어 경제적 자유를 이룬 부자가 되었다는 이들은 투자로 돈을 버는 게 아니라 약을 팔아 돈을 벌며 부를 유지한다. 돌팔이는 광장의 연단에 올라서서 자신의 약을 자랑하지만, 명의는 병을 얻기 전에 기본적인 건강 관리를 할 것을 강조한다. 충분한 수면을 취하고, 술, 담배를 멀리하며, 스트레스를 피하고 저염식을 먹으라고 말이다. 누구나 할 수 있는 이런 뻔한 얘기를 실제로 평생

실천했을 시 건강을 지킬 수 있지만, 대부분의 사람은 그런 뻔한 얘기 말고 단번에 건강해지는 빨간 약에 더 혹하기 마련이다. 빠른 약효에 이끌려 제 발로 돌팔이 약장수를 찾아가 빨간 약을 사 먹는 것이다. 뒤늦게 효험이 없다는 걸 깨닫고 항변해보지만 돌아오는 말은 이렇다. "투자의 모든 책임은 투자자에게 있습니다." 그렇다. 돈을 주고 빨간약을 사 먹은 건 나 자신이다. 누구를 탓할 수 없다. 탓한다 한들 내 상황이 나아지지 않는다.

오해하지 말자. 가난은 정신병이 아니라 현재의 재정 상태일 뿐이다. 부의 세계에서 진짜 정신병은 타인의 삶을 함부로 판단하는 교만한 사람이 보이는 증상이다. 용범이의 아들 하온이가 아빠를 닮았다면, 고등학생 때 내신 1등급이 되기는 쉽지 않을 것이다. 용범이는 벌써부터 자기 자식에게 공부 잘하라는 말은 하지 않을 것이라 다짐하듯 말하곤 한다. 최고 등급인 1등급은 전체의 4%에게만 허락된 것이고, 가장 낮은 등급인 9등급 역시 1등급과 마찬가지로 전체 인원 중 오로지 4%에게만 허락된 등급이다. 하지만 1등급인 학생은 9등급인 학생더러 "공부를 못하는 건 정신병이다." 따위의 말을 하지 않는다. 그 누구도 함부로 그런 말을 하지 않는다. 1등급에게는 1등급의 길이, 9등급에게는 9등급의 길이 있다. 한때 유도선수 생활을 했던 용범은 고등학생 당시 최하위 등급인 내신 15등급이었다. 하지만 아무렴 어떤가. 용범은 가진 게 없는 사람을 비웃지 않았고 가진 게 많은 이들을 부러워하지 않았다. 물론 그도 가난이 불편하다는 것을 안다. 갑작스러운 불행이 닥쳤을 때 대부분의 불행으로부터 자신과 가정을 지켜줄 수 있는 게 돈이라는 것 또한 잘 알고 있다. 단지 무리한 욕심을 내지 않을 뿐이다. 할 수 없는 것과 될 수 없는 것을 꿈꾸지 않을 뿐이다. 유도선수였던 용범의 목표는 국가대표였다. 힘들지만 되고 싶은 꿈이었고, 용범은 하루하루 그 누구보다 성실하게 살았다. 하지만 새롭게 주어진 오늘 하루에는 최선을 다하되 인생은 대충 산다고 입버릇처럼 말하곤 했다. 그는 입에서 단내가 날 정도로 운동하곤 했지만 단 한 번도 국가대표가 되지 못한 채 운동을 접었다. 국가대표가 되는 건 영예로운 일이지만, 국가대표가 되지 못했다 해서 자기 인생이 실패했다는 생각은 하지 않았다. 국가대표가 되기 위해 누구보다 성실한 하루를 보냈지만 인생은 사람이 어찌할 수 없는 변수가 너무 많다는 걸 경험으로 알고 있었기 때문이다. 누가 봐도 올림픽 금메달감이라 생각했던 선배가 어이없이 국대 선발전에서 탈락하기도 했고, 세계랭킹 한참 아래에 자리 잡은 선배가 목에 메달을 거는 것을 보기도 했다. 인생은 사람의 계획대로만 흘러가지 않는다. 돌아보면 인생은 예측할 수 없는 일들의 합이다. 하온이가 인큐베이터에서 힘겨운 날을 보내리라는 건 결코 예측하지 못했던 일이다. 사람이 아무리 마음으로 자기의 일을 계획한다 한들 세상에는 변수와 운이라는 요소가 지뢰처럼 무작위로 널려 있다. 자기 확신이 강하면 강할수록 넘어졌을 때 일어서기가 힘들다. 최선을 다한 하루를 보내되 인생의 주도권은 인생에게 넘기는 것이 편하다. 그래야만 인생이 뒤통수를 쳤을 때 너무 놀라지 않고 금세 일어나 다시 걷고, 걷다가 뛸 수 있다. 변수와 불운이 나의 발목을 잡을 수도 있지만, 반대로 변수와 행운이 나의 등을 힘껏 밀어서 앞으로 나아가게 할 수도 있다. 하온이가 장가가면 시골에 내려가겠다고 말하는 용범이지만, 인생은 전혀 다른 방향으로 흘러갈 수도 있다. 어쩌면 시골에 가지 않고 도시 한복판에서 문명을 누리며 살아갈지도 모르는 일이다. 오히려 투자에 눈을 뜨고 돈 세는 재미에 빠져 도시를 즐기며 살 수도 있다. 가서는 안 될 길이 아닌 이상, 세상에 잘못된 길은 없다. 나만의 길을 걷는 행복한 사람이 있는가 하면, 남이 가는 길을 가리켜 그건 길이 아니라고 말하며 패배자 취급하는 이도 있기 마련이다. 누가 용범이더러 부자냐고 묻는다면 가진 게 많다고 말하기는 어려웠다. 하지만 용범은 자기만의 길을 걷는 행복한 사람이었다. 그렇기에 부자가 되더라도 행복한 부자가 될 수 있는 사람이었다. 덕구 씨는 용범의 그런 당당함이 좋았다. 용범은 확고한 자기 철학을 바탕으로 전체의 4%에 해당하는 사람이었다. 그의 높은 자존감은 바닥에서의 4%가 아닌, 충만한 4%에 해당하는 1등급이었기 때문이다.

나그네쥐의
질주

❖ ❖ ❖

새벽이다. 벽을 가득 메운 수많은 CCTV화면은 오늘따라 흐르는 강물처럼 유유자적하고 평화롭다. 출동 방송이 울렸으나 동작대교 인근 반포 수난구조대의 출동 방송이다. 덕구 씨 관할이 아니라 가슴을 쓸어내린다. 아무래도 오늘은 출동이 없을 것 같지만, 그 누구도 입 밖으로 말을 꺼내지 않는다. "오늘은 출동이 없을 것 같아요. 모처럼 한강이 평화롭네요."라고 누군가 희망에 찬 목소리로 말하면, 꼭 그날 밤은 누군가 물속에서 부르기라도 하는 것처럼 사고가 났기 때문이다. 야간조 대원들은 틈이 나면 구조대 한켠의 휴게실 침대에 누워 쪽잠을 청하곤 했다. 이 일은 체력적으로나 정신적으로나 보통 힘든 일이 아니었기 때문에 조금이라도 쉴 수 있을 때 쉬어두는 게 좋았다. 덕구 씨도 팀원들에게 일러두곤 잠시 침대에 누웠다. 이상하게도 천근만근 몸이 무겁다가도 침대에 누우면 오히려 눈이 떠졌다. 산 자와 죽은 자 사이 그 어디쯤의 경계에서 날선 신경으로 서 있다가 비로소 혼자가 돼 누우면 혼자가 된 시간이 너무 아깝게만 느껴졌다. 덕구 씨는 불이 꺼진 휴게실 침대에 누워 아내나 하준이 사진을 넘겨 보거나 인터넷에서 쓸데없어 보이는 것들을 뒤지며 시간을 보내곤 했다. 하찮고 쓸데없어 보이는 일들도 살아있기 때문에 누릴 수 있는 사치였다. 하준이가 저녁 즈음에 보낸 문자 메시지를 다시 읽고 있는데 준식이 보낸 문자가 도착했다.

> **제가 다 선배님 잘되라고 드리는 말씀인데요,**
> **아래 영상 보시고 공부 좀 하시면 좋을 것 같아요.**

덕구 씨는 이미 아까 일을 다 잊고 있었는데, 준식은 여전히 마음에 두고 있었나 보다. 메시지 한구석에는 동영상 링크가 붙어 있었다. 준식은 근무 시간에도 부동산 관련 뉴스나 영상을 보곤 해서 용범에게 가끔 지청구를 듣곤 했는데, 아무래도 준식이 평소 시청하는 부동산 채널인 듯했다. 링크를 누르니 멀끔한 남자가 여유로운 미소를 짓고 있는 화면이 떠올랐다. 마치 자신은 세상을 다 안다는 듯 여유가 느껴지는 웃음이었다. 부동산 유튜버

중 워낙 왕성한 활동을 하는 사람이기에 덕구 씨도 몇 번 영상을
본 적 있는 이였다.

"부동산 예언! 이제는 집값 오를 수밖에 없다!"

자극적인 제목이 눈길을 끌었다. 자칭타칭 예언가는 수연과는
정반대의 얘기를 하고 있었다. 수연은 데드 캣 바운스니 출구전
략을 쓸 때라고 강조하고 또 강조했다. 하지만 부동산 업체의 대
표이기도 한 이 남자는 조정은 끝났으니 지금 매수하되, 신축보
다는 서울의 구축을 공략하라고 말하고 있었다. 덕구 씨는 채널
과 연동된 인터넷 카페에 들어가 보았다. 그는 부동산 투자자를
넘어 부동산 컨설팅 및 시공과 시행, 개발까지 원스톱으로 진행
한다고 했다. 게시글을 보니 공중파 TV에 출연한 프로그램 캡처
화면이 보였다. 책을 내고 서점에서 사인회를 하는 모습도 있었
다. 사인회 시작 세 시간 전부터 기다렸다는 이십대 여성은 자신
도 부동산 투자를 통해 영앤리치가 되는 게 꿈이라고 말했다. 젊
은 세대의 꿈과 같은 그는 구독자들 사이에서 군주로 불리고 있
었다. 대한민국 부동산제국에서 자신만의 성을 이룬 군주라는 뜻
이었다. 다들 자발적으로 군주에게 세금을 내고 군주를 칭송하는
시민이 되고자 했다. 젊은 시절 군주는 근로소득만으로는 부자가
될 수 없음을 절감했고, 부동산 중에서도 아파트 투자로 경제적

자유를 이뤘다고 했다. 그는 자신의 투자 경험담을 풀어놓는 채널을 통해 수십만 명의 구독자를 거느린 대형 유튜버가 되었고, 온라인 부동산사관학교를 통해 강의를 팔고 있었다. 그는 군주이자 교장이었고, 그의 말은 추종자들에게 법이었다. 그는 부동산 투자법인을 세워 이제는 어엿한 CEO라는 직함을 달게 되었다. 근로소득만으로는 결코 부자가 될 수 없으니, 투자로 만든 시드머니를 기반으로 오너가 되어 근로소득을 베푸는 입장이 된 것이다. 군주의 성이 되어줄 신사옥은 강남에 지어지고 있었다. 건물이 완공되면 어떤 모습일지 3D 입체 도면이 구석구석을 꼼꼼히 보여주고 있었다. 서민에서 출발해 투자 성공, 끝내 사업가로 변신에 성공하여 다주택자뿐만 아니라 기업가가 된 것이다. 군주는 모두의 롤모델이자 꿈이 될 법한 사내였다. 어느 게시판을 보니 군주를 통해 수익을 얻고 인생이 바뀌었다는 글들이 보였다. 신앙이 깊은 신도의 간증과도 같았다. 회원은 군주를 따라 살아온 자신의 삶과 투자를 말하고 있었다. 그는 2020년에서 2021년 사이 지식산업센터와 지방 분양권을 사들였다. 지산이 돈이 될 수 있다는 걸 경험하며 신세계에 눈을 떴다고 했다. 2021년에는 생숙, 생활형숙박시설을 여럿 분양받았으며, 인천 재개발이나 빌라를 헐값에 주웠다며 자랑했다. 2022년에 잠깐 주춤하며 힘든 시기가 없지 않았지만, 군주의 가르침을 따라 아파트나 다름없는 오피스텔, 일명 아파텔 투자에서 새로운 기회를 엿보았다고 말했다. 한때 매도 문의와 거래량이 줄어들며 집값이 떨어지는 듯했을 때 군주에 대한 의심이 들었으나, 잠실에서 신고가 거래가 터지고 단군 이래 최대 규모로 불리는 서울 재개발 사업 역시 순조롭게 출발하고 분양이 완판되는 걸 보며 군주를 의심했던 자신을 용서할 수 없다고 했다. 의심했던 것만큼 이제는 군주의 말을 철석같이 믿으리라는 말도 잊지 않았다. 잠시 흔들렸던 건 자신이 그만큼 투자 지식이 없어서였던 것이며, 투자자는 고독한 존재일 수밖에 없다는 걸 비로소 느꼈다고도 했다. 남이 뭐라든 마이웨이를 가는 게 투자자이기 때문에 누구에게도 응원받기 어려운 외로운 길이 곧 투자자의 길이라는 걸 뼈저리게 느꼈다고 말이다.

믿음의 간증에는 믿음이 흔들리고 있는 수많은 신자의 덧글이 달렸다. 2022년 뒤늦게 생숙을 분양받았다는 어떤 이는 자신의 믿음이 흔들리는 이유를 고해성사하듯 털어놓았다. 생숙을 오피스텔로 용도변경을 추진했으나 분양자 100% 동의도 얻지 못한 데다 지자체에서 지구단위계획 변경도 안 된다고 해서 꼼짝없이 이행강제금을 내야 할 상황이라 너무 불안한데 답이 보이질 않는다는 거였다. 이행강제금은 공시가의 10%인데, 만약 생숙 공시가가 10억 원이라면 해마다 1억 원의 이행강제금을 납부해야 한다는 소리였다. 그 아래에 줄줄이 달린 덧글은 의견이 분분했다. 정부와 지자체 욕은 기본이고, 속아서 분양받았다며 분양사나 시공사를 욕하는 이도 많았다. 생숙을 분양받은 이가 한두 명이 아니니 합심해서 항의하고 민원을 넣으면 결국 어떻게든 되지 않겠느냐는 낙관론도 있었다. 하지만 그렇게 말하는 이들 모두 속시원한 답을 제시하지는 못했다. 유일한 탈출구는 다시 시장이 되살아나 자신이 지닌 생숙을 누군가에게 넘기는 것이었다. 다시 상승장이 온다면 자기 물건을 받아줄 사람이 나타날 게 분명하니 폭탄 돌리기가 될지언정 자신이 마지막에만 받지 않으면 될 문제였다. 그렇기에 하락장이 온다거나 집값이 떨어질 일만 남았다고 말하는 건 역린을 건드리는 것이나 마찬가지였다. 집값이 떨어진다는 소리는 갖고 있는 걸 들고 죽으라는 소리와 다름없었기 때문이다. 하지만 분명한 건 하락세가 주춤하며 일부 지역에서 신고가로 거래되는 물건이 간헐적으로 등장하고 있었기에 모두 하락과 조정이 짧게 끝나고 다시 상승할 것이라 믿는다는 점이었다. 믿기 때문에 믿는 게 아니라 믿지 않으면 현 상황을 타개할 수가 없기에 다시 상승하기만을 간절히 바라는 것이었다. 반대 의견을 말하는 건 불신자이자 불경한 신성모독과도 같았다. 다른 의견을 입 밖으로 내뱉는 건 마녀사냥에 몰려 광장에서 화형을 당하는 것과 다름 없었다. 글로벌 경제 흐름이나 환율 등을 들먹이며 이제 하락할 일만 남았다는 의견은 조리돌림 당했다. 초반에는 객관적으로 반박하는 듯하다가 말미에는 인신공격과

비아냥으로 귀결됐다.

 의견을 나누는 이들은 모르고 있었지만, 시장이 겨울이 될 때만 이런 상황이 벌어지는 것이 아니었다. 시장이 혹독한 겨울을 거쳐 다시 싹이 트는 봄이 될 때는 정반대의 현상이 벌어졌다. 이제야말로 기지개를 켜며 잃었던 것을 다시 되찾아야만 할 시기가 올 때 아무것도 하지 않는 것이 가장 지혜로운 일처럼 보인다. 상승장이 지나 하락장이 올 때는 하락을 부정하며 집값이 떨어진다고 말하는 걸 터부시 하지만, 길고 긴 하락장을 지나 마침내 상승장이 올 때는 반대로 상승을 부정하는 분위기가 팽배해진다. 분명히 말하지만 많은 사람의 의견이 모인다 해서 그것이 곧 길이나 지혜가 아니다. 집단지성은 투자에 통하지 않는다. 오히려 투자에서 이기는 자는 집단과는 궤를 달리한다. 집값은 오늘이 가장 저렴하고 내일이면 더 비싼 값에 사야만 할 것 같아서, 뒤에서 누가 등을 미는 것처럼 무엇이라도 하지 않으면 안 될 것처럼 느껴지는 때가 있다. 혹시 레밍, 나그네쥐에 대해 들어본 적이 있는가? 쥐과에 속하는 포유류인 나그네쥐는 개체 수가 늘어나 살고있는 땅이 좁게 느껴지면 집단의 우두머리를 따라 대이동을 시작한다. 어디로 가는지 모른 채 그저 맨 앞줄의 쥐는 우두머리를 따라갈 뿐이고, 두 번째 줄은 첫 번째 줄을 따를 뿐이며, 그렇게 수천 마리의 나그네쥐는 맹목적으로 앞으로, 앞으로 이동하는 것이다. 그러다 막다른 길이나 절벽을 만나면 방향을 틀어야 하는데, 그들은 멈출 줄도, 방향을 바꿀 줄도 모른 채 그저 앞으로만 가다가 절벽에서 떨어져 수천 마리가 수장당하고 만다. 수년마다 한번씩 수천 마리의 나그네쥐가 죽음의 행진을 반복하는 것이다.

어떤 투자이든 결국 소수의 투자자만 부자가 되는 건 나그네쥐의 습성과 다를 게 없다. 상승장이든 하락장이든, 사람도 결국 나그네쥐와 똑같은 행동을 반복한다. "왜 그렇게 앞으로 돌진하는데?"라 물으면 이렇게 답한다. "리더가 앞으로 가고 있잖아. 우린 그저 따라가면 돼." 그렇게 무작정 달리고 달리다가 살기 위해 방향을 틀어야만 할 때를 놓치고 절벽에서 깊은 물로 몸을 던지는 것이다. 물에 빠져서 입과 코로 물이 들어올 때까지, 폐 속의 마지막 숨을 내쉬고 물이 식도를 타고 흘러 들어갈 때까지, 결국 물이 폐에 스며들 때까지도 대체 뭐가 잘못된 지 깨닫지 못한 채 가라앉았다가, 결국 죽어서 물에 둥둥 떠오르는 것이다. 수많은 이가 같은 질문을 반복한다. "우리는 달라요. 지금은 예전과 달리 정보 공유가 쉽고, 수많은 매체를 통해 지식을 나누며 과거의 경험을 간접적으로 체험함으로써 옛날과 같은 실수를 반복하지 않아요."라고 말이다.

분명히 말하지만, 투자의 세계에서 지혜는 계승되지 못한다. 이전 세대의 나그네쥐 대부분은 바다에 빠져 죽었다. 살아남은 쥐는 소수다. 나그네쥐의 임신기간은 약 20일이며, 한 번에 2~8마리의 새끼를 낳는다. 문제는 출산 후 두 시간 후면 다시 임신이 가능하다는 것이다. 결국 기하급수적으로 개체수가 늘어날 수밖에 없다. 스칸디나비아의 산악지대나 황야, 또는 툰드라 지대가 결코 좁은 곳이 아니다. 하지만 그들의 번식력을 보면 그 어느 곳도 결코 넓다 할 수 없다. 많은 투자자가 말하는 '집단 지성'과 '정보의 공유'는 결국 나그네쥐의 번식력과 다를 게 없다. 하락장이 되고 혹독한 겨울이 되어 아무도 투자를 하지 않을 때는 아무도 투자로 부자가 될 생각을 하지 않는다. 하지만 시장이 점점 달아오르면 돈과 물질에 초연한 줄로만 알았던 이들까지 투자의 세계에 뛰어든다. 마치 새끼 여덟 마리를 낳은 후 새끼들이 겨우 눈을 뜨고 꼬물거릴 때 다시 임신하는 나그네쥐와 다를 게 없을 정도로 모두가 투자판에 뛰어든다. 좁디좁은 투자판에 너무나 많은 이들이 뛰어들어 밀도가 지나치게 높아지면 어떤 선택을 하게 될까?

"아파트는 이미 꽉 찼어. 이제 아파트 말고 생숙으로 눈을 돌려볼까?"
"좁디좁은 서울 아파트를 떠나 지산으로, 아니면 아파트형 오피스텔의 초원으로 떠나보자!"

그렇게 모두가 몰려간다. 그러다 뒤늦게 합류한 이가 묻는다.

"그런데 지금 어디로 가는 거예요?"
"우리는 지금 젖과 꿀이 흐르는 땅으로 가고 있는 거예요! 영 앤리치의 세계, 젊어서 퇴사하고 부를 누릴 수 있는 신세계, 근로 소득으로는 절대 다다를 수 없는 꿈의 땅으로 가고 있는 거예요! 의심하지 말고 한발이라도 더 내딛으세요!"

이게 상승장에 이은 조정, 하락장에서만 발생하는 일일까? 반대의 상황에서도 똑같은 일이 벌어진다. 시장은 얼어붙고, 모든 언론사는 하나같이 '아파트 투자, 부동산의 시대는 끝났다!'는 카피를 헤드로 뽑는다. 공인중개사는 폐업하고, 인테리어업체는 일감이 끊기며, 재개발은 미뤄지고, 착공하기로 약속했던 곳은 부도를 내고, 짓다 만 건물에는 유치권 행사 중이라는 거대한 현수막이 내걸리며 공사장 입구 가벽에는 출입을 금하는 안내문이 내걸린다. 집을 사려는 사람은 세상 미련한 사람 취급을 받으며 "왜 집을 사려 하느냐?"라는 핀잔을 받는다. 마치 히어로 영화의 멀티버스 세계처럼, 상승장의 세계에서는 집을 사지 않으면 바보 취급을 받지만 혹독한 하락장의 세계에서는 집을 사려는 사람이 바보 취급을 받는다. 상승장의 세계에서는 안전 진단이니 뭐니 다 개나 줘버리고 어떻게든 재건축을 진행시키려다가 원주민과 건설사 사이 신경전이 벌어지며 소송이 이어지지만, 평행 세계나 마찬가지인 하락장의 세계에서는 재건축 허가가 떨어진 곳에서조차 삽을 뜨는데 주저한다. 삽을 뜨는 순간 손해가 시작되는 현장이 허다하다. 상승장, 불장에서는 어디로 가는지조차 모른 채 앞서가는 투자자의 등만 보며 그저 앞으로, 앞으로 달릴 뿐이지만, 하락장에서는 아무도 집을 살 생각을 하지 않으며 오로지 전세만을 찾아 헤맨다. 그러니 전세가는 오르고, 팔리지 않는 집값은 갈수록 떨어지다가 마침내 오르다 오른 전세가와 내리고 내린 집값이 붙을 듯 만나는 시기가 도래한다. 그때는 전세 갭 천만 원으로도 서울 외곽의 아파트를 살 수 있다. 하지만 이때는 나그네쥐의 방향 없는 질주처럼 아무도 집을 사지 않는다. 지금이야말로 방향을 틀어야 하는데, 계속 달리기만 하면 절벽 아래로 떨어져 저 깊고 깊은 물 속으로 가라앉을 텐데, 상승장이든 하락장이든 한번 정해진 방향은 여간해서는 되돌릴 수 없다. 무작정 사거나, 무작정 사지 않거나 둘 중 하나 뿐이다. 정보 공유가 되고, 집단 지성이 이어지니 옛날과는 다르다고? 정말 그렇다고 생각한다면 지난 상승장에서 부자가 되었다고 책을 내고 강연을 했던 투자의 귀재들은 다 어디로 갔는가? 그들은 과연 절벽에서 방향을 틀었는가? 살아남았다면 투자의 구루로서, 등대로서, 여전히 빛을 밝히고 길을 인도해야 하는 것 아닐까? 아니, 오래 전의 투자 천재들은 차치하고, 당장 지금, 당장 어제의 투자 선지자들은 다 어디로 갔는가? 세상에 종말이 온 듯한 극심한 괴로움이 파도처럼 모두를 집어 삼키려고 하는 때, 그들은 과연 길을 알려주고 있는가? 그들이 말하는 게 과연 길이긴 한가?

문제는 아무리 말해줘도 듣지 않는다는 것이다. 가장 본질적인 걸 말해도, 다수의 투자자는 되묻는다. 투자의 스킬을 묻고, 어느 동네의 어느 단지를 사야만 하는지를 묻는다. 주식판에서 어떤 종목을 사야 하는지 묻고, 떡상할 코인이 어떤 것인지를 묻는다. 그 질문은 '겨울에도 따뜻한 곳은 어디일까요?'라 묻는 것과 다를 게 없다. 투자자의 매수와 매도 행위는 우리를 둘러싼 사계절 중 가을에 단풍잎 하나를 줍는 것과 다를 게 없다. 내가 남보다 먼저 좀 더 빨갛고 예쁜 단풍잎을 주웠을 뿐인데, 사람들은 그걸 자신의 능력으로 착각한다. 제아무리 잘난 이라도 겨울에 빨간 단풍잎을 주울 순 없다. 우리는 그저 계절과 때에 따른 풍경을 누리고 즐거워하는 것으로 족하다. 뜨거운 여름이 지나면 이제 가을 추수를 준비해야 한다. 들판의 벼가 언제까지 자라고 자라 더 큰 수확을 가져다주리라 생각하는 건 어리석은 착각이다. 거둬들일 때, 매도의 추수 시기를 놓치면 결국 얻을 것마저 잃고 아무것도 남지 않게 된다. 그러나 사람들은 모른다. 모를 수밖에 없다. 한시절 불나방처럼 달려든 초보 투자자들은 무시무시한 번식력을 지닌 나그네쥐처럼 세력을 불리고 불리다가 한순간에 절벽에서 바다로 떨어져 모두 죽어 없어지기 때문이다.

아생연후살타

나는 살아야 한다. 내가 살고 난 후에야 비로소 새로운 투자의 봄날이 열린다. 하지만 귓가에 대고 고함을 쳐도 수많은 이는 결국 자신이 옳다 생각하며 절벽으로 뛰어내린다. 수연은 이를 알았기에 욕심에 눈길을 주지 말고, 데드 캣 바운스로 마지막 기회가 왔을 때, 기회의 신 카이로스가 왔을 때 그의 앞머리를 있는 힘껏 잡아챌 것을 주문한 것이다. 그러면서도 한편으론 덕구 씨가 자신의 말을 듣지 않고 결국 마음이 흔들려 팔아야 할 때를 놓치고, 하늘에서 내려온 동아줄을 외면하고 말 것이란 걸 알았던 것이다.

과거로 돌아간다면
같은 선택을 하실 거예요?

❖ ❖ ❖

"필승! 아버지 아들 도 하 준, 전역을 명 받았습니다!"

힘차게 경례하는 아들 하준을 덕구 씨는 있는 힘껏 끌어안았
다. 만기 전역이었건만 하준은 다시 입대해도 될 만큼 파르라니
깎은 해병대 특유의 짧은 돌격 머리 그대로였다.

"넌 인마, 말년이면 머리도 좀 기르지 그랬어? 머리 보면 누가
민간인이라고 하겠냐?"

덕구 씨의 지적에 하준은 멋쩍게 웃으며 머리를 쓰다듬었다.

하지만 덕구 씨는 저 머리가 누구의 작품인지 알고 있었다. 아들은 엄마를 잃은 슬픔에 빠질 겨를도 없이 못난 아비의 눈치를 살피며 지냈다. 가난은 돈이 없어서 여유가 없는 게 아니다. 가난은 슬픔마저도 제대로 누릴 자유가 없게 만든다. 덕구 씨 인생의 첫 청약 당첨이자 첫 국평 신규 분양 아파트는 아내의 치료비 마련을 위해 손아귀에서 눈 녹듯이 사라졌고, 하준이는 아빠가 모든 걸 놓아버리는 건 아닌지 늘 아빠의 기분만을 살폈다. 하준의 입장에서는 엄마를 잃은 슬픔보다 이러다 아빠마저 잃게 되는 건 아닌가, 그래서 영영 혼자가 되는 건 아닌가 싶은 두려움이 늘상 도사리고 있었던 것이다. 가난을 물려주는 건 단순히 부를 물려주지 못하는 문제가 아니다. 가난뿐만 아니라 슬픔이라는 원초적 감정마저 제대로 누릴 수 없을 만큼 삶의 여유를 잃게 만드는 것이 문제다. 돈이 없는 건 부끄러운 게 아니라 단순히 불편할 뿐이지만, 인간으로서 마땅히 누려야 할 감정마저도, 돈 한 푼 들지 않는 감정마저도 박탈당하는 상실감이 가난의 진짜 얼굴인 것이다. 하준은 반반한 얼굴과 멀쩡한 허우대를 지녔음에도, 좋다고 따라다니는 예쁘고 귀여운 친구가 있었음에도 철벽을 치고 모든 것으로부터 자신을 격리했다. 덕구 씨가 아내를 잃은 슬픔을 극복하고, 기울어진 가세가 다시 온전해지기까지 하준이는 그 외의 모든 것을 사치라고 생각했다. 자신은 그런 사치를 누릴 자격이 없다고 생각했다. 세상에서 맛볼 수 있는 모든 달콤한 것들과 안온한 휴식으로부터 하준이는 스스로를 격리해 감옥 아닌 감옥에 갇힌 채 살아왔다. 속사정을 모르는 이들은 하준이 어린 나이에 일찍 철이 들었다고, 대견하고 속이 깊은 효자라고 칭찬했다. 하지만 어설프고 부족해도 감정을 터트리고 표현하는 게 인간의 자연스러운 성정이다. 하준이 경험한 건 감정마저 박제당하는 일찍 나이 듦, 바로 조로(早老)였다. 애늙은이인 조로(早老)이다 보니 하준에게 세상 모든 것은 덧없었다. 그저 조로(朝路), 금세 사라질 아침 이슬인 것이었다. 세상이 덧없고 무색무취이다보니 즐거운 맛, 괴로운 맛, 창피한 맛 따위도 없었고, 어떤 이에게는 하준이 관조의 삶을 사는 일찍 깨달은 존재처럼 보였을지도 모른다. 속 깊어 보이는 현자처럼, 속을 알 수 없는 모습이 매력처럼 보여서 하준에게 고백하는 이성도 적지 않았다. 하지만 그건 누군가를 온전히 사랑할 수 있는 성숙한 인간으로서의 깊음이 아니라 감정을 거세당하고 감정 표현의 자유를 누리지 못하는 애늙은이, 겉늙은이였을 뿐이다. 그러다 입대했을 때 세상과 격리되는 군대가 오히려 하준이에게는 자유를 가져다 주었다. 입대초반 하준은 무엇이든 1등을 하기 위해 노력했다. 하준에게는 표정이 없었다. 찡그리지도, 화내지도 않았다. 연약한 사람만이 감정을 표출하는 것이라고 생각했다. 1등이라는 목표에서 눈이 멀어졌기 때문에 힘들게 느끼는 것이라고, 오로지 목표만을 바라본다면 고통도 고통이 아니라고 생각했다. 해병대에게는 너무나도 친숙한 IBS(Inflatable Boat Small, 소형고무보트)훈련 중 잠깐의 휴식 시간에 누군가 하준에게 다가와 한마디 던졌던 날을 하준은 지금도 잊을 수 없다.

"너 혼자만 잘하면 되나?"

하준은 질문의 뜻을 알아듣지 못하고 선뜻 대답하지 못했다. 그도 그럴 게, 하준이 속한 팀은 선착순에서 형편없는 성적을 기록했기에 100kg이 훌쩍 넘는 시커먼 고무보트를 머리에 얹은 채 식사하는 중이었기 때문이다. 1등을 기록한 팀은 바로 코앞에서 편히 앉아 느긋하게 식판의 밥을 음미하고 있었다. 하준은 분하고 견딜 수 없었다. 모래밭에 정좌하고 편히 밥을 먹는 인원보다 피지컬이나 능력에서 하준이 뒤떨어질 게 없는데 저들은 편히 앉아 밥을 먹고, 자신은 목이 꺾일 것 같은 고통을 견디며 보트를 머리에 진 채 바닷물에 반쯤 잠겨 식사를 하고 있었기 때문이었다. 씹지 않고 삼키기 바쁜 상황에서 무슨 말이든 귀에 들어올 리 없었다.

"너 혼자 잘해서 IBS 바다에 띄웠다 쳐. 너 혼자 패들링(paddling, 노 젓기)해서 보트 끌 수 있어?"

하준은 밥을 씹다 말고 상대를 죽일 듯 노려 보았다. 상대는 살기 어린 하준의 눈을 보면서도 전혀 위축되지 않은 채 담담히 말을 이었다.

"전우 못 믿나? 네가 아무리 잘났어도 혼자 해선 또 꼴찌야. IBS는 좌우에서 파도의 흐름에 따라 패들링을 해야 해. 파도가 우현을 때리는데 너 혼자 오른쪽에서 죽어라 패들링하면 뭐하나?"

IBS훈련을 수료한 이들이라면, 또는 인생의 쓴맛과 단맛을 두루 맛본 이들이라면 너무나 당연한 말이었다. 보트의 오른쪽, 우현에 파도가 부딪치면 뱃머리는 당연히 왼쪽으로 틀어진다. 이때 오른쪽에 앉은 하준이 열심히 노를 저으면 보트는 왼쪽으로 더 크게 꺾일 수밖에 없다. 뱃머리가 왼쪽으로 꺾이면 우현에 앉은 이는 노 젓기를 멈추고 오히려 왼쪽, 좌현의 전우가 더 힘껏 노를 저어서 방향을 보정해야 한다. 그렇지 않으면 영 다른 방향으로 배가 나아갈 수밖에 없다. 무조건 열심히만 하는 게 능사가 아니다. 올바른 방향으로 전진하기 위해서 쉴 때 쉬어야만 한다. 파도가 우현에서 뱃머리를 때리면 오른쪽에 앉은 이가 노 젓기를 멈춰야 하고, 반대로 왼쪽에서 파도가 몰아치면 왼쪽에 앉은 이가 쉬어야 했다. 그러다 파도가 가라앉으면 양쪽 모두가 죽을 힘을 다해 노를 저어야 했다. 쉴 때와 목숨을 걸 때가 정해져

있는 것이다. 하지만 지금까지 하준은 쉬고 있으면 불안했다. 친구를 만나 맥주 한 잔을 하거나, 연애를 하거나, 돈을 내고 커피를 사 마시는 사치를 상상조차 할 수 없었다. 매사 최선을 다하고 열심히 일하며, 고통이 다가와도 찡그리지 않았다. 남들은 하준을 포커페이스이자 어떠한 상황에서도 평정심을 유지하는 속 깊은 사람으로 봤을지 모르지만, 하준은 저도 모르는 새 심각한 내상을 입고 있었다. 사고가 났을 때 차라리 살이 찢어져 피를 흘리는 게 낫다. 겉으론 멀쩡하지만 속에서 피가 터지는 내출혈이 오히려 더 무섭고 끔찍한 일이다. 인생에도 외출혈보다 내출혈이 무섭다. 겉으로 무너지고 넘어지더라도 아플 땐 아프다고 비명을 지르며 도움을 청해야 한다. 참을 때가 있고 쉬어야 할 때가 있다. 거친 파도가 으르렁거리는 바다 한복판에서 우측은 패들링을 멈추고 좌현의 내 전우가 노를 저으며 배가 다시 제자리로 돌아올 때까지 믿고 기다려야만 한다. 하지만 하준은 쉬지 못했고, 마땅히 누려야 할 감정과 소소한 행복을 희생시키는 것이 정답이라 믿었다. 그렇게 양손에 굳은살이 배길 때까지 죽어라 노를 저으며 잘 살고 있다고 생각했다. 방향이 얼마나 틀어졌는지도 모른 채, 우현을 파도가 때려 뱃머리가 좌측으로 크게 틀어졌음에도 그저 열심히 노를 젓고 있었다. 그럴수록 방향은 목적지에서 점점 멀어지고 있었다.

"힘 좀 빼라. 주변 좀 둘러보고. 잘할 수 있는 놈이 왜 그렇게 뻘짓하고 있는데? 진짜 답답해서 못 보겠다."

상대는 그렇게 말하고 홀연히 사라졌다. 하준은 군에서도 1등을 하려고 했다. 선두에 선 하준의 표정에 따라 다른 전우들은 하준의 눈치를 보기 바빴다. 해병대 입대 전에 이미 하준의 삶은 악과 깡으로 가득 차 있었다. 언제 쉬었는지 모를, 아니 쉼 자체를 부정하며 걸어온 삶이었다. 경주마처럼 앞만 보고 있던 하준은 비로소 주변을 둘러보게 되었다. 사회에 있을 때 하준은 몸도 마음도 편하지 않았다. 하지만 하준은 그날 이후로 조금은 다른 눈으로 세상을 보게 되었다. 물론 그날 하준의 팀은 IBS훈련에서 1등을 하지 못했다. 변화라는 건 단박에 드라마처럼 일어나지 않는다. 아주 조금씩 하준은 여유를 익혔다. 1등을 하지 않아도 웃을 수 있었다. 등수가 문제가 아니라 그저 여기 이곳에서 전우들과 함께한다는 것으로 웃을 수 있게 되었다. 하준은 군에서 비로소 웃음을 찾았다. 아무리 육체적으로 힘든 훈련을 겪어도 끝난 후 맑게 웃으니 동기뿐만 아니라 선, 후임 가릴 것 없이 하준을 좋아하고 아꼈다. 하준에게 육체의 고통은 아무렇지도 않았다. 훈련이든 고통이든 곧 끝난다는 희망이 있기 때문이었다. 하지만 군대 밖 사회에서는 그렇지 않았다. 가난은 끝이 보이지 않았다. 어둠 속에서 묵묵히 걸을 수 있는 이유는 곧 새벽이 오리라는 희망이 있기 때문이다. 하지만 출구가 보이지 않는 삶은 희망조차 허락되지 않았다. 죽음 앞에서 촛불처럼 흔들리는 아픈 엄마 곁에서, 엄마가 돌아가신 후 좀처럼 마음을 잡지 못하는 아빠 옆에서 늘 깨어 있어야만 했던 하준은 군에서 모처럼 단잠을 잘 수 있었다. 집을 걱정하지 않아도 되었고, 내가 잠든 사이 누군가 영영 눈을 감지 않을까 걱정하지 않아도 되었다. 더 이상 악몽에서 깨어나지 않았고, 소중한 사람을 지켜야만 한다는 중압감에서도 비로소 벗어날 수 있었다. 입대 전의 하준은 많은 사람에게 사랑받았지만 그 누구에게도 마음을 열지 못했다. 하지만 군에서의 하준은 긴장을 풀었다. 어느새 마음을 열었고, 비로소 만개한 꽃처럼 활짝 필 수 있었다. 향기 있는 꽃에 벌과 나비가 모여들 듯 하준의 곁에 사람이 모였다. 전역을 앞둔 말년임에도 출가하는 승려처럼 파르라니 깎은 저 머리는 하준을 유독 따르던 후임이 전역을 앞둔 하준을 위해 마지막으로 정성을 다해 다듬은 돌격형 머리임이 분명했다. 민간인이 볼 때야 시커먼 군인의 빡빡머리가 거기서 거기겠지만, 오랫동안 군 생활을 한 덕구 씨가 볼 때는 아들의 머리 하나에도 애정이 깃든 손길이 닿았음을 느낄 수 있었다. 그래서 더 미안했다. 아비인 자신이 주지 못한 평안과 웃음을 생각도 못한 군에서 느끼고 경험했다는 것에 대해 아비로서, 오랜 군 생활을 한 인생 선배로서 그저 미안할 뿐이었다.

겸연쩍은 마음으로 고개를 든 덕구 씨의 눈에 단아한 차림의 수연이 보였다. 깊은 산 속 농막에서 보았을 때는 긴 머리를 대충 노란 고무줄로 묶고 화려한 일바지를 입은 시골 아낙 같은 모습이었는데, 오늘은 단정한 검정색 투피스 차림에 머리를 늘어뜨린 채였다. 수연도 덕구 씨를 알아보고 가볍게 목례를 했다.

"어머니한테도 전역 인사 해야죠!"

하준은 덕구 씨를 보며 밝게 웃었다. 수연이 어떻게 이 자리에 왔나 싶었지만, 전역한 날 친구 한 명 만나지 않고 아비랑 둘만 있는 것도 참 없어 보인다 싶던 터에 차라리 잘 되었다는 생각이 들었다. 수연은 늠름하게 서 있는 하준에게 다가와 짧게 축하 인사를 건넸다.

"고생했어."

하준은 말없이 웃기만 했다. 덕구 씨와 하준은 수연의 네모반듯한 경차를 타고 하준이의 엄마를 모신 곳으로 향했다. 수연이 운전하고, 하준은 수연의 옆 조수석에 앉았다. 자연스레 덕구 씨는 상석인 뒷좌석에 앉게 됐다. 어색한 분위기에 시선 둘 곳을 찾지 못하던 덕구 씨 눈에 뒷자리에 놓인 옷가지가 눈에 들어왔다.

곱게 개킨 면바지와 셔츠였다. 아래에는 한 번도 신은 적 없어 보이는 새 운동화가 한 켤레 놓여 있었다. 수연은 룸미러를 통해 덕구 씨가 옷가지를 살피는 걸 확인하곤 담담하게 말했다.

"하준이 어머님 뵙고 난 후 갈아입을 옷을 준비했어요. 계속 군복 입은 채로 다닐 필요는 없을 것 같아서요."

하준이는 전역 당일 어머니를 보러 가자고 미리 말했었다. 어머니에게 군복 차림으로 전역 인사를 드리고 싶다 했다. 하지만 덕구 씨는 사복을 준비할 생각은 미처 하지 못했다. 새삼 살뜰히 준비한 수연에게 덕구 씨는 고마운 마음이 들었다.

평일이라 추모관은 한산했다. 하준은 어머니를 모신 유골함 옆에 새로 찍은 사진을 올려두었다. 동기들과 부대 근처 사진관에서 전역 기념으로 찍은 사진이라 했다. 하준은 잠시 덕구 씨 눈치를 살피는가 싶더니 사진 한 장을 더 꺼내 들었다. 사진 속에는 짧은 머리를 모자로 가린 채 어색한 표정으로 정면을 바라보는 하준이 있었다. 그리고 하준 옆에는 활짝 웃고 있는 수연이 있었다. 하준이가 새로운 사진 두 장을 올려두기 전까지 유골함 옆에는 하준이가 초등학생일 때 엄마와 함께 찍은 옛날 사진밖에 없었다. 사진은 쭉 하준의 과거인 어린 시절에 머물러 있었다. 하지만 이제는 현실 속 바로 지금, 어른이 된 하준과 하준의 전우들, 새로운 친구 수연을 엄마에게 자랑하는 듯했다. 멈춰있던 시간이 다시 흘러가는 것 같았다.

"엄마, 저 왔어요."

하준은 한동안 말을 잇지 못했다. 수연은 하준에게 힘을 주려는 듯 하준의 팔에 살며시 손을 얹었다. 고개를 숙인 채 바닥만 보던 하준은 눈을 들어 사진 속에서 환하게 웃고 있는 엄마를 마주 봤다.

"엄마, 저 이제 어른이에요. 더 이상 아이도 아니고 혼자도 아니에요. 저 많이 단단해졌어요. 그러니까 걱정 안 해도 돼요. 진짜로요."

수연이 손을 들어 하준의 등을 토닥였다. 덕구 씨는 언제 내 아이가 이렇게 컸나 싶어 대견하면서도 어색했다. 엄마를 찾아 애타게 울던 사진 속 어린아이에서 어느덧 강한 사내로 훌쩍 커버렸는데, 아들의 성장에 아비인 자신의 지분이 있기는 한가 싶기도 했다.

셋은 추모관을 나와 덕구 씨네 집 근처의 감자탕집에 갔다. 보

글보글 끓는 감자탕의 온기가 세 사람을 감쌌다. 수연은 큰 고깃
덩어리를 떠 덕구 씨에게 건넸고, 덕구 씨는 소주를 주문했다. 하
준은 두 손으로 공손히 술병을 감싼 채 덕구 씨의 잔을 채웠다.
수연은 운전을 해서 산 속 집으로 돌아가야 하기에 두 부자만 주
거니 받거니 하는 새 소주 한 병이 금세 비워졌다. 수연이 한 병
을 더 주문하던 참에 하준이가 입을 열었다.

"아버지, 집들은 어떻게 정리 다 되었어요?"
예상치 못한 하준의 질문에 덕구 씨는 움찔했다.
"아니, 정리한 것도 있고, 아직 안 된 것도 있고 그렇지."
"요새 매수 문의가 좀 뜸하긴 하죠?"
하준의 말에 덕구 씨는 바로 답을 하지 못했다. 매수 문의가 적
어서가 아니라, 덕구 씨는 공인중개사에 매도해달라 내놓았던 물
건을 다 거뒀기 때문이었다. 내놓은 물건을 거뒀으니 매수 문의
가 있을리 없었다. 덕구 씨는 거짓말을 못 하는 사람이라 얼굴에
무슨 생각을 하는지 빤히 드러났고, 아들인 하준이 그걸 모를 리
없었다.
"아버지."
그저 자신을 불렀을 뿐인데, 덕구 씨는 나쁜 짓을 하다 들키기
라도 한 것 마냥 가슴이 철렁했다.
"아니, 들어보니까 이제 집값이 바닥을 찍고 반등하고 있다고 하

더라고. 집값이 다시 오른다니까 이왕이면 비쌀 때 팔면 좋잖니?"

덕구 씨는 자신도 모르게 아들에게 변명 아닌 변명을 하고 있었다. 어쩌면 아들 옆에 앉은 수연에게 들으라고 변명하는 것일지도 몰랐다.

"지금은 일시적 반등일 뿐이에요. 이때 팔지 못하면 하락장이 지속되는 수년 내내 들고 있어야 하는데 감당하실 수 있겠어요?"

"왜 집값 한참 오를 때도 한번 주춤 했다가 결국 다시 치고 올라왔잖니? 지금도 그런 시기일 수 있잖아?"

덕구 씨는 주군이 영상에서 한 말을 그대로 따라했다. 왜 그런 현상이 발생하는지 자신의 지식과 논리로 확실히 만들지 못한 채 주군의 말을 그대로 옮기는 것에 불과했다. 덕구 씨는 주군의 논리를 반박할 지식이 없었다. 하지만 하락을 앞두고 있으니 당장 팔아야 한다는 수연의 말보다는 다시 집값이 오른다는 주군의 말이 덕구 씨 귀에 달콤하게 들리긴 했다. 덕구 씨 입장에서는 듣기 좋은 말, 가기 편한 길을 선택한 것이기도 했다.

"데드 캣 바운스 때의 상승은 꼭지에서 기록한 고점을 뚫을 수 없어요. 간혹 상승거래가 등장하지만 전고점의 지붕을 뚫지 못하는 게 데드 캣 바운스의 특징이에요. 그리고 중요한 건."

하준은 잔을 들어 소주를 털어 넣었다.

"거래량이에요. 상승장에서만큼 거래량이 붙질 않아요."

주식을 했던 이들이라면 거래량이 얼마나 중요한지 말하지 않아도 알고 있다. 흔히 작전세력이 주가를 뻥튀기시킬 때 늘 나오는 말이 있다. '거래량은 거짓말을 하지 않는다.' 이 말은 주식판의 오랜 격언이다. 세력에는 화가가 존재한다. 화가는 흔히 하는 말로 '차트가 예쁘게 보이도록' 꾸미는 역할을 맡는다. 주가의 폭등을 뜻하는 빨간색 양봉이 도드라지도록 분칠하는 역할을 하는 것이다. 거래량이 적은 주식의 경우 몇 호가를 순식간에 집어삼키는 소량의 거래만 발생하더라도 금세 쭉쭉 예쁘게 올라가는 양봉이 그려진다. 포털사이트 증권 페이지의 Top종목을 보면 당일 상한가, 하한가, 상승, 하락 등의 조건 기준으로 Top10이 뜬다. 전체 시장에서 많이 상승한 종목을 1등부터 10등까지 보여주는 것이다. 5위 권 미만의 경우 보통 20% 안팎으로 상승한 종목들인데, 하루 거래량이 겨우 1만 주를 갓 넘겼을 뿐인데 하루 만에 17%씩 상승한 경우가 있다. 1만 주라는 거래량은 하루에 몇백만 주, 몇천만 주 거래되는 상승 종목에 비하면 비교조차 민망할 정도의 소량 거래다. 이런 경우 '상승을 바라는 세력'이 장난을 친 건 아닐지 짚어보는 게 합리적 의심이다. 거래량이 받쳐주지 않는 상승은 반대로 말하면 받쳐줄 거래량이 없어서 언제든지 하락할 수도 있다는 걸 뜻하기 때문이다. 하지만 개미 투자자의 다수는 상승 Top10을 기록한 종목이 다음날에도 상승세를 유지한다면 단순히 많이 올랐다는 이유로 매수 대열에 합류하는 경우가 많다. 사려는 이가 많아질수록 주가는 더 오르기 마련이다. 하지만 세력의 매집 원가에서 세 배쯤 치솟아 세력이 발을 빼기 시작하며 대량의 주식을 던지기 시작하면 더 받아줄 사람이 없기에 주가는 순식간에 와르르 무너지고 만다.

"그건 주식 얘기잖아. 주식이랑 부동산은 다르지."

덕구 씨는 아들의 설명에 아주 단순한 이유를 들어 반론을 펼쳤다. 주식과 부동산은 다르다는 것이다.

"맞아요. 주식과 부동산은 달라요. 주식은 언제든 사고팔 수 있지만, 부동산은 때를 놓치면 팔 수 없어요."

주식 호가창을 보면 10개의 호가가 촘촘히 쌓인 것을 볼 수 있다. 호가 10단계를 보면 주식 1주당 가격에 따라 호가 차이가 있긴 하지만, 일반적으로 한 호가당 고작 몇 원에서 몇백 원 차이다. 예컨대 1주 가격이 4,700원인 주식은 4,700원에서 4,705원으로 한 호가당 5원 차이밖에 나지 않는다. 가장 아랫 단계 매도 호가가 4,700원이라면, 가장 높은 단계의 매도 호가는 4,750원이다. 4,700원에서 4,750원까지 총10단계의 차이는 단지 50원에 불과하고, 5원, 10원, 15원, 20원, 25원 식으로 올라 최대 50원까지 각 호가 단계마다 5원이라도 더 받고 팔겠다고 매도 호가를 부른 매도자의 주식 수가 적게는 수천 주에서 많게는 수만 주에 달한다. 그래서 주식은 팔겠다고 마음만 먹으면 언제든지 사고팔 수 있다. 호가 차이도 크지 않고, 손해를 감수하고서라도 팔겠다고 마음만 먹으면 언제든지 팔 수 있다. 망해가는 회사의 주식조차 사고팔 기회가 언제든지 있는 것이다. 반면 주식에서도 팔겠다는 사람이 싹 사라지는 순간이 있는데, 그건 상한가를 기록했을 때다. 우리나라는 2015년에 상승과 하락의 가격제한폭을 30%로 못박았다. 하루 동안 아무리 오르건 떨어지건 상승 30%, 하락30% 내에서만 움직일 수 있도록 정해둔 것이다. 보통 주가가 30% 상승하는 속칭 상한가를 치면 주식을 보유했던 투자자들은 매도하려고 했던 주식을 싹 거둬들인다. 다음날에도 분명 상한가를 치거나 최소 1, 20%는 더 오르리란 기대 때문에 다음 날 상황을 봐서 더 비싸게 팔 생각이다. 오를 게 뻔히 보이는데 일부러 더 싸게 팔 바보는 세상 어디에도 없다. 하지만 주식은 오르건 내리건 하루 이틀이나 일주일, 생명력을 오래 유지한들 두어 달이면 승부가 난다.

그런데 부동산 투자자들은 주식처럼 하루만에 30%가 오른 게 아님에도 공인중개사무소에 전화해서 매도하려고 내놓았던 매물을 거둬들인다. 주식은 호가가 10단계로 촘촘히 나뉘어 있고 매도 잔량마저 친절하게 표시된다. 바로 윗 단계인 50원이 더 오르려면 주식 몇천 주가 팔려야 하는지 투명하게 보이는 것이다. 그런데 아파트는 매물이 몇 채가 있는지, 몇%가 오르는지 알 수 없는 상황에서 조금이라도 오를 조짐이 보이거나 호재가 있다 싶으면 누가 쫓아오기라도 하는 듯 매도자들이 안 팔겠다고 마음을 바꾼다. 단계별 호가가 주식처럼 5원, 10원, 100원, 500원이 아니라 단번에 천만 원, 오천 만 원을 확 올려버린다. 주식 호가는 징검다리처럼 작은 차이로 촘촘히 놓여 있기에 충분히 매수세가 따라붙을 수 있는데, 아파트의 호가는 최소 천만 원 단위로 움직이니 섣불리 움직이기가 쉽지 않다. 한 종목당 하루에도 수십, 수백만 주가 거래되는 주식과 달리 서울 아파트조차도 한 달 내내 팔리는 숫자가 만 채를 넘긴 달은 2018년 1월부터 2023년 12월까지 6년 동안 딱 다섯 달 뿐이다. 2020년, 2021년 온국민의 관심이 부동산에 몰렸던 시기가 포함되었던 기간을 기준으로 해도 이정도 수준이다. 서울특별시에는 약 940만 명이 살고 있다. 우리나라 사람 다섯 명 중 한 명 가까이 서울에 살고 있는 셈이다. 그런 서울에서 한 달 내내 팔리는 집이 수천 채에 불과할 뿐이며, 하락이 시작되면 그마저도 수백 채 수준으로 거래량이 뚝 떨어지고 만다. 천만 명 가까이 사는 서울특별시에서 한달 내내 팔린 아파트가 칠팔백 채밖에 안 된다는 것이다. 만약 한 달에 아파트 800채가 팔렸다면, 서울특별시민 1만1천 명 중 한 명 꼴로 아파트를 매수한 셈이다. 반대로 말하면 이런 시기에 아파트를 팔려고 한다면 매수 의도가 전혀 없는 1만999명 사이에 숨어있는 단 한 명의 매수자를 찾아야 한다는 얘기다.

거래량이 중요하다는 게 바로 이런 이유다. 서울 아파트 한 달 거래량이 8백 채 수준이라면, 집을 팔려는 사람은 1만 명 이상을 제치는 행운을 얻어야 한다. 거래량이 적다는 건 내 집을 팔 확률이 그만큼 줄어든다는 얘기다. 주식에서 거래량이 적은데 주가가 갑자기 뛰는 건 세력이 개입했을 가능성이 크다는 점을 잊으면 안 된다. 누군가 주가가 오르길 바라는 사람이 있다는 얘기다. 그렇기에 주식쟁이들은 거래량은 속일 수 없다는 말을 하는 것이다. 설령 작전주라 해도 거래량이 많은 작전주라면 내가 들어간 후 매도하고 탈출하려고 할 때 최소한 내 주식을 받아줄 사람이 어딘가 분명히 있다는 소리다. 애초에 급등하는 작전주에 들어가지 않는 것이 안전하지만, 만약 들어갔다 하더라도 내 물건을 받아줄 사람이 있어야만 탈출의 희망이 있는 것이다. 그러나 부동산은 그렇지 않다. 주식은 분단위, 초단위로도 사고파는 초단타 매매가 가능하고, 한 종목에서 수만, 수십만 건의 손바뀜이 일어난다. 거래 금액 자체가 아파트보다 현저히 적기 때문에 출구전략을 세우기도 용이하다. 이런 주식조차도 거래 금액이 커지게 되면 무거워져서 운신의 폭이 좁아진다. 하물며 부동산은 말해 무엇할까.

"그래도 물 들어왔을 때 노를 저어야지. 지금 집값 오르면서 물이 들어오는데 왜 굳이 배를 팔라는 거야?"

덕구 씨는 자신의 생각을 바꾸고 싶지 않았다. 주변을 둘러보면 분명 바닷물이 들어오고 있었다.

"물이 들어왔을 때 노를 젓는 건 좋아요. 그런데 아버지, 아버지는 구명조끼는 갖고 계신 거예요?"

술잔을 들던 덕구 씨의 손이 멈췄다. 구명조끼는 곧 안전마진이다. 덕구 씨는 투자를 시작하면서 몇 년 지난 지금까지, 한 번도 구명조끼를 입은 채 물에 뛰어든 적이 없었다. 애초에 갭투자로 시작할 때부터 있는 돈 모두를 긁어모았고, 없는 돈 탈탈 털어 시작한 게 갭투자였다. 큰돈 없이 시작할 수 있다는 것이야말로 갭투자의 매력이자 마력이었다. 월급이 늘어난 것도 아니고 복권에 당첨된 것도 아니지만, 덕구 씨는 물이 들어왔을 때 파도에 올라타 다주택자가 되었다. 물이 빠지며 집값이 하락해서 역전세를 맞게 되었을 때 세입자로부터 사기꾼 소리를 들은 것 역시 구명조끼, 안전마진이 없기 때문이었다. 당시 덕구 씨는 먹고 죽으려 해도 죽을 돈이 없었다. 정말 한 푼도 없었다.

"아버지는 수난구조대시니까 더 잘 아실 거 아니에요? 사고사례도 간접적으로 많이 접하셨을 테고요."

참으로 안타까운 일이지만 해마다 반복되는 사고가 있다. 썰물에 갯벌에 나갔다가 밀물을 미쳐 피하지 못하고 익사하는 사고는 매해 여름마다 발생한다. 갯벌에는 돈 들이지 않고 캘 수 있는 먹을거리가 지천에 널려 있다. 행여 낙지라도 한 마리 나오지 않을까 점점 더 먼 바다로 자신도 모르게 나가게 된다. 바닷물은 시야에 닿지 않는 저 멀리까지 빠져버렸기 때문에 언제까지고 앞으로 나가도 될 것 같다. 그러다 밀물이 들어오는 게 보이면 뭍으로 돌아가려 하지만, 꾸덕한 갯벌은 발목을 잡고 쉽게 놔주지 않는다. 갈 때와 달리 돌아올 때는 걸음이 더욱 더디고 느린 것만 같다. 반대로 차오르는 바닷물은 무섭게 치고 들어온다. 마치 '무궁화 꽃이 피었습니다' 놀이를 할 때처럼 잠깐 읊조린 후 고개를 돌리면 저 멀리 있던 아이가 어느새 바로 턱 밑까지 다가와 술래를 치기 위해 손을 번쩍 들고 있는 것만 같다. 낮이라면 그나마 다행인데 해가 떨어지고 난 이후는 더욱 암담하다. 360도 한바퀴 둘러봐도 어디가 지평선인지, 어디가 수평선인지 분간이 안된다. 밤바다는 밤하늘보다 더 까맣다. 하늘과 바다가 어둠으로 붙어버린 것만 같은데 찰싹이는 파도 소리는 점점 가까워진다. 물은 순식간에 7~8m 높이로 차오른다. 사람뿐만 아니라 썰물에 주차한 차가 밀물이 들어와 빠지는 경우도 있고, 주차한 후 잠깐 잠을 청하다 밀물에 휩쓸리는 바람에 차에서 탈출하지 못하고 사망한 사례도 있다. 왜 해마다 이런 사고가 발생하는 걸까? 뉴스나 인터넷, 유튜브 등 사건사고는 예전보다 더 빠르게 퍼지고 공유되는데 왜 사고는 반복되는 걸까? 투자자들은 SNS나 여러 매체를 통해 이전보다 더 스마트 해졌고 정보의 공유가 빠르기에 실패할 확률을 줄일 수 있다는데, 피 같은 돈이 아니라 진짜 목숨이 걸린 일인데도 왜 같은 사고가 해마다 반복되는 걸까?

　해녀들은 더도 말고 덜도 말고 숨만큼만 잡으라 한다. 내 눈앞에 문어가 보여도, 탐나는 것이 손만 뻗으면 닿을 것 같아도, 내게 남아 있는 숨만큼만 물질을 하다 퍼뜩 물 밖으로 나오라는 소리다. 폐에는 물에 올라오는 시간만큼 참을 정도의 숨이 남았는데, 욕심에 이끌려 더 깊은 물로 들어가 버리면 살길을 거슬러 올라가기 위해 남겨두었던 한줌 숨을 소비해버리고 만다. 해녀에게 가장 무서운 것은 물숨이다. 물숨은 삶의 숨이 아니라 저승의 숨이다. 욕심 때문에 더 깊은 곳으로 들어가 마지막 숨을 토해내고 나면, 이제 폐를 채울 수 있는 건 공기가 아니라 물뿐이다. 매해 여름마다 썰물에 나갔던 이들이 밀물에 미처 빠져나오지 못해 명을 달리하듯, 물질에 이력이 난 해녀 중에서도 물숨을 쉬고 바다에서 영영 나오지 못하는 이들이 있다. 그들이 과연 몰라서일까? 밀물이 무섭다는 것을, 물숨을 쉬면 안 된다는 것을 알지 못해서 물 밖으로 못 나오는 것일까? 아니다. 그저 과신 때문이다. 나는 괜찮으리라는 과신, 내 실력을 믿고 내 운을 믿기 때문이다. 나에게는 그런 일이 벌어지지 않으리라는 근거 없는 확신 때문이다. 돈이 아니라 하나뿐인 내 목숨이 걸린 일에도 이럴진대, 돈이 걸린 일에는 오죽할까 싶다. 조금만 더, 조금만 더 버티면 된다는 주문을 외우다가 돌아갈 다리를 제 손으로 태워버리고 마는 것이다. 정신을 차렸을 땐 이미 바다 한가운데 구명조끼도 없이 홀로 떠 있는 꼴이다. 너무 멀리 나와 구해달라 소리쳐도 들리지 않고, 구하러 올 사람도 없는 지경이 되어서야 사람들은 무언가 일이 잘못되어가고 있다는 걸 느낀다. 삶과 목숨을 건 일이 이러한데, 돈을 건 투자에서는 눈이 더 흐려질 수밖에 없다. 그게 인간의 본성이다.

"아버지, 세입자한테 사기꾼 소리까지 들으셨을 때 마음이 어떠셨어요? 그땐 집이고 뭐고 다 처분하기만을 바라셨잖아요?"

덕구 씨는 입을 닫았다. 2021년 내내 집값은 미친 듯이 치솟았다. 덕구 씨는 그때만 생각하면 모든 게 다 꿈같고 먹지 않아도 배가 불렀다. 하지만 하준이는 집을 팔라고 했다. 집값은 내내 오르겠지만 팔라고 했다. 하준이가 그리 말했을 때 덕구 씨는 하준이가 미친 건 아닌가 싶기까지 했다. 집값이 오른다는 건 앉은 자리에서 편하게 돈을 더 번다는 건데 왜 그걸 손에서 놓으라고 하는지 이해할 수가 없었다. 아들은 그때도 물숨 얘기를 꺼냈다. 숨만큼만 캐야 하고, 안전마진이 있을 때, 뭍으로 돌아올 수 있을 때 익절을 하라고 했다. 시간이 더 지나면 팔고 싶어도 팔 수 없을 거라 했다. 손에 쥔 걸 놓지 못하고 더 깊은 바다로 들어가면 물 밖으로 나오고 싶어도 나올 수 없을 거라 했다. 죽어서나 물 위로 떠오를 수 있을거라 했다. 결코 살아서 제발로 나오지는 못할 거라 했다. 그날 덕구 씨는 태어나서 처음으로 아들에게 심한 욕을 했다. 나 혼자 잘먹고 잘살려고 이러는 줄 아느냐고, 아비 속도 모르고 아비더러 지금 물에 빠져 죽어버리라는 거냐고 불같이 화를 냈다. 미친 듯 화를 내는 덕구 씨를 하준은 슬픈 표정으로 바라보며 말했었다.

"팔 수 있을 때 팔아야 한다는 걸 받아들이지 못한다면, 상승 이후에 내리막이 온다는 것도 받아들이지 못하시겠죠? 하락 같은 건 영영 안 오고 평생 상승만 있을 것 같으시겠죠? 그러다 하락 후 짧게 데드 캣 바운스가 왔을 때, 그때가 마지막 살길이라는 것도 이해 못 하시겠죠?"

몰랐다. 몰랐으니 더 오를 때 팔아야만 한다고 했던 하준의 말을 무시하고 팔지 않고 붙들고 있었다. 해가 바뀌어 2022년이 되어 집값 하락이 시작되었고, 거래량은 뚝뚝 떨어졌다. 정부의 지나친 규제 때문에 집값이 올랐다며 비판을 받던 정권은 결국 교체되었다. 하지만 바뀐 정부는 집값이 떨어지는 걸 막겠다며 규제를 해제했다. 이전 정권에서 지나친 규제 때문에 집값이 오른 게 참인 명제라면, 다음 정권에서는 집값이 떨어지는 걸 막으려면 더 강하게 규제해서 집값을 올리는 게 맞다. 하지만 다들 약속이나 한 것처럼 규제를 풀어서 집값을 올려야만 한다고 한 목소리로 외쳤다. 덕구 씨는 혼란스러웠다. 싸부도 정부를 욕하면서 서민들이 부자가 되는 걸 규제로 막는다며 성토했었다. 그러다 집값이 떨어지기 시작하자 집값이 나락으로 떨어지는데 왜 규제를 안 풀고 있는 거냐며 욕하기 시작했다. 덕구 씨는 밀물이 덮쳐드는 밤바다에 홀로 버려진 것 같았다. 밤바다는 밤하늘보다 어두운 칠흑이었고, 어디가 바다이고 어디가 하늘인지, 내가 딛고 선 게 과연 땅이 맞는지 싶었다. 전에는 무조건 한 채라도 더 아파트를 사는 게 유일한 살길이었다. 하지만 이제는 어디로 가야하는지, 어디가 살 길인지 아무도 알려주는 이가 없었다. 아니, 주변을 둘러보니 칠흑 같은 어둠에 당황한 눈동자만 둥둥 떠다니는 게 보였다. 허연 눈동자만 어둠 속에서 반딧불이처럼 둥둥 떠다니며 길을 찾지 못해 방황하는 게 보였다. 그러다 바닷물이 발목을 적시고, 정강이까지 올라오고, 허벅지를 지나 가슴팍을 때리다 턱밑까지 차올랐다. 다들 살기 위해 고개를 들었고, 그들 눈에는 아름답게 반짝이는 별들이 쏟아져 들어왔다. 죽을 것만 같은 절체절명의 순간, 갑자기 물이 빠지기 시작했다. 물이 배꼽까지 빠지자 누군가 외쳤다.

"물이 빠진다! 물이 빠지고 있다! 이제 살았어!"

이제 살았으니 얼른 뭍으로 가야만 했다. 하지만 사람들은 뭍이 아닌 바다로, 반대 방향으로 나아갔다. 아까 봐두었던 조개가, 조금만 더 나아가면 손에 닿을 것 같던 낙지가, 밀물이 밀려드는 바람에 두고 온 문어가 떠올랐던 것이다. 주식이든 부동산이든 가릴 것 없이 사람을 파멸로 이끄는 건 욕심이다. 마지막 숨을 빼앗기는 건 안전마진, 구명조끼를 준비하지 않았기 때문이다. 시장은 분명히 빠져나갈 기회를 주지만, 사람들은 그것을 살기 위해 돌아갈 길이 아니라 더 투자해야 할 신호로 잘못 이해한다. 태풍의 눈으로 걸어 들어가 잠잠해진 것을 태풍이 완전히 물러갔다고 착각하고선 다시 태풍을 향해 걸어가는 것이다.

덕구 씨는 몰랐지만, 불같이 화를 내는 덕구 씨를 피해 하준이가 찾아간 곳은 수연이 있는 깊은 산골이었다. 엄마가 아플 때도, 덕구 씨가 아내 사진을 끌어안고 엉엉 우는 장례식장에서도 덕구 씨를 토닥이던 하준이었다. 강철같은 신체를 지녔으나 슬픔에 무너지고 한낱 연약한 인간의 모습을 보이는 덕구 씨 곁에서 끝까지 눈물을 참고 덕구 씨를 위로한 하준이다. 그런 하준이가 그날 밤은 수연 앞에서 어린아이처럼 소리 내어 엉엉 울었다. 아버지마저 잃는 건 아닐까 싶은 걱정 때문에 그간 눌러두었던 감정이 폭발하고 만 것이다. 그 후로 싸부마저 스스로 먼 길을 떠나버렸으니, 하준은 수연에게 덕구 씨를 부탁할 수밖에 없었다. 하준은 그날의 기억이 떠올랐다. 덕구 씨 역시 하준의 눈빛에서 그날을 읽었다. 그리고 싸부가 떠났던 그날 밤을 떠올렸다.

"아들. 아들은 아빠가 가진 아파트 싹 다 팔았으면 좋겠다는 거지?"

덕구 씨는 소주잔을 물끄러미 바라보며 침울하게 말을 이었다. 마음을 정했는지 더 이상 잔 속의 술은 흔들리지 않았다.

"네, 아버지."

하준도 더 말을 잇지 않았다. 덕구 씨는 핸드폰을 들더니 어딘가로 문자를 보냈다.

"매물로 다시 올려달라고 문자 보냈어. 모르겠다. 죽이 되든 밥이 되든 어떻게든 되겠지."

덕구 씨는 잔을 들어 단숨에 술을 삼켰다. 삼켜버린 술이 생의 마지막 숨인 물숨이 아니라 살기 위해 들이켜는 숨이길 바랐다. 바다로 올라오며 내쉬는 숨비소리가 되길 바랐다.

이기려고 하지 말고
비기려고 하라

❖❖❖

"아버지는? 주무셔?"

수연의 물음에 하준은 고개를 끄덕였다. 덕구 씨는 많이 취했다. 아들이 전역해서인지, 다시 아파트를 매물로 내놓으면서 미련을 끊기 위해 연거푸 술잔을 든 것인지, 어쩌면 둘 다인지도 몰랐다. 취한 아버지를 눕히고 나오려는데 아버지 머리에 듬성듬성 보이던 새치가 어느새 서리가 내린 것처럼 하얗게 번진 걸 보고 하준은 적잖이 놀랐다.

"너는? 괜찮아?"

수연은 하준의 낯빛을 살피며 물었다. 하준은 수연을 바라보았다. 달빛을 받은 수연의 얼굴은 달보다 더 밝았다.

"난 괜찮아. 먼 길 운전해서 가야 하는데, 누나가 더 걱정이지."

"운전 뭐 하루이틀 하나? 달밤에 드라이브도 하고 좋지 뭐."

초록이 지는 게 바로 어제 같았는데, 어느덧 빨간 단풍이 드나 싶더니 겨울비가 내린 이후 가을이 우수수 떨어졌다. 문지방 너머에서 손을 흔드는 건 겨울이었다. 하지만 수연의 웃음은 언제나 봄날이라고 하준은 속으로 생각했다.

"그런데 우리 아버지, 제대로 이해는 하신 걸까? 그냥 아들 성화에 못 이겨서 던진 건 아닐까 싶네."

"아무렴 어때? 어쨌든 마음을 바꾸셔서 다시 팔기로 하셨다는 게 중요하지."

"마음은 약한 분이 고집은 왜 이리 센지 몰라."

"어라? 내가 아는 누구랑 비슷한데?"

수연은 웃으면서 하준을 빤히 바라봤다. 하준은 질색하며 손사래를 쳤다.

"내가 뭐? 난 그 정도는 아니야."

"똥인지 된장인지 찍어 먹어본 후 판단하겠다며 묻지 마 매수하던 게 누구였나 모르겠네?"

수연이 약 올리듯 말하자 하준은 귀까지 빨개졌다.

"그게 대체 언제 얘기인데 왜 또 꺼내고 그래?"

하준이 수연을 처음 알게 된 건 주식 투자가 계기였다. 수연은 자신의 블로그에 주식이나 부동산 등 투자에 대한 이야기를 꾸준히 일기처럼 올리고 있었는데, 하준이 자주 방문하고 덧글을 남기고 안부를 묻다 인연이 이어진 것이었다. 하준도 수연처럼 투자의 첫 시작은 주식이었다. 수연은 투자 스킬보다 멘탈이 더 중요하다고, 욕심을 갈무리하고 빠질 때를 알아야만 한다고 거듭 강조하곤 했다. '매수는 기술이지만 매도는 예술이다'라는 주식판의 격언도 입버릇처럼 말하곤 했다. 장이 좋을 때 사들이는 거야 일도 아니지만, 더 오를 게 뻔히 보이는데도 욕심을 갈무리하고 매도로 빠져나와 살아남아야만 다음 수를 둘 수 있다는 뜻이었다. 그러면 하준은 그게 아니라고, 뻔히 더 오를 텐데 왜 빠지냐며 고집을 부렸다. 하준이 들어간 작전주가 사흘 연속 상한가를 찍었을 때, 하준은 그것 보라며 어깨를 으쓱했다. 이러다 나흘 연속 상한가를 찍는 사연상도 가겠다며 장 마감 후 시간외거래를 들여다보는 하준은 만족의 웃음을 지었다. 하지만 나흘째 주가는 주춤하며 대량 매도 물량이 쏟아져 나왔다. 주가는 녹아내리기 시작했지만 하준은 차마 팔지 못했다. 바로 어제, 아니 불과 몇시간 전만 해도 삼연상을 찍었던 종목이었기에 떨어진 주가에 파는 건 당장 손해를 입는 것만 같았기 때문이다. 사실 떨어지는 와중에 팔았어도 하준은 충분히 익절하는 구간이었기 때문에 따지고 보면 결코 손해가 아니었다. 하지만 하준은 팔지 않았다. 아니, 팔지 못했다. 그렇게 하락이 며칠 이어지나 싶더니 슬금슬금

주가가 다시 오르기 시작했다. 하준은 그것 보라며 수연 앞에서 잘난 척을 했다. 수연은 세력이 마지막으로 흔들어서 단물을 다 빨아먹고 버릴 모양이라며 이때라도 털고 나오라고 하준에게 충고했다. 하지만 하준은 말을 듣지 않았다. 이건 잠깐 스치는 반등이 아니라고 했다. 높이 뛰어오르기 위해서는 그만큼 더 낮게 웅크려야 하고, 삼연상을 찍었던 저력이 있는 종목인 만큼 잠깐의 조정을 거쳐 이제 날아오를 일만 남았다고 우겼다. 바득바득 우기는 하준을 보며 수연이 내기를 제안했다.

"난 분명히 경고했어. 이건 빠져나올 마지막 기회야."

"아니거든? 이건 분명히 더 갈 수 있어."

"진짜? 그럼 내기할까?"

"내기? 무슨 내기?"

"진 사람이 이긴 사람 소원 하나 들어주기."

"좋아! 콜! 나중에 딴소리하기 없기다?"

"누가 할 소리?"

그렇게 하준은 버텼다. 그리고 다 털렸다. 정말 깔끔하게 망했다. 수연은 깔깔 웃으며 하준을 데리고 가 짜장면을 사줬다. 줄 것도 없고 탈탈 다 털렸는데 무슨 소원을 빌 거냐는 물음에 수연은 그저 웃기만 했다. 결정적인 순간에 결정적인 소원을 빌 거라고 말할 뿐이었다. 그날 이후 하준은 투자 앞에 겸손해졌다. 모든 실패의 경험은 사람을 겸손하게 만들기 마련이다. 어쩌면 가장 위대한 승리자는 가장 많은 실패를 몸에 새겼을지라도 끝까지 살아남은 사람일지도 모른다. 어찌 되었건 이 판에서 살아남은 사람만이 승리를 바라볼 수 있다. 판이 깨지고 판돈을 날린 후 패를 뒤집고 죽어버리면, 그렇게 손을 털고 나가버리면 첫 끗발이 아무리 좋았다 한들 아무런 소용이 없다. 처음에 크게 딴 놈보다 새벽이 되어 판을 정리할 때 개평을 뿌리며 얼마라도 돈을 챙겨가는 이가 승자다. 초심자의 행운으로 잭팟이 터져도 끝까지 지키지 못하면 아무 소용이 없다. 첫끗발이 개끗발이 되지 않으려면, 크게 이기는 것보다 비기더라도 계속 판에 남아 살아있는 게 중요하다. 기회는 언제고 다시 오기 때문이다. 기회가 오기 전에 죽어버리면 결국 판돈을 가져가는 놈은 따로 있을 수밖에 없다.

하준은 주식판을 기웃거리다 부동산으로 넘어왔다. 수연은 하준에게 호가창 보는 법과 거래량, 두 가지를 강조했었다. 쉽 없이 바뀌는 호가에 투자자의 심리가 고스란히 담겨 있다고 수연은 말했다. 차트에도 심리와 욕망이 그대로 투영되지만, 뜨겁게 달아오르는 욕망을 실시간으로 확인할 수 있는 건 호가창이라고 했다. 들끓는 심리가 모여 움직이는 게 거래량이라고도 했다. 수연은 토지 투자나 경매 같은 건 잘 모르겠지만, 적어도 아파트 투자에도 동일하게 투자자의 심리가 적용된다는 말을 했다. 보이지 않는 심리가 가시화된 게 거래량이라는 말도 했다. 주식 차트에 지지선이 있다면, 아파트에는 전세가 지지선 역할을 한다고 했다. 그렇기에 전세가의 변동이나 흐름을 보면 아파트의 흐름을 읽을 수 있다고 했다. 똥인지 된장인지 꼭 찍어먹어 봐야 했던 하준은 전세가가 지지선 역할을 한다는 말에 무릎을 쳤다. 주식을 했다면 자연스레 이해가 되는 적확한 표현이었기 때문이다. 주가가 더 이상 내리 꽂히지 않게 지지해주는 심리적 저항선, 그게 아파트 투자에서는 바로 전세가였다. 그래서 지지선인 전세가와 매매가가 붙을 듯 가까워질 때, 전세가는 오르는 추세라 계속 오르는 전세가가 매매가의 밑바닥을 쿡쿡 찌르며 밀어 올릴 때가 아파트를 매수해야만 할 때라는 걸 쉽게 받아들일 수 있었다. 다만 주식과 마찬가지로 지지선을 찍고 올라설 타이밍에 매수하기가 쉽지 않다는 걸 느꼈다. 지지선은 말 그대로 나락으로 가는 걸 겨우 버텨주는 최후의 보루다. 투자자라면 이미 절망에 길들여진 시점이 지지선인 전세가와 매도가가 조우하는 때다. 불같이 상승하는 시장에서는 집을 안 사는 게 바보 취급을 받았다면, 절망에 절여진 매수 타이밍에서는 집을 살 경우 미친놈 취급을 받는다. 데드 캣 바운스일 때 어떻게든 출구 전략으로 다 털고 나와야 한다고 주장하는 것이나, 전세가와 매매가의 갭이 극한으로 좁아져 이제 상승을 기다리는 시점이니 희망으로 매수에 나서자고 주장하는 것이나 당시에는 미친놈 취급을 받을 수밖에 없다. 하지만 그때 움직이는 자는 결국 시장에서 마지막까지 살아남는다. 살아 남은 이가 모든 판돈을 가져간다. 초심자의 행운을 겪은 이나, 초반에 운 좋게 잭팟을 터트린 이들도 다 떨어져 나가고 끝까지 시장에 남아서 때를 기다린 이들만이 마지막에 웃을 수 있다. 하준은 수연 곁에서 보고 배우며 투자에 있어 왜 심리가 중요한지 절실히 깨달았다. 돈이 모인 곳에 마음이 갈 수밖에 없고, 물이 고이듯 모인 대중 심리가 결국 판을 움직인다. 보이지 않는 심리가 시장이라는 커다란 배의 뱃머리를 아주 천천히 돌리는 것이다. 아파트는 주식처럼 하루 만에 상한가를 찍고 이틀, 사흘 연속 계속되는 삼연상을 찍는 게 아니다. 아주 천천히, 느끼지도 못하는 사이에 조금씩 올라 어느새 다시는 내려오지 않을 것처럼 높은 곳까지 오르는 것이다. 주식과 달리 부동산은 거대한 배와 같아서 한번 방향이 정해지면 여간해서는 결코 방향을 바꿀 수가 없다. 그래서 상승도 5, 6년은 우습게 이어지지만, 반대로 하락 역시 5년 이상을 이어간다. 중요한 건 언제 사느냐가 아니라 언제 파느냐. 언제든 때가 왔을 때 매도하려면 구명조끼, 안전마진을 목숨처럼 지녀야만 한다. 모든 걸 거는 것, 안전마진 없이 올인하는 건 영화에서나 가능한 해피엔딩이다. 올인하는 투자는 도박과 다를 게 없기에 패를 쥔 자 모두 질 수밖에 없는 게임이다.

"얼마 전 이 대표 뉴스에 나왔더라."

"이 대표? 누나 예전에 근무했던 곳 대표?"

"응. 나더러 보기 좋은 떡이 먹기도 좋은 거 아니냐고 했던 바로 그 사람."

    부동산보다 먼저 차갑게 식어버린 건 주식판이었다. 주식 리딩방을 운영했던 이 대표 역시 무너져내리는 시장으로부터 자유로울 수 없었다. 그래서 이 대표는 부동산으로도 사업을 확장하려 했던 것이고, 수연에게도 부동산 영상을 촬영하라 했던 것이다. 그는 부동산 이외에 코인으로도 일을 벌였다. 똥은 똥끼리 뭉친다고, 이 대표 주변에는 그와 비슷한 사람들이 모여들었다. 그는 주식 리딩방을 싹 다 정리하고 해외에 기반을 둔 코인 거래소를 열었다. 그리고 잡코인을 여러 개 상장했다. 돈 몇 푼을 브로커에게 쥐어 주면 다른 코인의 백서를 알아서 베낀 허접한 코인을 만드는 건 아무 일도 아니었다. 이 대표는 자신이 만든 코인을 자신의 코인 거래소에 올렸고, 초반에 작전으로 코인 가격을 힘차게 끌어올렸다. 주식과 다르게 코인은 한국거래소나 금융감독원이 개입할 수 있는 법적 근거가 없었기에 세력들의 천국이나 마찬가지였다. 이 대표 역시 마음껏 장난을 쳤고, 갑자기 시세가 튀어오른 코인에 불나방 같은 투자자들이 모여들었다. 주식의 삼연상 따위는 코인의 폭등에 비하면 하찮은 수준이었다. 작전으로 수십 배를 부풀린 후, 가진 코인을 다 털고 나오면 그만이었다. 이 대표의 뒷주머니는 주식 리딩방을 할 때보다 훨씬 빠른 속도로 두둑해졌다.

　그뿐만이 아니었다. 이 대표 회사의 리딩방에 돈을 맡겼다가 손해를 본 이들에게 마치 다른 선량한 회사인 것처럼 속여 '손해를 메워주겠다'며 접근했다. 리딩방에 투자 목적으로 맡긴 돈을 되찾아 주겠다는 것이었다. 리딩방에 걸려든 이들은 보통 신용카드로 결제한 경우가 대부분이다. 몇 남지 않은 자칭 전문가와 콜 영업자들이 자신들의 리딩방으로 돈을 날린 이들에게 전화해 리딩방에 맡긴 돈을 되찾아 주겠다고 하면 다들 의심 없이 동의하고 일을 맡겼다. 리딩방에 빼앗긴 돈을 되찾아 주겠다는 이들은 돈을 찾아주는 수수료 대신 코인 매수를 요구했다. 이 대표의 작전에 동원된 그 잡코인 말이다. 어쨌든 피해자들은 돈을 되돌려 받았다. 엄밀히 말하면 돈을 되돌려 받은 게 아니라 신용카드 결제를 취소한 거였다. 이들은 리딩방에 결제한 신용카드 내역을 취소하고 코인을 팔아먹고 빠지는 수법을 썼다. 영업용 핸드폰이야 한두 개가 아니니 적당히 해먹고 해지해버리면 그만이었다. 문제는 이제부터 시작이었다. 리딩방이 돈을 환불한 게 아니라 카드사에 연락해 일방적으로 카드 결제를 취소해 버린 것이니 리딩방은 피해자를 민사 고소할 수 있었다. 상품에 문제가 있어서 환불해준 것도 아닌데 소비자 멋대로 결제를 취소한 것이니

엄연한 불법이었다. 이렇듯 피해자가 가해자로 바뀌는 건 순식간이었다. 피해자가 항의하면 응대하는 직원들은 리딩방 계약 당시 녹음한 통화 내역을 들려주었다. 투자는 손해를 볼 수도 있으며, 투자의 책임은 투자자에게 귀속된다는 내용을 빠르게 안내한 음성이 녹음에 담겨 있었다. 그 뒤 이어진 질문은 이랬다. "관련 내용 전달 드렸고 다 동의하시죠?" 여기에 "네."라고 대답한 순간, 투자 위험성에 대한 내용은 충분히 고지되었으며 이용자는 동의한 것으로 인정되었다. 법적 효력이 있는 구두 계약이 맺어진 셈이었다.

피해자에서 가해자가 되어버린 고객은 손해를 본 돈이 남편 몰래 모은 비상금이었다거나, 평생 일한 퇴직금이라거나, 딸아이 혼수 자금이라고 말하며 너무하다고 읍소하곤 했다. 투자가 아니라 남의 돈으로 벌어 먹고 사는 이들에게 있어서 돈은 그저 돈일 뿐이었다. 내 돈 또는 남의 돈일 뿐이지, 돈에 사연을 부여하지 않았다. 계약에 분명 동의해서 비용을 결제했는데 리딩방 서비스를 실컷 다 사용해놓고 카드 결제를 취소한 건 위법하므로 민사 소송을 걸겠다는 안내에 피해자들은 악에 받쳐 욕을 하거나 할 테면 해보라고 소리를 질러댔다. 리딩방 입장에서는 민사를 거는 게 매일 반복되는 일이었으니 하찮은 일에 불과하지만, '너에게 소송을 걸었다!'라고 외치는 우편물이 집에 도착하면 흔들릴 수밖에 없었다. 피해자 본인이 아닌 다른 가족이 먼저 우편물을 접하면 상황은 더 악화되기 마련이었다. 대부분은 이쯤에서 합의를 보게 된다. 카드 취소를 한 금액이 오백만 원이라면, 합의금으로 사백만 원만 받고 소송을 취하해 주겠다는 리딩방 직원의 말에 피해자들은 눈물을 머금고 물러서곤 했다. 사기와 다를 게 없는 수법에 걸려든 피해자일 뿐인데, 마치 선심을 써 물건값을 깎아주기라도 하는 듯 거들먹거려도 피해자들은 다른 방도가 없었다. 피해자가 이제는 늙어서 일도 관둬서 합의금 줄 돈도 없다고 말하면 전화기를 붙든 이는 이렇게 되묻곤 했다.

"아니, 아줌마. 자식 없어요? 이거 오백 못 막으면 소송 간다니까요? 엄마가 감옥 간다는데 돈 오백 해줄 자식도 없어요?"

세상 어느 부모든 자신의 흉허물 때문에 자식에게 손을 벌리는 걸 좋아할 리 없다. 보통 이렇게 윽박지르는 건 남자 영업사원이 담당하는데, 후에는 상냥한 목소리의 여자 영업사원이 전화해서 이렇게 말하곤 했다.

"아까 저희 팀장님하고 얘기 나누셨죠? 이거 비용 입금 안 하시면 정말 민사 소송 가야 하잖아요? 근데 제가 저희 팀장님이랑 아까 통화하는 거 옆에서 들었는데 사정이 너무 안 돼 보이셔서요. 제가 어떻게 백만 원이라도 팀장님께 잘 말씀드려서 사백에 합의하시는 걸로 얘기해 볼게요. 돈 사백 때문에 소송갈 수는 없잖아요? 이거 소송 가도 고객님이 패소할 수밖에 없고요, 패소하면 저희 쪽 소송비용까지 내셔야 해요. 결제 취소한 오백에 저희 쪽 변호사 비용까지 감당 가능하시겠어요?”

　리딩방의 숱한 소송에 일일이 변호사가 개입하지는 않지만, 이쯤 읊으면 상대방은 울며 겨자 먹기로 백만 원 할인된 금액으로 합의를 보곤 했다. 내 돈을 뺏겼다가, 다시 찾은 듯해서 코인까지 샀다가, 다시 또 뺏기는 것이다. 뒤통수를 연달아 세 번 맞는 꼴이었다. 간혹 소송을 걸건 말건 상관 없다며 버티는 경우가 있다. 그럼 마지막 수를 쓰면 된다. 바로 계좌를 압류해 버리는 것이다. 임의로 결제를 취소하고 리딩방에 줘야 할 돈을 안 주는 꼴이니 빚쟁이에게 쫓기는 채무자 입장이 되어 통장에 빨간 딱지가 붙는 것과 다를 게 없다. 압류된 통장은 입금을 할 수도, 출금을 할 수도 없는 막힌 상태가 된다. 만약 압류된 통장이 급여 계좌라면 일을 해도 월급을 받을 수 없을뿐더러, 입금이 안 되니 회사에서도 피해자의 사정을 알아채는 건 시간문제다. 세상은 본디 따뜻하지 않다. 피해자의 사정은 ‘빚을 안 갚아서 통장까지 압류된 사람’으로 보일 뿐이다. 버티고 버틴 이들도 마지막 통장 압류 단계에 이르면 결국 합의금을 입금하고 만다. 끝내 항복하고 되찾은 줄 알았던 내 돈을 다시 내 손으로 갖다 바치는 것이다. 하지만 세상 어디에도 이들을 구제해줄 방법은 없다. 내손으로, 내가, 상대에게, 입금했기 때문이다. 투자의 책임은 투자자에게 귀속된다는 안내를 받았고, 그에 대답했기 때문이다. 그렇기 때문에 알아야 하고 공부해야 한다. 모른 채 투자에 뛰어드는 것보다는 차라리 투자를 하지 않는 게 낫다.

"뉴스 보는데, 어디에서 많이 본 사무실 풍경이 보이더라고. 보니까 이 대표 회사, 탈탈 털리고 있지 뭐야."

전화 영업을 하던 주식 겸 코인 리딩방 사무실을 경찰이 급습했고, 검찰은 이 대표를 기소했다. 그동안 얼마나 살뜰히 해먹었는지 출국금지 명령까지 떨어졌다고 했다. 권선징악의 결과였지만, 수연은 그 말을 하면서 씁쓸한 표정을 지었다. 이 대표가 대표가 되기 전 팀장이었을 때, 한때나마 투자에 열정을 지닌 순수한 시절이 있었음을 수연은 기억하기 때문이었다. 술이나 돈이 사람을 망치는 게 아니다. 술과 돈은 감춰있던 사람의 본능을 끄집어낼 뿐이다. 그간 숨겨온 욕망과 본능이 술과 돈을 계기로 비로소 드러난 것일 뿐이다. 만천하에 드러나기 전까지는 그 실체를 아무도 알 수 없다. 이 대표의 SNS에는 오마카세를 즐기며 슈퍼카를 타고 필드에 나가 샷을 휘두르고 명품 쇼핑을 즐기는 영

앤리치의 모습만 담겨 있었다. 쉬는 날에 그는 절대반지를 탐하던 암흑 군주의 탑과 같은 마천루에서 한강을 내려다보며 와인잔을 기울였다. 드라마의 PPL마냥 홀짝이는 와인이나 위스키는 상표가 또렷이 보이게 찍혀 있었고, 그가 마시는 것들은 한정판이거나 세월을 입은 고가의 것들 뿐이었다. 겉으로만 보면 누구나 꿈꾸는 성공한 이의 삶 그 자체였다. 이 대표의 SNS 어디에도 돈이 없다며 울먹거리는 피해자에게 '아줌마는 아들 없냐?'고 물으며 끝까지 돈을 찾아오라 닦달하던 모습 따윈 전혀 보이지 않았다. 오로지 이 대표만이 자본주의를 이해하고 시스템을 활용해 파이어족의 정점을 찍은 것마냥 보일 뿐이었다. 그렇게 보이도록 철저히 연출했으니 누구도 의심하지 못했다. 반지의 제왕에 등장하는 탑처럼 서울을 내려다보는 그 건물은, 실거주로 사는 이들보다 단기 월세로 사는 이가 많았다. 투자 세계의 룰이라도 되는지, 젊어서 깨달음을 얻고 파이어족이 되어 승승장구하는 영앤리치들은 자신의 채널을 통해 그곳에 살고 있다는 걸 증명하기 바빴다. 리딩방에 속한 전문가들이 완장을 찬 듯한 명품 의류를 마치 유니폼처럼 입고 나오듯이, 잠실의 마천루는 그들의 기숙사인 것처럼 흔하게 등장을 했다. 해리포터에게 호그와트 마법 학교가 배경이 되는 것처럼, 21세기에 등장한 신흥 부호들은 다 그곳에 사는 것처럼 보일 지경이었다. 사람들은 그런 것에 혹했다. 아무리 물숨을 마시지 말라고 말려도, 손만 뻗으면 자신도 그런 영앤리치가 될 수 있다는 최면에 걸린 이들은 깊은 바다로 제발로 걸어갔다. 항해하는 선원을 꾀어 바다에 빠져 죽게 하는 게 신화 속에서는 세이렌의 노래였다면, 자본주의의 21세기에서는 좋은 집과 수입차, 고가의 시계나 명품이었다. 그런 것들이 세이렌의 노래인 게 뻔한데도 다들 홀려서 바다로 몸을 던졌다.

　과시는 결핍의 다른 이름이다. 정말 있는 자는 드러내지 않는다. 없는 자는 자신이 이만큼 가졌다는 걸 널리 알리기 위해 가졌다는 걸 소리 내어 외친다. 알아달라 부르짖는다. 부자는 부자하고만 어울린다. 서글픈 얘기지만, 가난한 자와 부자의 시간은 밀도가 다르다. 가난한 자의 한 시간은 9,860원이다. 부자의 한 시간은 가난한 자의 하루 24시간보다 비싸다. 부자는 돈보다 비싼 시간을 들여 가난한 이들을 부자로 만들기 위해 노력하지 않는다. 노력이 헛되어서가 아니라, 시간이 아깝기 때문이다. 돈은 벌어서 채우면 되지만 시간은 벌어들일 수 없기 때문이다. 이 단순한 진실을 외면하는 수많은 이는 부자의 선한 영향력이라는 떡밥에 스스로 자신의 입을 내민다. 낚시 바늘은 아주 날카로워서 입을 찢는 고통을 견디지 않는 이상 벗어날 도리가 없다. 욕심은 그만큼 눈을 흐리게 한다. 수연은 그 누구보다도 가까이에서 그런 모습을 지켜보았다. 자신 역시 그 세계에서 만족을 누리며 그게 행복이었다고 착각했던 적이 있기 때문에, 부자는 속도가 아닌 방향의 문제이자 매일 꾸준함의 결과라는 걸 누구보다도 잘 알고 있었다.

"아직 소원 말하지 않았는데?"

하준은 상념에 잠긴 듯한 수연의 옆모습을 지켜보며 예전 내기의 결과를 상기시켰다.

"대체 얼마나 대단한 소원을 빌려고 이렇게 뜸을 들이는 거야?"

"왜? 무서워?"

"누가 무섭대?"

"근데 왜?"

"그냥. 듣고 싶은 소원이 있으니까."

하준은 말하면서도 수연의 눈치를 살폈다.

"사실 나, 소원 이미 정했어."

"뭔데?"

수연은 바로 말하지 않고 뜸을 들였다. 하준은 애가 타는 듯 보채는 눈빛으로 수연을 바라봤다.

"다음 달에, 지인 결혼식에 같이 가줘."

의외로 소박한 소원에 하준은 어이없다는 듯 웃었다.

"뭐야? 고작 결혼식 같이 가자는 게 소원이야?"

"응. 고작 그게 소원이야."

하준은 믿을 수 없다는 듯 눈만 깜빡거리다가 드디어 알았다는 듯 손뼉을 짝 마주쳤다.

"알았다! 결혼식에 일가친척 다 모이는데, '너는 시집 안 가고 뭐 하냐'는 소리 듣기 싫은 거지?"

눈치를 보니 부정하지 않는 것 같아 하준은 신이 나서 떠들었다.

"난 또 뭐라고. 결혼식에서 남자친구인 척해달라는 거 아냐? 하긴, 나 정도면 좀 쓸만한 남자긴 하지. 아 참, 미리 좀 말해주지. 이럴 줄 알았으면 머리 기를 걸."

하준은 누가 봐도 해병대 티가 나는 돌격머리를 쓰다듬으며 아쉬워했다.

"땡! 그런 거 아닌데?"

"응? 아니라고? 그럼 뭔데?"

"그보다 누구 결혼식이냐고 안 물어봐?"

듣고 보니 그랬다. 누구 결혼식이기에 결혼식에 같이 가는 게 소원이란 말일까.

"재현 오빠 결혼해."

하준의 걸음이 멈췄다. 옆에서 걷던 수연은 저 혼자 두어 걸음 걷다가 옆이 허전해진 걸 깨닫곤 뒤쪽에 멈춰 선 하준을 돌아보았다. 하준의 얼굴이 굳어있었다.

"재현이면, 혹시 전 남친 말하는 거야?"

"응. 박재현. 그 사람 맞아. 내가 예전에 사랑했던 사람."

"청첩장 받은 거야?"

"뭐, 직접 받은 건 아니지만 받긴 받았어."

하준은 혼란스러웠다. 수연에게 아직 미련이 남아 재현이란 사람을 잊지 못했던 것인지, 자신과 함께 있을 때도 그를 생각했던 것인지 혼란스러웠다.

"그 결혼식, 꼭 가야 해?"

"싫어? 네가 싫다면 어쩔 수 없고."

수연은 어쩔 수 없다 말하고 있었지만 같이 가주길 바라는 눈치였다.

"쓸데없는 내기는 왜 해가지고."

하준은 신경질적으로 머리를 벅벅 긁었다. 차마 싫다는 말을 입 밖으로 낼 수 없었지만, 온몸으로 싫다고 말하고 있었다. 그런 하준을 보며 수연이 다가왔다. 그러고는 하준의 손을 잡았다.

"내가 얼마나 나아졌는지, 얼마나 성장했는지, 내 마음이 얼마나 부자가 되었는지 그 사람에게 보여주고 싶어서 그래. 그 사람에게는 늘 빚진 마음이 남아 있었거든. 이번에 다 털어버리고 싶어서 그래."

하준이 듣거나 말거나 수연은 말을 이었다.

"그리고 자랑할 것도 있고."

"자랑? 무슨 자랑?"

"뭐긴 뭐야. 내가 자랑할 게 너밖에 더 있어?"

"뭐? 나? 나를 자랑한다고? 왜?"

조금 전까지만 해도 뽀로통해 있던 하준은 무슨 소리인가 싶어 수연을 바라봤다.

"남자친구인 척 말고, 진짜 남자친구랑 결혼식에 가고 싶었어. 이렇게 멋진 남자가 나를 좋아해 준다고 자랑도 하고 싶고. 물론 그 사람이 나 버리고 얼마나 괜찮은 여자 만났는지 아주 조금 궁금한 것도 사실이야."

하준의 입이 떡 벌어졌다.

"전역하면 바로 고백할 생각이었는데, 이렇게 군인 티 팍팍 내면서 나올 줄 누가 알았겠어. 누가 보면 남자친구가 아니라 휴가 나온 동생인 줄 알겠다."

하준은 입을 다물지 못했다.

"뭐야? 내 남자친구 하기 싫다는 거야? 나 서른아홉 됐을 때 백억 부자가 돼 있을 자신은 없지만, 그때까지 많이 남았으니까 어떻게든 열심히 벌면 또 모르는 거 아냐? 그리고 까짓 백억 없으면 어때? 나 먹고살 만큼은 있어. 너 먹여 살릴 정돈 벌어두었고. 게다가 나 정도면 예쁜 편 아닌가? 왜? 별로야? 역시 결혼식은 나 혼자 가야 하나?"

"아냐. 결혼식 같이 가."

하준이 수연의 손을 맞잡았다. 수연은 개구쟁이처럼 배시시 웃었다.

"도하준 예비역 병장님, 머리는 대체 어쩔 거냐고. 결혼식에 모자를 쓰고 갈 수도 없고."

"괜찮아. 머리는 금방 자라."

"결혼식은 바로 다음 달인데?"

"진짜 괜찮아. 야한 생각 매일 하면 돼. 그럼 금방 자라."

"무슨 야한 생각을 매일 할 건데?"

하준은 침을 꼴깍 삼켰다. 달은 아름다웠고, 달빛에 비친 수연은 더 아름다웠다.

"누나 생각."

하준은 수연의 볼을 감싸 쥐었다. 달이 다가왔다. 달처럼 밝은 수연의 얼굴이 가까워졌다. 누가 먼저랄 것도 없이 둘은 눈을 감았다.

제발
살아만 있어 줘

❖ ❖ ❖

"어휴, 무슨 놈의 날씨가 벌써 이렇게 춥냐."

물가의 바람은 유독 매섭다. 덕구 씨는 오늘 야간조다. 칼바람이 불어대니 물은 얼마나 차가울지 상상하기도 싫다. 수난구조에 쉬운 날이란 건 없지만, 겨울이 되면 유독 더 긴장을 늦출 수가 없다. 강가를 훑고 지나가는 칼바람은 옷을 여미고 껴입으면 어떻게라도 해볼 여지가 있는데, 겨울의 강물은 날카로운 칼로 살점을 도려내는 것만 같다. 생을 버리고자 물에 뛰어든 이들 중 간혹 다시 살겠다고 마음을 바꾸는 이들이 있다. 죽음에 대한 욕망이 생존에 대한 본능으로 치환되는 것이다. 만약 수영을 할 줄 알아서 물에 뜬 채로 구조대가 올 때까지 버티거나, 한강을 가로지르는 대교의 교각을 붙들고 버티면 구조될 가능성이 커진다. 하지만 이건 어디까지나 수온이 낮지 않을 때의 얘기다. 겨울의 한강은 상상 이상으로 차디차다. 응급 상황에서의 5분은 천금과 같다. 초기 진화에 실패한 현장에서 뭍의 119대원들은 화마와 목숨을 걸고 싸워야만 한다. 불이 막 피어오를 때는 소화기 하나만으로도 제압할 수 있지만, 단 몇 분이 지난 것만으로도 죽느냐 사느냐의 혈전으로 번진다. 오죽하면 화마(火魔)라 하며 불을 마귀에 빗댔을까. 물에 빠진 후 5분도 마찬가지다. 허우적대며 어떻게든 물 밖의 숨을 한 모금이라도 마시면 다행이다. 숨이 아닌 물을 들이마셔서 폐로 물이 흡입될 경우 급성 폐손상이나 급성 호흡부전에 빠지게 된다. 사람의 뇌에 산소가 공급되지 않으면 연료가 공급되지 않는 엔진처럼 멈출 수밖에 없다. 단 몇 분의 차이로 이승에서 저승으로 향하는 강을 건너고 마는 것이다. 게다가 겨울에 물에 빠진 이들의 운명을 가르는 건 수영을 할 줄 아느냐, 모르느냐가 아니다. 물에 가라앉지 않을지라도 목숨을 위협해 오는 건 저체온증이다. 12월이 되면 한강 수온은 10도 이하로 떨어진다. 국제해상수색구조매뉴얼(IAMSAR)에 따르면 익수자의 50%는 수온 5도에서 약 1시간가량 생존 가능하다고 밝히고 있다. 그나마 날이 맑고 바람이 없다면 표류하는 이를 어떻게든 찾아낼 수 있지만, 칠흑 같은 밤 거센 바람이 불어 물결마저 거칠다면 익수자를 찾아내는 건 끔찍이 어려운 일이다. 수색 시간이 길어질수록 익수자의 생의 초는 점점 타들어 갈 수밖에 없다. 겨울이라면 생명의 초는 더욱 빠르게 꺼져간다. 119 수난구조대원들은 그런 사실을 너무나도 잘 알고 있다. 강철같은 육체를 지닌 수난구조대원이라 해도 사람이 자연을 이길 수는 없다. 사람이 불이나 물을 거스를 수는 없는 법이다. 실제로 2010년 12월 오전 8시 45분 경 '한강에 시체가 떠다닌다'는 신고를 받고 출동한 수난구조대의 1.98톤급 보트가 뒤집혀 구조대원 2명이 순직한 안타까운 일이 있었다. 선체에서 빠져나오지 못한 대원 중 한 명은 구조되어 병원으로 이송되었으나 끝내 저체온증으로 사망했고, 다른 한 명은 사고 발생 두 시간 만에 사고지점 인근 강바닥에서 발견됐다. 소방대원들은 일반인에 비해 강철같은 체력을 지닌 게 기본이고, 평소 끊임없는 훈련을 하는 이들이지만, 거대한 자연의 힘을 뛰어넘을 수는 없는 일이었다. 119대원 중 어느 하나 예외 없이 그들 모두 죽음의 지척에서 본인과 타인의 목숨을 걸고 일했다. 그들은 시뻘건 화마 속으로 제 발로 걸어 들어갔고, 빛도 들어오지 않는 시커멓고 차가운 강물로 몸을 던졌다. 문지방 너머 오랜 친구처럼 죽음이 자리를 잡고있는 셈이었다. 구조대원들은 불사신이어서가 아니라 생명을 살리겠다는 일념으로 죽음의 한복판에 스스로 몸을 던졌다. 그래서 그들은 생명이 얼마나 귀중한지, 어떻게든 살아남아야만 한다는 걸 누구보다 잘 알고 있었다. 그저 살아서 소중한 가족과 함께 웃으며 인사하는 것 자체가 얼마나 감사한 일인지 알기에 늘 무사히 복귀하기만을 바라고 기도할 따름이었다.

떵동- 떵동- 떵동-

자정을 넘어선 새벽, 출동벨이 예고 없이 울렸다. 마포대교 중간 부근에서 여성 두 명이 나란히 투신했다고 했다. 삶이 아무리 괴로울지라도 죽음을 선택하는 건 실로 대단한 용기가 필요하다. 어떤 이는 삶과 죽음 사이의 외줄을 타며 어느 쪽으로 뛰어내릴지 고민하는 이에게 죽을 용기가 있다면 그 용기로 어떻게든 살아보라 말하곤 한다. 그러나 죽으려 태어나는 이는 없다. 인간도 동물이기에 목숨이 위급한 상황에서는 본능적으로 어떻게든 살 길을 찾기 마련이다. 죽음이라는 일방통행의 외길로 나아간다는 건 죽음 밖에는 길이 없다고 절망하고 또 절망했기 때문이다. 이런 고통은 겪어보지 않고서는 전혀 이해할 수 없다. 푸른나무재단 김종기 명예이사장은 학교폭력과 맞서 이십여 년을 싸워왔다. 그는 누구나 선망하는 S그룹 비서실, S전자 홍콩 법인장을 역임했다. 엘리트의 길을 걸은 셈이다. 그런 그가 모두가 선망하는 직장을 그만둔 이유는 그의 사랑하는 아들 때문이었다. 그의 아들은 꽃다운 나이인 열여섯, 고1때 스스로 삶을 놓았다. 첫 번째 투신에서 자동차 위로 떨어져 목숨을 건진 아들은 계단을 올라 다시 한번 허공에 몸을 던졌다. 두 번의 투신 끝에 아들은 생의 다리를 건넜다. 겪어보지 않은 아픔에 대해서는 입을 닫는 것이 차라리 나을 수 있다. 그 누구도 자신의 목숨을 가벼이 여기지 않는다. 한강에서 투신하는 이들 역시 삶을 버리기까지 망설이고 또 망설인다. 우두커니 서서 다리와 허공을 가르는 펜스의 높이를 가늠하거나, 괜히 펜스를 발로 차며 발버둥 치거나, 울고 서성이며 하릴없이 시간을 강물과 함께 흘려보낸다. 삶이 너무나 고통스럽기에 그 고통을 끊는 것이 죽음밖에 없다고 생각되기에 길고 긴 고민 끝에 삶을 놓아버리는 것이다. 그러나 무슨 이유에선지 한강에서 동시에 투신한 두 여성은 망설임이 짧았다. 대체 어떤 인생을 살아왔기에 죽음이 차라리 휴식이 되리라 생각했는지 모르겠으나, 두 여성은 오랜 망설임 없이 쫓기듯 몸을 던졌다. 그 어떤 미련도 남겨두지 않으려는 듯 신발을 신은 채 흔적도 없이 몸을 날렸다.

대원들은 말이 없었다. 날이 찼지만 강물은 더 차가울 게 뻔했다. 얼굴을 할퀴는 강바람은 피부를 사방으로 잡아 뜯어 찢으려고 기를 쓰는 듯했다. 죽음은 아무리 겪어도 익숙해지지 않는다. 입을 열어 무슨 말이라도 꺼내면 죽을 때까지 물에 불어터진 망자의 얼굴을 꿈에서 마주해야만 하는 저주에 걸리기라도 할 것처럼, 대원 모두가 긴장하고 경직된 얼굴로 입을 열지 않았다. 보트에 탄 수난구조대원 모두 산자로서 숨을 토해내고 있었지만, 입을 굳게 다문 그들의 얼굴은 죽은 자의 얼굴과 크게 다르지 않았다. 삶을 건지려 출동하는 것이었으나 그들 또한 죽음에 가라앉을 수 있기 때문이었다.

"뭐야? 왜?"

갑자기 보트가 멈췄다. 누군가 당혹이 묻어나는 목소리로 외쳤다. 이유를 물었다. 대답이 돌아왔다.

"암초에 걸린 것 같습니다."

낚시꾼들을 위해 만들어 놓은 인공구조물에서 약 50m쯤 떨어진 위치였다. 보트는 후진해서 벗어나려 했다. 그때였다. 강한 바람과 함께 미쳤다고밖에 할 수 없는 물살이 다가왔다. 파도는 보트를 후려쳤다. 1.98톤이라 해봐야 대형 세단 한 대 무게와 엇비슷한 정도다. 보트는 거대한 강 위에 놓인 작은 나뭇잎과 다를 게 없었다.

"으어어어억!"

누구의 외침이었는지 모른다. 2톤에 가까운 보트는 너무나 가볍게 뒤집혔다. 일부는 바로 탈출했으나 덕구 씨는 미처 빠져나오지 못했다.

그르르르르륵-

덕구 씨는 저도 모르게 차디찬 강물을 삼키고 말았다. 아무리 훈련된 구조대원일지라도 모든 상황에서 완벽하게 대응할 수는 없는 법이다. 누군가 덕구 씨를 부르는 소리가 들렸다. 아니, 들렸는지 안 들렸는지 정확히 기억나지 않는다. 물은 빛뿐만 아니라 물 밖의 소리도 튕겨낸다. 산자의 간절한 외침은 강물에게 소음일 뿐인지도 모른다. 덕구 씨는 손을 놀리려 했지만 뜻대로 움직이지 않는다는 걸 느꼈다. 분명 덕구 씨 몸에 붙어있는 손발이었지만 물 위를 부유하는 나무 조각처럼, 아니면 다른 이의 몸뚱이에 붙은 것처럼 영 말을 듣지 않았다. 덕구 씨는 가라앉고 있었다. 정신을 붙잡으려 했지만 손아귀로 물을 움켜쥐려는 헛된 노력처럼 의식이 자꾸 빠져나가고 있었다. 의식이, 삶이, 목숨이 그렇게 흘러서 줄줄 새고 있었다. 어떻게든 떠 있으면 누군가 덕구 씨를 발견할 터였다. 용범이가 싸부를 발견했듯, 누구든 덕구 씨를 찾아낼 수 있으리라 생각했다. 하지만 주변에는 아무도 없었다. 아니, 어둠에 가려 보이는 게 없었다. 함께 보트에 탔던 다른 대원 모두 물에 빠진 상태일 테니 자기 한 몸 돌보는 것조차 쉽지 않을 게 뻔했다. 덕구 씨는 아깝다는 생각이 들었다. 조금 더 살 수 있다면 조금이라도 더 나은 삶을 살 수 있으리라 생각했는데, 이렇게 가 버리는 게 아까웠다. 엄마 없이 모자란 아비 혼자 어렵게 키운 아들에게 고아라는 이름을 남겨주고 싶지가 않았다. 바람은 간절했으나 덕구 씨가 할 수 있는 건 아무것도 없었다. 누군가 뒤에서 리모컨을 집어간 것 같았다. 덕구 씨가 집중하여 보고 있는 인생이라는 영상을 멋대로 꺼버리는 것만 같았다. 아들을 불러보고 싶었으나 소리가 되어 나오지 않았다. 덕구 씨의 화면은 꺼졌고, 끝내 정신을 잃었다.

살아남은 대원들은 덕구 씨가 보이지 않는다는 걸 알아챘다. 그러나 덕구 씨를 구하기 위해 물로 뛰어들 수는 없었다. 그들은 현재 구조대원이 아니라 구사일생으로 구조된 입장이었다. 살아남은 이들은 입술을 깨물었다. 산 자들은 망자의 세계에 가본 적이 없기에 그들이 죽음으로 고통을 잊었는지, 여전히 고통이 계속되는지 알지 못한다. 다만 오랫동안 이 일에 몸을 담았기에 동료를 먼저 떠나보내는 고통이 어떤지를 알고 있었다. 산자는 죽은 자의 무게까지 짊어지고 살아야만 했다. 강철같은 육체를 지닌 이들이 동료의 죽음을 지척에서 마주하고 슬픔에 몸부림치다가 자신도 그 길을 따라가는 경우마저 있다. 사람의 마음이라는 건 눈에 보이지 않지만 너무나 큰 슬픔이나 충격은 보이지 않는 마음마저 바스러뜨린다.

"덕구 형님, 덕구 형님이 안 보여요!"

절망에 젖은 목소리가 밤을 갈랐다. 입술이 떨리는 게 강물이 빼앗아간 체온 때문인지, 슬픔과 당혹 때문인지 구분이 되지 않았다. 여전히 밤은 어둡고 강물은 시커먼 아가리를 벌리고 있었지만, 덕구 씨를 토해낼 기미는 보이지 않았다. 울긋불긋한 사이렌과 강물을 밝히는 스포트라이트가 산만했다.

"지금 움직이시면 안 됩니다!"

누군가 용범의 팔목을 잡아챘다. 보트가 전복될 때 가장 먼저 물에 빠졌던 용범은 다행히 가장 먼저 구출되었다. 동료들이 한 명 한 명 구조될 때마다 안도의 한숨을 내쉬었으나, 덕구 씨가 보이지 않자 용범의 불안은 점점 커져만 갔다. 그래서 저도 모르게 당장 물에 뛰어들기라도 할 것처럼, 누군가 강물 아래에서 용범의 이름을 부르기라도 하는 것처럼 물을 향해 걸어가고 있었다. 용범은 흔들리는 눈빛으로 여전히 자신의 팔목을 잡고 있는 대원을 쳐다보았다. 그는 아무 말도 하지 않았다. 고개를 끄덕이거나 좌우로 젓지도 않았다. 하지만 돌덩이 같은 그의 얼굴이 용범에게는 더 큰 두려움으로 다가왔다. 그의 굳게 다문 입은 응급실에서 익히 보아왔던 모습이었다. 사망 선고는 의사만 내릴 수 있다. 사람의 영혼은 눈동자를 열고 하늘로 올라가기라도 하는지, 죽은 자의 동공은 활짝 열린 채 더 이상 빛에 반응하지 않는다. 이미 동공이 확장되어 구조대원이 보기에도 틀렸다는 익수자일지라도 응급실로 이송되어 의사가 매뉴얼에 따라 체크 후 정식으로 사망 선고를 하기 전까지는 죽어도 죽은 것이 아니다. 내심 이미 틀렸다는 걸 알면서도 마지막의 마지막까지 심폐소생술을 계속하는 이유는 의사가 사망 선고를 하지 않았다면 공식적으로는 사망한 것이 아니기에, 풀려버린 동공으로 빠져나가려는 영혼을 어떻게든 이승에 붙들어 매기 위해 노력하는 것이다. 아무도 죽지 않는 날도 있지만, 하루에도 몇 번이나 사망 선고를 해야만 하는 날이 있다. 인간이 인간의 죽음을 선고하는 일은 무척 고통스러운 일이다. 그래서 사망 선고는 기계적으로 선고 매뉴얼에 따르는 게 모두를 위한 일이다. 의사 자신에게도, 남겨진 유족에게도 그렇다. 사망을 선고할 때 의사의 기계적인 표정, 그때의 분위기와 공기의 흐름. 웃고 있지도, 울고 있지도 않지만 삼도천을 건너는 망자의 등을 힘껏 밀어버린 게 자신이라는 걸 알고 있는 의사의 그 표정. 용범을 만류하는 대원의 표정은 마치 사망 선고를 하는 의사의 표정과 닮아 있었다. 아무 말도 하지 않아도 알 수 있었다. 상대의 굳은 입술은 말없이 덕구 씨의 사망을 선고하는 것과 다름 없었다. 덕구 씨가 물 밖으로 나오기만 했다면 갈비뼈가 부러질 때까지 심폐소생술을 하며 어떻게든 그의 영혼을 붙잡았을 것이다. 하지만 덕구 씨는 뭍이 아닌 물 어딘가에 있다. 어느새 모여든 구경꾼들은 대체 무슨 일인가 싶어 핸드폰 플래시로 이쪽을 비추고 있었다. 멀리 보이는 비현실적인 플래시 불빛들이 반딧불이처럼 밤하늘에 떠다녔다.

사방이 밝아진다.

주변에 아무것도 없다.

덕구 씨는 몸을 일으켰다. 아무것도 그리지 않은 흰 도화지처럼 주변은 온통 하얗다. 서울을 남과 북으로 나누는 대교도 보이지 않고, 돈과 욕망이 모여드는 여의도의 마천루도 보이지 않는다. 흰 공간에 자신뿐이다. 어느 순간 정면의 흰 공간에 가느다란 틈이 생긴다. 순백의 도화지를 칼로 내리긋듯 긴 직선이 위에서 아래로 그어지나 싶더니 이내 문이 되고 열리며 누군가 나온다.

"여, 여보!"

놀랍게도 순백의 문을 열고 나온 건 덕구 씨의 아내다. 덕구 씨는 자신이 물에 빠졌던 것을 기억해냈다. 물에서 나오지 못했다는 것도 기억났다. 덕구 씨는 눈앞에 서 있는 먼저 간 아내를 보자 자신이 생의 다리를 건너왔다는 걸 실감했다. 하지만 덕구 씨는 기쁘고 감사했다. 아내는 고통받던 환자의 모습이 아니라 건강하고 아름다웠던 시절의 모습으로 서 있었기 때문이다. 꿈에서라도 아내를 만나기만을 간절히 바라고 바랐는데, 막상 마주하니 무슨 말을 해야 할지 선뜻 떠오르지 않았다. 어쩌면 너무 많은 말이 서로 입 밖으로 먼저 튀어 나가려고 다투는 통에 말문이 턱 막혀버렸는지도 모른다. 그러다 겨우 순서를 정해 맨 앞에 서 있던 말을 토해낸다.

"잘 지냈어?"

아내는 그저 환하게 웃기만 했다. 말하고 보니 우습다. 덕구 씨와 하준이를 두고 먼저 떠난 아내더러 잘 지냈냐니. 입을 열자 덕구 씨는 막혔던 말을 줄줄 토해냈다.

"우리 하준이 전역했어. 이제 진짜 남자야. 물론 아직 자기 아비만큼 힘이 센 건 아니지만, 이제는 당신이 기억하던 약한 꼬맹이가 아냐. 그리고 당신 닮아서 머리도 좋아. 가끔 보면 사회생활은 나보다 더 잘할 것 같아. 눈치도 빠르고, 거절도 잘하고, 마음에 뭐 담아두지도 않고, 그리고 또..."

아내는 덕구 씨의 손을 잡았다. 덕구 씨는 말을 멈추고 아내를 바라봤다. 아내는 손을 들어 눈물을 줄줄 흘리고 있는 덕구 씨의 뺨을 어루만졌다.

"애기처럼 잘 우는 건 여전하네."

덕구 씨는 고개를 떨궜다. 이제는 끅끅거리며 간신히 말을 이어갔다.

"당신, 얼마나 보고 싶었다고. 나 혼자 하준이 키우면서 엄마 없는 티 안 나게 하려고 했는데 그게 잘 안 되더라고. 그냥 어떤 날은 당신 따라가고 싶고 막 가슴이 답답하고."
"우리 덕구 씨 힘들었겠네."

아내는 덕구 씨를 가볍게 안아주었다. 곰이건 황소건 맨손으로 때려잡을 것 같던 덕구 씨는 가녀린 아내 품에 안겨 애처럼 엉엉 울었다. 아내는 덕구 씨를 토닥이다 눈물, 콧물 범벅이 된 덕구 씨의 얼굴을 소매로 닦아주며 말했다.

"뭐가 급해서 이렇게 일찍 왔어? 하준이한텐 아직 아빠가 필요한데."

아내는 학교에 가방을 놓고 온 아이를 타이르듯 덕구 씨를 가볍게 나무랐다.

"하준이 여자친구도 생겼고, 언젠간 결혼해서 아이도 낳을 텐데 손자 보고 싶지도 않아? 할아버지 안 될 거야?"

덕구 씨는 울다 말고 눈만 끔뻑거렸다. 하준이한테 여자친구라니. 생전 처음 듣는 말이었다. 그러고 보니 하준이는 늘 반듯하게 살아왔기에 그저 믿고 맡기기만 했지 하준이가 무슨 생각을 하는지, 어떤 고민이 있는지 물어본 적도 없었다.

"나 같은 모자란 아빠, 있으나 없으나지 뭐. 난 그냥 당신이랑 있는 게 더 좋은데?"

덕구 씨의 말이 채 끝나기도 전에 아내가 덕구 씨의 어깨를 치며 눈을 흘겼다.

"그게 무슨 소리야! 내 아들 외롭게 혼자 내버려 둘 생각이야?"

물론 덕구 씨의 진심은 그게 아니었다. 하지만 못내 미안하기도 했다. 자본주의 사회에서 근로소득자의 월급만으론 결코 부자가 될 수 없다는 말에 부동산 투자를 시작했지만, 투자에 전전긍긍하느라 하준이를 제대로 돌보지 못했다. 아들이 전역할 때까지 면회도 딱 한 번 간 게 전부였다. 3교대 근무로 돌아가는 수난구조대 생활을 하면서 쉬는 날은 임장을 다니며 시간을 보냈다. 그게 다 아들을 위한 일이라 생각했다. 돈을 많이 벌게 되면, 누구나 부러워하는 한강이 내려다보이는 서울 아파트를 갖게 되면 아들도 아빠를 이해해주고 지나간 시간을 다 보상받을 수 있으리라 생각했다. 덕구 씨에게는 부자가 되는 게 먼저였다. 돈을 많이 가진 부자가 되는 것 외에 다른 걸 생각한 적이 없었다. 부자가 되어서 돈이 많아지면 누구와 뭘 할 것인지 생각해볼 겨를이 없었다. 그런 것들은 부자가 되고 난 이후에 고민하면 된다고 생각했다. 아들 하준이를 챙기는 것 역시 부자가 되고 난 후에 해도 늦지 않으리라 생각했다. 다행히 아들 하준이도 이런 아빠 맘을 이해해주는 거라 생각했다. 부자가 되기 위해서 가족은 조금 뒤로 미뤄도 된다고 생각했다. 아니, 부자가 되고 돈을 많이 벌려는 것은 모두 아들인 하준이를 위한 것이니, 하준이는 오히려 이런 아빠를 이해하고 감사해야 한다고 생각했다. 지금 당장 아빠의 부재를 이해하지 못할지라도 아들이 커서 철이 들고 머리가 굵어지면 아빠가 왜 부재했는지를 이해하고 고마워할 거라 생각했다. 하지만 아들이 아빠와 다툼 끝에 뛰쳐나가 수연 앞에 쓰러져 울음을 토해냈다는 걸 덕구 씨는 전혀 모르고 있었다. 사람들은 한결같이 미래를 위해 오늘을 희생하고, 가족을 위한 것이라면서 정작 가족을 버리고 가족을 외면했다. 시간이 지나면 다 이해할 것이라 여겼다. 복사해서 붙인 듯 다 그렇게 생각했다. 정작 생활에 조금 여유가 생기면 곁에 남은 건 가족이 아니었다. 가족은 돈만을 바라보며 꼭 필요할 때 곁에 있어 주지 않은 이 대신 자신의 진짜 가족을 찾아 떠났다. 하지만 돈을 얻은 대신 가족을 잃어도 당장은 외롭지 않았다. 돈이 있기 때문에 돈 냄새를 맡고 몰려든 이들로 주변은 늘 북적였기 때문이다. 돈 냄새는 야생에서의 피 냄새와 같아서 하이에나를 꼬이게 한다. 외로워진 이들은 온기가 고프기 때문에 나에게 다가오는 게 충성을 맹세하는 개인지, 나를 해치려는 늑대인지 구분하지 못한다. 개와 늑대의 시간에 출구 없는 미로를 향해 제발로 걸어가는 것이다.

공부도, 사랑도, 반드시 해야 할 때가 있다. 때가 지났다 해서 할 수 없는 건 아니지만, 때를 놓치면 그것은 제때 하는 거에 비해 몇 곱절은 더 힘들다. 하지만 사람들은 다 잃은 후에야 잃어버린 것이 얼마나 소중한 지 깨닫는다. 투자판에서 어리석은 이들은 정보가 공유되고 상향 평준화 되었으니 같은 실수를 반복하지 않는다 말하지만, 어리석은 실수를 반복하는 수많은 인류의 시체를 밟고 역사의 페이지는 넘어간다. 시간과 역사에 깔려 으깨지고 짓이겨지는 순간에도 사람들은 이렇게 생각한다. '나만은 다를 것이다. 나는 실패하지 않을 것이다.' 덕구 씨의 마음을 읽기라도 한 듯, 아내는 안쓰러운 듯 바라보다 어렵게 입을 열었다.

"월급 받는 직장인은 잘못된 거야? 어리석은 죄인인 거야?"

과연 이 시대의 죄인은 누구인가. 자본주의는 자본을 가진 자가 이끄는 세상이다. 자본이 없는 자는 도태된다. 그렇다면 거리를 채운 수많은 직장인은 노예이자 벗어날 수 없는 굴레에 갇힌 바보들인가.

"비가 오나 눈이 오나, 열이 나고 아파도 아침 일찍 일어나 출근해서 하루를 성실하게 사는 사람이야말로 가장 멋진 투자자 아냐?"

비가 오나 눈이 오나 쳇바퀴에 갇혀서 똑같은 삶을 반복하는 건 인간이 아니라 햄스터나 다람쥐도 할 수 있는 일이다. 그것을 벗어나기 위해, 새로운 세계에 눈을 뜨기 위해 물 없이 삼키는 알약이 레버리지 아니던가. 노예의 사슬을 끊고, 월급쟁이나 비정규직의 족쇄를 끊고 일어나 자본주의의 주인이 되기 위해 뛰어드는 게 투자의 세계 아니던가. 이게 다 누구 좋으라고 하는 일인가. 내 가족, 내 아들, 나 좋자고 하는 게 아니라 내 소중한 사람들을 위해 하는 게 아닌가. 덕구 씨는 혼란스러웠다.

"덕구 씨."

아내가 나지막이 부른다.

"내가 당신을 부자라서 사랑했어? 당신이 이미 완성된 사람이고, 모든 걸 가졌기에 사랑한 거야? 내가 왜 당신을 사랑했을까? 왜 내 삶을 당신에게 걸었을까?"

덕구 씨는 생각한다. 장인어른은 덕구 씨를 싫어했다. 가난한 집의 아들, 배운 게 없고 기술이 없어서 일찍 군에 입대했는데 혹독한 훈련에 참여하느라 눈에 넣어도 아프지 않은 딸을 홀로 내버려 둔 몹쓸 사위였다. 돈도 없었고, 기댈 수 있는 배경도 없었고, 그렇다고 형제간 우애가 깊은 것도 아니었다. 덕구 씨의 형이라는 작자는 동생의 군 생활을 바친 퇴직금을 강탈하듯 가져가자기 가족의 주둥이에 욱여넣고 배부른 삶을 살았다. 인생의 선배인 장인이 그런 걸 몰라봤을까. 그런 장인 밑에서 자란 딸이, 덕구 씨의 아내가 그런 사정을 몰랐을까. 아무렇지 않았을까. 덕구 씨도 궁금해졌다. 내 아내는, 사랑하는 내 아내는, 못난 남자를 만나 호강 한 번 못 해보고 먼저 떠난 아내는 나를 만난 걸 후회하지나 않을까.

"당신의 꿈은 부자가 아니었잖아. 아침에 일어나 출근하고, 퇴근해서 나와 함께하고, 그냥 오늘 하루 살아있음에 감사하며 오직 나만 바라보며 웃을 수 있었잖아. 매일 매일 반복되는 그 평범한 삶, 그 평범한 삶이 오히려 당신에게는 꿈이었잖아."

그랬다. 덕구 씨는 평범한 삶이 꿈이었다. 인생을 걸 수 있는 사랑하는 여자를 만나 좋은 아빠가 되는 게 꿈이었다. 아침에 현관에서 배웅하는 아내를 안아주고, 퇴근할 때 달려오는 아이를 안아주고, 이렇게 하루하루 살면서 매일매일 행복을 누리는 게 꿈이었다. 백억 부자가 목표가 아니라 존중받는 아버지가 되는 게 꿈이었다. 그런데 그런 꿈이나 바람과 달리 투자의 바다에 구명조끼 없이, 안전마진 없이 덜컥 뛰어들어 하루하루 빚쟁이처럼 떨리는 삶을 살았다. 그나마 하준이는 군에 있어서 몰랐겠지만 오래전 끊었던 담배 생각이 간절했으며, 술독에 몸을 던져야만 겨우 잠들 수 있을 것 같은 시간을 보냈다. 상승장에서 집값이 오를 땐 세상이 아름답고 모든 게 완벽한 것 같았지만 하락이 시작되고 사막 한가운데의 신기루처럼 데드 캣 바운스가 찾아왔을 때는 제대로 된 삶을 살 수 없었다. 온통 신경이 곤두서고 모든 정신이 집값의 등락에만 쏠려 있어서 방금 마주한 상대방이 누구였는지, 내가 조금 전 무슨 말을 했는지, 다음 주에 약속했던 이가 누구였는지 머리에 하나도 남아 있지 않았다.

덕구 씨는 너무 괴롭고 또 괴로워서, 어쩌면 쉬고 싶었는지도 모른다.

그래서 그냥 강물에 가라앉고 싶었는지도 모른다. 그냥 이대로 떠오르지 않고, 모든 걸 놓아버리면 모두가 편안해지리라 생각했는지도 모른다.

"여보, 그거 알아? 부자라는 사람들이 월급이라는 평온한 저주를 벗어버리고 투자의 세계에 뛰어들라고 말하잖아? 당장 듣기 달콤한 말, 당신도 부자가 될 수 있다는 말, 월급으론 결코 부자가 될 수 없으니 자기처럼 투자의 세계에 뛰어들라는 말을 하잖아. 그렇게 거둬들인 투자자들의 헌금으로 부자가 된 후에 결국 무엇부터 하는 줄 알아? 자기 일을 대신할 월급쟁이, 직원부터 뽑잖아."

어디에선가 들었던 말이다. 아, 아내가 아니라 수연이 했던 말이다. 군에 있던 아들이 휴가 나왔을 때 아비인 덕구 씨 손을 꼭 쥐고 제발 만나보라 했던 수연에게 들었던 말이다.

"월급쟁이에서 탈출해야 부자가 될 수 있다고 말하는 사람들이 왜 돈을 모으면 월급쟁이부터 뽑겠어? 혼자서는 할 수 있는 일이 없기 때문이잖아. 자기 대신 일할 사람을 찾는 거잖아? 그러면서 고용주만 배불리는 월급쟁이 따위는 때려치우고 자기 사업이나 투자를 하는 게 부의 추월차선을 걷는 거라고 말하잖아? 왜 돈 좀 벌었다는 사람들이 신화처럼 꾸며낸 삶에 눈이 흐려지는 거야? 나는 당신더러 황새가 되라고 말한 적 없어. 당신은 성실하고 꾸준한 뱁새였기 때문에 내가 사랑한 거였어. 황새였기 때문에, 부자였기 때문에 사랑한 게 아니라, 성실한 걸음을 매일매일 반복하는 꾸준한 사람이었기 때문에 내 인생을 건 거였어. 그래서 후회 없어. 아마 우리 아들도, 우리 하준이도 그렇게 생각할 거야. 하준이는 부자 아빠가 필요한 게 아니야. 자신을 사랑하고 믿어주며 언제든 곁에 있어 주는 아빠가 필요한 거야. 단번에 부자가 되고 팔자를 고치는 아빠가 아니라, 넘어졌을 때 손을 내밀어 주고 일으켜 주는 아빠가 필요한 거라고."

아내의 목소리에서 수연의 목소리가 들렸고, 외로워했던 아들 하준이의 목소리가 들렸다. 머리가 깨질 듯 아팠다. 목과 가슴에 뭔가 콱 막힌 듯 답답했다.

"나는 괜찮으니까 가서 아들 옆에 있어 줘. 아들이 사랑하는 여자를 어떻게 지키는지 지켜봐 줘."

아내의 모습이 점점 희미해지고 있었다. 덕구 씨는 다시 눈물이 차올랐다. 아내는 희미해지다 못 해 투명해지는 손으로 덕구 씨를 어루만지며 말했다.

"친정 아빠는 술에 취하면 늘 그러셨지. 우리 사위는 눈물이 너무 많다고, 덩치는 산 만 한데 마음이 너무 여려서 우리 딸 맡겨도 되는지 늘 걱정이라고."

아내도 울고 있었다. 하지만 슬픔의 눈물은 아니었다.

"당신이 눈물이 많았던 건 약해서가 아니야. 당신은 참 여리지만 그만큼 섬세한 사람이고, 그만큼 당신에게만 느껴지는 세상과 타인의 슬픔에 공감했던 거야. 당신이 이해할 수 있는 슬픔이 점점 많아지니까, 당신이 이해하는 폭이 너무 크고 넓어서 이해할 수 있는 슬픔이 많아진 만큼 눈물이 많아질 수밖에 없는 거였어. 우는 건 결코 약한 게 아니야. 울 수 있다는 건 오히려 강한 거야.

나는."

아내의 얼굴이 점점 흐려진다. 희미해진다. 덕구 씨는 손을 내밀어 아내를 잡으려 했다. 하지만 아내는 덕구 씨의 손을 잡는 게 아니라 오히려 밀어냈다.

"나는 당신이 약해서 사랑했어. 자신이 약하다고 생각하는 사람이야말로 진짜 강해질 수 있는 사람이니까. 당신의 강한 육체 안에 깃든 순수하고 여린 영혼이야말로 반짝반짝 빛나는 강함이었으니까."

덕구 씨는 아내의 얼굴을 한 번이라도 더 쓰다듬고 싶었다. 보내고 싶지 않았다. 가슴이 너무 아프다. 뼈가 부러지는 듯한 고통이 느껴진다. 속에 쌓였던 것이 목을 타고 올라와 울컥거리며 끝내 토해내고 만다. 눈을 뜨니 세상은 하얗지 않다. 순백의 깨끗한 공간이 아니다. 서울의 강남과 강북을 자르는 대교가 보이고, 욕망이 우글거리는 여의도의 마천루가 보인다. 그리고 눈물과 땀을 뚝뚝 흘리면서 심폐소생술에 열중인 용범이가 보인다. 잘 배웠다. 용범이는 팔 힘이 아니라 몸무게를 실어 덕구 씨의 심장을 자극하고 있다.

커컥-

피를 토하듯 덕구 씨가 물을 게워낸다. 죽음의 물숨이 아니라 수면으로 올라오며 내뱉는 숨비소리와 같다. 가슴이 뻐근하다. 아마도 갈빗대 한두 대 정도는 부러진 것 같다. 정신을 차리면 덕구 씨 뼈를 부러뜨린 용범이에게 따져야만 할 것 같다. 빠져나가려던 영혼이 열려 있던 동공을 통해 다시 몸으로 돌아오고, 다시 빠져나갈 생각을 못하게 문단속하듯 동공은 다시 좁아진다.

"형님! 덕구 형! 여기요, 여기, 덕구 형 살았어! 아이, 씨발! 덕구 형 살았다고! 빨리 여기 좀 와 봐! 누구 없냐고!"

용범이가 이렇게 시끄러운 놈인지 몰랐다. 덕구 씨는 다시 정신을 잃었다.

아들에게 필요한 건
부자 아빠가 아니다

❖ ❖ ❖

"아버지는 좀 어떠셔?"

수연의 눈빛에는 걱정이 가득하다. 하준은 어깨를 으쓱한다.

"말을 들으셔야 말이지."

움직이지 말고 쉬라는 만류에도 불구하고 덕구 씨는 "흉골에 살짝 금이 갔을 뿐이야."라고 말하며 활동을 시작했다. 죽다 살아났는데도 불구하고 이상하게 덕구 씨의 눈빛은 이전보다 더 생기있게 반짝였다. 아들은 말 없는 아버지가 걱정되는데, 아버지는 아무런 말 없이 그저 아들을 끌어안고 토닥이다 짧은 말을 놓고 갈 뿐이었다.

"아들, 아빠가 미안해. 그리고 고맙다."

그래도 얼마나 다행인지 모른다. 하준에게 필요한 건 부자 아빠가 아니라 필요할 때 곁에 있어 주는 아빠다. 그리울 때 얼굴 보여주고 웃는 아빠다. 아들 곁에 있는 아빠, 아들이 결혼식장에 들어갈 때 앞자리에서 아들을 흐뭇하게 바라봐 줄 아빠. 매일 길을 걷듯이, 매일 출근하듯이 조금씩 조금씩 나아가는 아빠. 그런 아빠면 족하다. 부자가 되는 건 결국 어제보다 조금 더 나아지는 것이니, 하루하루 어제보다 조금씩 나아가는 아빠, 그러다 십년쯤 지나 뒤를 돌아봤을 때 누구보다 자랑스러운 결과를 맞이할 수 있는 아빠. 그런 아빠면 충분하다. 생각에 빠진 하준을 바라보는 수연의 시선이 느껴진다. 하준은 멋쩍게 웃으며 짧은 머리를 쓰다듬었다.

"난 괜찮아."

하준은 수연의 손을 잡았다. 다음 주 토요일이 재현의 결혼식이다. 수연은 지금 이대로도 너무 예쁘고 소중한 사람이다. 하지만 이왕이면 더 빛나면 좋겠다는 생각에 하준은 수연을 위한 투피스를 샀다. 인어공주의 목소리보다도 더, 신데렐라의 유리구두보다 더 빛나는 날개 같다. 수연은 부끄러운 듯 웃었다. 수연의 옷장에는 수연이 한때 여의도에 몸담았을 때 구입한 명품 의상이 줄줄이 걸려있다. 하지만 수연은 예전의 화려함만 쫓던 시절이 떠오르는 명품 대신 평안을 찾은 지금의 모습을 드러내고 싶었다. 하준이 군에서 받은 월급은 수연이 여의도 시절 받았던 인센티브보다도 적었다. 하지만 그 돈에는 하준의 마음이 담겨 있었다. 돈은 딱 액면가만큼만 등가 교환할 수 있는 수단이지만, 하준이 수연의 옷을 사며 쓴 돈에는 하준만이 줄 수 있는 애정이 담겨 있었다. 물론 애정이 담긴 옷과 담기지 않은 옷에 육안으로 구분 가능한 무슨 차이가 있느냐 물으면, 아무런 차이가 없다고 말할 수밖에 없다. 자본주의 사회에는 정가 아니면 싯가뿐, 모든 것에는 가격을 매길 수 있고 모든 것은 돈으로 살 수 있다. 하지만 삶의 질을 가르는 건 대게 돈으로 살 수 없는 것에서 판가름 난다. 평안은 돈으로 살 수 없고, 사랑은 돈으로 살 수 없다. 하지만 평안과 사랑은 늘 우리의 삶에서 후순위로 싸구려 취급을 받는다. 반면 눈에 너무나도 잘 보이는 수입차나 서울 상급지의 아파트를 사면 남들이 부러워하며 부자로 인정하는 시선을 덤으로 얻을 수 있다. 만약 고가의 수입차를 사고 서울의 상급지 아파트를 사도 아무도 부러워하지 않는다면, 찻값이나 집값은 떨어질 게 뻔하다. 더 좋기 때문에 더 비싼 값을 치르고 사는 건데, 아무도 그걸 부러워하지 않고 가지려고 욕망하지 않는다면 값이 떨어지는 건 당연하다. 수입차나 아파트는 결국 싯가다. 제철에만 제대로 맛볼 수 있는 음식처럼 싯가로 팔리는 셈이다. 평소 싸구려로 취급되며 언제든 얻을 수 있으리라 여겨서 미뤄두었던 평안과 사랑은, 그것을 잃었을 때야말로 진짜 가치를 알게 된다.

상승장의 서울 아파트는 부르는 게 값이라지만, 평안이나 사랑은 불러도 살 수 없다. 찾아도 찾을 수 없다. 만족이나 행복은 사진에 찍히지 않는다. 우리는 눈에 보이는 것을 쫓다 눈에 보이지 않는 걸 잃은 후에야 후회한다. 수연은 변해가는 자신을 돌보지 않았었고, 재현이 떠난 후에야 자신이 잘못된 방향으로 가고 있다는 걸 뒤늦게 깨달았다. 온전한 사랑은 자신이 온전할 때에 비로소 가능하다. 자신이 불완전하다면, 자신과 닮은 불완전한 인연만을 만들 뿐이다. 수연은 하준을 바라봤다. 수연의 마음이 강하고 단단해졌을 때 만난 사람이 바로 하준이다. 재현과의 실연의 아픔을 딛고, 이제는 더 이상 외롭지 않고 오히려 혼자서 사부작 사부작 꾸려나가는 삶이 정말 재밌고 익숙해질 때 만난 사람이 하준이다. 혼자일 때 충분히 행복했기에, 이제는 둘이 있을 때 더 행복할 수 있겠다는 확신이 섰기에 다시 사랑을 시작해도 되겠다는 생각이 들어서 먼저 고백한 것이다. 돈을 끌어들이고 부자가 되는 건 결국 사랑과 다를 게 없다. 혼자라서 외롭다며 이성을 소개해달라고 지겹게 노래를 부르는 사람은 건강한 만남을 이어가기 쉽지 않다. 마찬가지로 돈이 없어서 힘들다고 돈돈돈 노래를 부르는 사람은 부자가 되기 어렵다. 혼자서도 외롭지 않고 즐겁게 지낼 수 있는 건 자존감이 높기 때문이다. 자존감이 높은 사람은 본인을 아끼듯 상대를 아끼며 이타적인 사랑을 할 가능성이 높다. 부자도 마찬가지다. 돈이 없다고 해서 가진 자 앞에서 비굴하게 굴지 않고 현재에 감사하는 건강한 멘탈을 지닌 이들의 꾸준한 노력은 결국 그를 부자의 길로 이끈다. 내가 갖지 못한 것에 휘둘리거나 영향 받지 않는 것, 있는 것에 감사하며 없는 것을 갖기 위해 꾸준히 노력하는 사람만이 원하는 것을 가질 자격이 있는 법이다.

　무엇이든 상승하는 불장 한복판에서 어떤 이들은 월급을 비웃었다. 적금을 하찮게 여겼다. 오랜 시간에 걸친 투자를 미련한 것으로 여겼다. '티끌 모아 태산'이라는 속담을 두고 '티끌은 모아 봐야 티끌'일 뿐이라며 마치 새로운 길을 발견한 것처럼 굴었다. 하지만 그들은 워런 버핏이 장기투자의 복리 개념을 설명할 때 예로 든 스노볼 효과(Snowball effect)를 간과하고 있다. 하늘에서 내리는 눈은 손바닥에 닿으면 체온에 녹아버린다. 하지만 작은 눈이 쌓이고 뭉쳐지고 굴러가면서 커다란 눈덩이가 되는 걸 볼 수 있다. 심지어 눈사태가 되어 모든 걸 집어삼키기도 한다. 스노볼 효과는 시간에 투자했을 때 눈덩이처럼 불어나는 자산을 일컫기도 하지만, 일상에서는 정반대로 나쁜 일이 점점 커지는 걸 뜻하기도 한다. 예컨대 '나쁜 소문이 눈덩이처럼 불어났다'고 하듯이, 투자의 원칙을 무시한 행위 또한 눈덩이처럼 불어난 리스크로 내게 돌아오기도 한다. 그 어떤 투자도 시간을 이기는 건 없다. 부자가 되려면 빨리 부자가 되려는 마음을 버리고 시간에 투자해야 한다. 나 자신에게 투자하며 때가 오기를, 상승의 초입을 잡기를 기다려야 하는 것이다. 내가 안달복달한다고 해서 세상의 사이클이 나를 위해 서두르지는 않는 법이다. 봄을 기다린다 해서 겨울이 시간을 채우지 않고 물러가는 법은 없다. 봄은 초조해하지 않는다. 자신의 때가 오리라는 걸 알기 때문이다. 초조해하는 건 잘못된 투자의 결과를 맞닥뜨리기 두려운 사람뿐이다. 평안이든 사랑이든 올바른 투자 원칙이든, 본디 사진에 찍히지 않는 가치 있는 것들을 지녔다면 당신은 초조해할 필요가 없다. 과시는 결핍의 증거이며 보이는 것으로 증명하려던 사람들은 결국 복리의 스노볼이 아닌 리스크의 스노볼이 산등성이에서부터 몸집을 키워가며 자신에게 달려드는 걸 두 눈을 크게 뜨고 바라봐야만 한다. 초조하다면 무언가 어디에서부터 잘못되었는지 점검해야 한다. 수연은 사랑했던 재현과의 이별이라는 리스크를 맞닥뜨리고 나서야 비로소 자신의 삶을 복기하고 돌아봤다. 당장은 실연의 아픔, 상실의 아픔으로 죽을 것 같았지만, 잘못된 방향을 바로잡고 시간이 흐른 후 돌아보니 그때의 고통은 어쩌면 아무것도 아니란 걸 깨달았다. 아픔이 아니라 예방주사처럼 오히려 자신을 더 건강하게 만들어 주었다고 생각했다. 이제는 수입차나 명품이나 한강뷰의 아파트가 아니라 자신의 마음으로 자신을 증명할 수 있게 되었다. 가진 것이 없어서 가난한 게 아니다. 만족할 줄 모르기 때문에 가난한 것이다. 수연은 오로지 자신만을 바라보는 하준을 보며 생각했다. 이렇게 모든 걸 가져도 되는가, 이렇게 행복해도 되는가 싶다. 으르렁거리던 시커먼 포르쉐가 아니라 민트색의 네모반듯한 깜찍한 경차를 몰고 있고, 한강뷰와 모닝콜 대신 숲에서 새소리를 들으며 일어나고 있지만, 이제는 모자란 게 없다. 부족한 게 없다. 더 가져야만 한다고 안달복달하지 않는다. 그리고 아직 때가 오지 않았음을, 투자의 봄은 기다리면 곧 온다는 것을 안다. 그렇기에 겨울은 춥지 않다. 그저 설레며 봄을 기다리면 되기 때문이다.

인생에서 소중한 것들은 무엇을 얻었을 때가 아니라 무엇인가를 얻기 위해 노력하는 과정에서 떨어지는 열매 같은 것이다. 도착점이 아니라 중간에 익어 떨어지는 그런 작은 열매 안에 삶의 기쁨이나 행복이 깃들어 있는 법이다. 인생의 기쁨은 종점이 아닌 중간중간의 간이역에서 누리는 소소한 풍경과 여유다. 언젠가 올 내일이 아니라 모자라지 않아 자족하는 바로 오늘이다.

"와줘서 고마워."

까만 턱시도를 입은 재현은 수연을 보며 밝게 웃었다.

"인터뷰에 응해줘서 고마운 건 아니고?"

"그것도 그렇고."

얼마 전 수연은 부동산 전망 특집 방송에 패널로 출연했다. 집값은 내년에도 상승한다는 논객들과 하락을 예상하는 이들의 토론 형식으로 진행된 특집에서 수연은 인플루언서이자 부동산의 재야 고수로 출연했다. 애초에 방송에 나가서 아무리 열심히 얘기한들 사람들은 자신이 듣고 싶어하는 것만 듣는다. 토론을 시청했다 해도 자신의 관점을 바꾸지 않으리라는 것을 알기에 수연은 섭외요청이 들어왔을 때 완곡히 거절했다. 하지만 데스크에서는 수연의 출연을 간곡히 원했다. 수연이 자신의 삶과 투자 철학, 투자에 대해 꾸준히 블로그에 써온 글이 뒤늦게 주목받기 시작했고, 상승장과 하락을 모두 정확히 맞힌 예언자라며 수연에 대해 궁금해하는 이들이 폭발적으로 늘었기 때문이다. 하지만 수연은 1대1 부동산 상담을 하지도 않았고, 어느 입지가 좋으냐, 뭘 사야 되느냐 묻는 질문에는 일절 답하지 않았다. 그저 거시적 전망과 흐름만을 글로 밝히고 조언할 뿐이었다. 어찌 보면 다른 부동산 전문가와는 전혀 다른 행보를 보였기에 데스크에서는 수연의 출연을 그만큼 더 원할 수밖에 없었다. 섭외에 난항을 겪고 있던 PD가 마침 재현의 대학 선배였다. 재현은 결혼 소식을 알리러 만난 술자리에서 선배 PD의 고충을 들을 수 있었다. 얼마나 대단한 사람이기에 선배 프로 출연을 다 마다하느냐며 들어가 본 블로그에서 재현은 수연의 흔적을 어렵잖게 읽을 수 있었다. 예전 이메일도 변하지 않고 그대로였다. 혹시나 하는 마음에 재현이 메일을 보내 보았는데 수연은 의외로 흔쾌히 출연을 허락했다. 수연이 출연한 특집은 소위 말해 대박이 났다. 본방송은 물론이거니와 수연의 분량만을 편집해서 올린 영상들 조회수가 백만을 훌쩍 넘겼다. 하지만 수연은 재출연 요구를 정중히 거절했다. PD는 재현과의 인연을 생각해서 다시 생각해줄 것을 부탁했지만 수연은 그저 웃으며 PD책상에 놓인 청첩장만 받아 갔다. 마치 청첩장이 출연 사례나 금품이라도 되는 것처럼 만족해하면서 말이다.

"오늘 PD 선배도 온다고 했어. 너 보면 한 번만 더 출연해 달라고 붙잡을 테니까 알아서 잘 피해."

웃으며 고개를 끄덕이는 수연 뒤로 한 남자가 서 있다는 걸 재현은 뒤늦게 알아챘다. 다들 꾸미고 온 결혼식장에서 하준의 짧은 머리가 더 도드라졌다.

"군대 간 동생이 있었나?"

"아니, 남자친구."

하준은 가볍게 목례를 건넸다. 재현 역시 목례로 답했다. 재현은 하준을 찬찬히 살폈다. 하준은 재현의 시선을 피하지 않았다.

그때 멀리서 누군가 큰 소리로 수연을 부르며 다가왔다.

"이런 우연이 또 있네요! 그러잖아도 서수연 씨 진짜 뵙고 싶었어요! 아니 왜 이렇게 연락하기가 힘들어요?"

헐레벌떡 뛰어온 남자는 재현의 선배 PD였다. 그는 재현이나 하준은 아랑곳 않고 당장 수연의 손목을 잡고 스튜디오로 데려가기라도 할 기세였다. 수연이 PD에게 붙들려 있는 사이 하준이 어색한 공기를 깼다.

"말씀 많이 들었습니다."
"아, 네. 별로 좋은 소리는 안 했을 것 같은데요?"
"아뇨, 고마운 분이라고 하더라고요. 빚진 마음이 있어서 털어버리고 싶다고도 했고요."

재현은 뭔가 대꾸하려다 말을 삼켰다. 그러고는 하준을 바라봤다. 자신보다 더, 아니 수연보다 더 어려 보이는 남자였다.

"혹시 군인이신가요?"
"아뇨, 전역한 지 얼마 안 됐습니다."
"그렇담 나이가…"

"수연이보다 다섯 살 어립니다."

하준은 수연의 이름을 불렀다. 한때 재현도 수연을 수연이라 불렀다. 하지만 이제는 그렇게 편하게 부르면 안 되겠다는 생각이 들었다. 재현의 눈에 비친 하준은 군에서 갓 전역한 어린 나이에 평범한 옷차림이었다. 손목에 비싼 시계를 걸치고 있지도 않았고, 주먹만 한 명품 브랜드 로고가 버클에 박힌 허리띠를 매고 있지도 않았다. 대학가에 가면 흔히 볼 수 있는 수수한 차림이었다. 하지만 눈빛은 충만하고 단단해 보였다. 수연은 재현보다 어렸다. 그런 수연보다 어린 하준이라는 남자는 재현이 대학생일 때 아마 초등학생이었을 것이다. 하지만 애송이라는 느낌은 들지 않았다. 하준은 자신만만하면서도 편안해 보였다.

"인터뷰 영상을 통해 정말 오랜만에 수연 씨를 다시 봤을 때, 너무 편하고 자연스러워 보여서 솔직히 좀 놀랐었습니다. 지금 남자친구분을 보니까 왜 그런지 조금은 알 것도 같네요."

재현과 헤어질 당시의 수연은 화려했지만 위태로워 보였단 말은 하지 않았다. 하준은 재현의 말에 말 없는 긍정을 보내며 수연이 있는 쪽을 바라봤다. 애걸복걸하는 PD에게 수연은 난처한 표정을 지으며 손사래를 치고 있었다. 그러다 시선을 느꼈는지 수

연은 하준을 쳐다봤다. 하준과 눈이 마주친 수연은 해맑게 웃었
다. 하준은 사랑스럽게 웃는 수연에게서 눈을 떼지 않은 채 재현
에게 말했다.

"결혼 축하드려요."

재현은 가벼운 목례로 답을 대신했다. 하준은 재현을 지긋이
바라보았다.

"그리고 감사합니다. 저 사람 놓아주셔서. 저에겐 정말 과분한
사람이거든요. 제가 더 좋은 사람이 되고 싶다는 욕심이 생기게
만들어요."

두 남자는 아무 말 없이 잠시 서 있었다. 수연이 다가와 하준의
팔짱을 꼈다.

"둘이 무슨 얘기를 그렇게 진지하게 해?"
재현은 이마를 긁적이며 답했다.
"식만 보고 그냥 가지 말고 밥도 꼭 먹고 가. 여기 예식장 다른
게 아니라 밥 때문에 계약한 거야. 먼저 와서 먹어봤는데 진짜 맛
있어."

"그래? 배고팠는데 잘됐네. 어쨌든 결혼 축하해. 신부도 아름다우시더라. 행복하게 잘 살아."

수연은 마치 먼 길을 떠나는 친구를 배웅이라도 하듯 재현을 향해 힘차게 손을 흔들었다. 하준의 팔짱을 긴 채 돌아서 걷던 수연은 비밀이라도 말하듯 작게 속삭였다.

"불편했을 수도 있는데 함께 와줘서 고마워. 덕분에 밀린 숙제를 잘 끝낸 기분이야."

정말 오랫동안 묵힌 숙제를 해결하기라도 한 듯, 수연의 표정은 아이처럼 맑았다. 흘러간 시간은 되돌릴 수 없다. 우리가 바꿀 수 있는 건 미래 뿐이기에, 과거는 흐르는 물에 놓아주면 그뿐이다. 수연이 서른아홉에 백억 부자가 될 수 있을지는 모르겠지만, 한가지 분명한 건 수연은 서른아홉이 될 때까지 매일 조금씩 나아지리라는 것이다. 티끌 같은 오늘이, 하찮은 하루가 모여 위대한 미래를 만들어내기 때문이다. 거대한 강처럼 도도히 흐르는 시간은 사람을 그냥 내버려 두지 않는다. 물론 성실하게 노력한다고 해서 모두가 성공하고 부자가 되는 것은 아니다. 때론 악인에게 운이 트여 보란 듯이 성공하기도 한다. 선인이 쓰러져 이를 갈며 울고, 악인이 선인을 딛고 올라가 승리의 깃발을 흔들 수도 있다. 다만 명심해야 할 것은 인생은 길고 긴 마라톤이라는 것이다. 지금 당장의 커다란 승리가 중요한 게 아니라 작은 성공과 승리를 마지막까지 유지하는 게 중요하다. 그러므로 우리가 할 수 있는 건 하루하루에는 최선을 다하되, 먼 미래의 일은 흘러가는 흐름에 맡겨두고 때를 기다리는 것이다. 그러다 거대한 흐름을 만나면 그저 올라타면 된다. 흐름에 올라타는 것이야말로 운을 내 것으로 만드는 일이다. 그래서 우리는 사이클을 읽으며 때를 기다리는 것이다.

왜 이제 와서
관심 있는 척하는데?

❖❖❖

준식이 현관에 들어서자 센서등이 켜졌다. 어둠에서 벗어난 현관은 쓸쓸했다. 준식이 담배를 사러 편의점에 갈 때 신는 슬리퍼 말고는 현관이 휑하다. 준식은 외톨이처럼 놓인 슬리퍼를 빤히 바라봤다. 불이 꺼진다. 준식은 땅이 꺼질 듯 한숨을 쉬었다. 준식이 손을 들어 허공을 휘젓자 불이 다시 켜진다. 달라진 건 없다. 막연한 기대를 지닌 채 중문을 열어보지만 맞이해주는 이도, 맛있는 음식 냄새도, 시끌벅적한 인기척이나 온기도 찾아볼 수 없다. 혼자다. 지난주였나, 아내는 짐을 싸서 친정으로 갔다. 두 아이도 함께였다. 설마 했다. 설마 준식을 두고 떠날 거라곤 생각하지 않았다. 그저 순간 욱해서 나갔다가 제풀에 수그러들어 다시 돌아올 거라 생각했었다. 야간 근무를 마치고 온 준식이 평소처럼 소파에 누워 눈을 붙이고 있을 때, 아내는 누워 있는 준식의 옆에 한참이나 서 있었다. 아내가 왜 그러는지 준식은 뻔히 알고 있었지만 일부러 자는 척했다. 준식의 아내는 다시는 돌이킬 수 없는 주문이라도 외우듯 혼잣말을 시작했다.

"안 자는 거 다 알아."

아내의 말에 준식은 속으로 뜨끔했다. 그렇다고 안 자는 걸 뻔히 안다는 아내 말을 듣고 몸을 일으키자니 더 난처하고 웃긴 일이었다. 준식은 그냥 계속 잠든 척 눈을 감고 있는 수밖에 없었다.

"나 친정으로 갈 거야."

예전이라면 친정에 간다는 아내의 말이 반가웠을 것이다. 아내를 사랑하지 않는 건 아니지만, 아내가 며칠 집을 비운다는 건 모든 유부남에게 해방과 자유를 뜻하기 때문이다. 하지만 지금은 다르다. 아내가 친정에 간다는 말이 별거를 의미한다는 걸 준식은 모르지 않았다. 처음 나온 얘기도 아니다.

"애들도 같이 갈 거야. 애들도 외할머니, 외할아버지랑 있는 게 좋대."

'그럼 학원은 어쩔 건데?'라 묻고 싶었지만 준식은 여전히 잠든 척했다.

"어차피 학원 못 보낸 지도 몇 달 됐고, 차라리 애들 닦달할 필요 없이 시골에서 조용히 사는 것도 나쁘지 않을 것 같아."

아이들이 학원에 안 간지 몇 달이나 됐다는 건 준식이 처음 듣는 얘기였다. 애들이 갈 수 있는 대학은 초등학교 때 이미 결정된다고 그렇게 노래를 불렀건만, 아내는 대학이 인생의 전부는 아니라고 받아치곤 했다. 그래서인지 아들과 딸은 준식을 어려워했다. 오늘은 학원에서 뭘 배웠냐고 묻는 아빠 앞에서 아이들은 주눅이 들어 제대로 입을 열지 못했다. 예습보다 중요한 게 복습인데, 당장 오늘 배운 것조차 제대로 말하지 못하면 대체 학원에 가서 뭘 하고 온 거냐고 되물어도 아이들의 입은 열리지 않았다. 돈이 어디에서 솟는 줄 아느냐고, 아빠는 3교대로 잠도 줄여가며 뼈 빠지게 번 돈으로 학원을 보내는데 이렇게 하면 아빠한테 미안하지 않냐고 다그치기도 했다. 다른 애들은 학원에 가고 싶어도 돈이 없어서 못 가는 경우도 있는데, 너희는 아빠가 알아서 과목별로 케어하고 학원에 보내는데 고마운 마음도 없느냐고 짜증을 내기도 했다. 아내는 혼나는 아이들 옆에 서서 준식의 짜증을 고스란히 받았다. 준식은 아이들뿐 아니라 애 엄마도 문제라고 생각했다. 초등학교 때 아이들이 할 일은 첫째도 둘째도 신나게 노는 거라 말하는 아내는 세상을 모르는 순진한 애처럼 보였다.

엄마가 이렇게 애처럼 구니까 애들도 똑같이 애처럼 구는 거라는 생각이 들었다. 애니까 애처럼 구는 거지 애가 어떻게 어른처럼 생각하고 행동하느냐는 아내의 항변을 준식은 칼같이 자르곤 했다. 아이들은 그저 노는 게 일이고 건강하기만 하면 된다는 엄마들도 막상 아이가 고등학생 되어 내신이 바닥을 기고 있는 거 보면 결국 입시설명회 쫓아다니면서 과외를 구하게 된다고 말이다. 자본주의인 대한민국 사회에서 기를 펴고 목소리라도 내려면 사업이나 투자로 돈을 벌거나, 그럴 자신이 없으면 공부라도 잘해서 좋은 대학 가고 대기업에 취직하는 것만이 유일한 길이라는 게 준식의 굳건한 믿음이었다. 그럴 때마다 아내는 한숨을 쉬었다. '당신이나 나나 학교 다닐 때 1등 한 번 해본 적 없는데, 그런 엄마 아빠 사이에서 나온 아이들이 어떻게 1등을 할수 있느냐?'고 아내는 되묻곤 했다. 준식은 아내의 말을 무시해왔다. 아내가 세상 물정을 몰라서 하는 소리라 생각했다. 가정이라는 울타리 안에서 준식의 말은 늘 정답이었고, 준식만이 제대로 된 세상을 보고 있는 거라 믿어왔다.

"애들 학원 그만둔 줄도 몰랐지? 처음 듣는 얘기 같지? 당신은 늘 이런 식이니까 내가 다이어리에 적어놨어. 언제 말했는지 날짜까지 다 적어놨다고. 한번 말한 것도 아니야. 찾아보면... 아니, 아니다. 지금 와서 그게 뭐가 중요해."

아내가 거짓말을 하는 것 같다. 준식은 정말 지금 처음 들었다. 아이들이 학원을 그만둘 리가 없다. 그만둔다고 했을 때 준식이 가만히 있었을 리가 없다. 애들이 어떤 대학에 진학하느냐는 초등학교 4학년 이전에 이미 결정되는데 학원을 그만두게 했을 리가 없다.

"첫째가 오늘 뭐라는 줄 알아? 아빠 투자가 잘 안 돼서 차라리 잘됐대. 아빠가 돈이 없는 게 더 좋대. 이제 학원 안 가도 되니까 너무 좋대. 아무것도 안 하고 엄마랑 집에만 있어도 신난대. 세상에 이렇게 재밌는 게 많은지 처음 알았대. 이게 초등학생이 할 말이야?"

기억이 나는 것도 같다. 대출 이자가 월 천만 원을 넘었을 때였던 것 같다. 준식이 대출 금리 2% 선일 때 투자했었던 지식산업센터가 애물단지가 되고, 대출 금리가 6%를 넘었을 때 즈음이었던 것 같다. 언제였던가 한참 시장이 뜨겁던 시절, 유튜브에서 머리 허연 남자가 나와서 곧 하락장이 시작될 거라고 했을 때 코웃음을 쳤다. 대출 금리 7% 시대가 올 수도 있다는 말을 할 때는 미친놈인가 싶었다. 그런데 2년 새 이자 부담이 세 배 가까이 늘어났다. 처음 단타로 지산 분양권을 사고 팔았을 때, 단기간에 큰돈을 손에 쥐고 보니 월급이 우습게만 느껴졌다. 수난구조대에서 함께 근무하는 덕구 선배나 용범 선배는 사람의 목숨을 구하는 사명감을 지니고 일한다고 했지만, 고작 푼돈 몇 푼에 어둡고 차가운 물로 뛰어드는 그들이 우스워 보였다. 한강에 뛰어드는 놈들은 어차피 죽으려고 뛰어든다. 왜 죽는 것도 자기 맘대로 하지 못하게 굳이 살려내는 헛짓을 하나 싶었다. 굳이 죽으려는 놈들에게 세금을 태워야 하나, 그 세금도 결국 피 같은 내 돈 아닌가 싶었다. 수난구조대 일은 3교대로 몸은 몸대로 망가지는데 급여는 만족스럽지 못했다. 그 와중에 전매 제한도 없는 지산 분양권을 샀다가 되팔았을 뿐인데 급여의 몇 배가 되는 돈이 준식의 손에 떨어졌다. 이러니 수난구조대 일이건 뭐건 세상이 다 시시해 보일 수밖에 없었다. 이렇게 쉽고 빠르게 돈을 벌 수 있는데 언제까지 모니터로 한강 다리나 바라보고 있어야 하나 싶었다. 한강 다리나 쳐다보고 있을 게 아니라 하루라도 빨리 한강을 내려다보는 아파트를 손에 쥐고 싶었다. 불가능하지 않아 보였다. 아내는 투자의 ㅌ도 모르니 준식을 이해하지 못하는 거라 생각했다. 그래서 준식은 아내와 투자에 대해 일절 대화하지 않았다. 어차피 말해줘도 모를 거, 어차피 말해줘도 걱정이나 하고 말리기나 할 거 혼자 알아서 하는 게 속 편했다. 고기도 먹어본 놈이 먹는다고, 아내든 덕구 선배든 눈앞에 고기를 들이밀어도 못 먹을 사람들이었다. 그렇게 생각했었다.

준식 눈에는 지산만큼 좋은 게 없었다. 전매 무제한에 취득세도 감면되고, 종합부동산세 배제, 재산세도 감면됐다. 더구나 집이 아니니 1가구 2주택에 해당되지 않았고, 취득세 중과세도 남의 이야기였다. 무엇보다 가장 매력적인 건 분양가의 최대 90%까지 가능한 저금리 대출이었다. 준식은 지산을 사고파는 재미에 빠져들었다. 그러다 막판에 좀 크게 일을 벌렸다. 함께 간 지인 앞에서 자신의 실력이나 자산을 자랑하고 싶었는지도 모른다. 아니, 그날 꼬드긴 분양상담사 때문이다. 이게 다 그놈 때문이다. 부추기던 그놈 때문에 이 사달이 난 거다.

"네? 정말 3천만 있으면 되는 거예요?"

준식과 동행한 지인은 부동산 투자가 처음이었다. 더구나 지식산업센터에 대해서 준식이 설명해주기 전까지는 존재조차 몰랐던 상황이다. 혼자 투자를 시작하긴 겁났지만 부동산 공부한답시고 책 사다 읽고 시간 끌면 좋은 물건 남들이 다 채갈 것만 같아서 준식을 졸라 함께 나선 길이었다. 부동산으로 돈을 벌었다는 이들이 주변에서 하나둘씩 나타나니까 투자를 하지 않고 가만히 있으면 자신만 도태될 것 같은 두려움과 나라고 못할쏘냐 싶은 욕심이 지인의 등을 시장으로 떠민 것이었다. 상담사의 설명을 듣던 준식 역시 구미가 동해서 저도 모르게 입맛을 다셨다. 지금껏 지산 단타로 벌어들였던 돈이 떠오른다. 분양권이 손에 들어오자마자 프리미엄이 붙던, 자고 일어나니 부자가 된 기분이 들던 순간이 떠오른다. 준식의 눈빛이 변한 걸 귀신같이 알아챈 상담사는 준식의 곁으로 반보 더 가까이 다가온다.

"사장님, 여기가 다른 흔해 빠진 지산과 다른 게 뭐냐면요, 입지깡패예요, 깡패. KTX가깝죠, 지하철역도 걸어서 10분이에요. 게다가 대형마트에 대학병원도 지척이잖아요. 한마디로 교통이면 교통, 상권이면 상권, 심지어 의료 인프라까지 몰려있어요. 만약 아파트가 이렇게 입지가 좋았으면, 진작 완판되어서 저희 다 철수했을 거예요. 하지만 왜 남았냐? 아직 사람들이 지산의 투자가치를 몰라서 그래요. 아닌 말로 1개 호실에 3억인데, 계약금 10%인 3천만 원만 내시면 이거 사장님 물건 되는 거예요. 이거 사서 그냥 갖고만 있어도 다달이 월세로 백이십에서 백오십이 사장님 통장에 따박따박 꽂히는 거죠. 세상에 이런 물건이 어디 있습니까? 사람들이 왜 건물주를 부러워하겠어요? 하는 거 없이 슬슬 골프나 치러 다녀도 월급 마냥 정해진 날마다 통장에 돈이 꽂히니까 그렇죠. 사장님, 나이 들면요, 자식보다 건물이 더 효자예요. 그렇다고 누구나 다 수십억 건물주가 될 순 없잖아요? 그렇다면 뭐다? 연금처럼 다달이 돈 꽂아주는 수익형 부동산, 바로 지산에 투자해야 한다는 거죠!"

상담사가 더 열을 올리자 준식은 짐짓 관심이 없는 척하며 딴소리를 했다.

"에이, 그렇다고 진짜 3천만 있다고 내 것이 되나요? 대출로 잔금 내면 다달이 이자 나갈텐데 그러면 뭐 남는 것도 없겠네요."

"사장님, 지산이 왜 좋냐면요, 수익형 부동산으로 접근 안 하시고 프리미엄 붙여서 분양권 바로 파셔도 돼요. 월세를 받아도 좋지만 시세차익을 보고 들어가도 된다는 거죠. 아파트는 어때요? 툭하면 실거주 해야한다, 분양권 전매도 안 되고, 세금은 세금대로 붙잖아요? 그런데 지산이 아파트처럼 규제 받는 거 있어요? 하나도 없잖아요? 아파트는 리스크가 있을 수 있어도 지산은 리스크라는 걸 몰라요. 속된말로 어떻게 하면 한푼이라도 더 세금을 뗄 수 있을까 정부가 두 눈 시퍼렇게 뜨고 아파트처럼 노려보는 것도 아니잖아요? 툭 까놓고 얘기해서 삼천으로는 요새 갭투자도 힘들잖아요? 3천 들고 가 봤자 어디 구석에 있는 썩어가는 구축 아파트 하나 사기도 힘든데, 지산은 3천이면 번듯한 새 사무실 등기칠 수 있잖아요? 사람들이 지산, 지산하면서 몰리는 건 다 이유가 있는 거예요."

어쩜 상담사는 준식이 평소 지산에 대해 생각하고 있는 걸 그대로 짚어주었다. 하지만 준식은 입꼬리가 슬슬 올라가려는 걸 겨우 참았다. 왠지 상대방에게 설득된 것처럼 보이기 싫었기 때문이다.

"조금만 더 고민해볼게요."

준식은 몸이 달아오른 분양 상담사를 뿌리치고 뒤돌아 나왔다.

같이 간 지인은 상담사가 족히 30분 이상 지산에 대해 설명했는데 그냥 이렇게 나와도 되는 거냐고 미안해하는 눈치였다. 아니, 정확히 말하면 상대가 진이 빠지게 설명한 게 미안해서가 아니라 이미 상담사의 설득에 넘어간 게 분명해 보였다. 애초에 지인이 준식을 따라나선 것도 5천에서 1억 사이에서 투자할 좋은 물건이 없는지 알아보러 나선 것이었다. 지산이 좋다는 것에 대해서 준식도 이미 지인에게 저녁을 대접받으며 한차례 강의하다시피 했는데, 상담사까지 저렇게 적극적으로 나서니 지인은 지산에 투자하기로 마음을 굳힌 것으로 보였다. 그런데 준식이 이야기를 더 진행시키지 않고 자리를 박차고 나서니 의아했던 것이다. 준식도 그 마음을 모르지 않았다. 하지만 설명 좀 들었다고 그 자리에서 덜컥 계약하면 호구로 보일 것만 같았다. 한 번 정도 튕겨주는 쫄깃한 맛이 있어야 더 대접받을 수 있으리라는 생각이 준식의 머릿속을 채우고 있었다.

"던진다고 그렇게 바로 물면 어떡해요? 없어 보이게?"

"그렇게 보이려나? 근데 분양은 값이 딱 정해진 건데 상담사랑 밀당 해봤자 더 떨어질 건 없는 거 아닌가?"

"아이고, 순진하시긴."

준식은 차 문을 열려다 말고 지인을 안타깝다는 표정으로 바라봤다.

"자동차도 다 정가 판매라고 그러죠? 홈페이지에 찻값이랑 옵션 가격 다 고지돼 있고 전국 대리점 어디에서나 같은 가격으로 판매된다고 그러죠? 그럼 왜 대리점 여기저기 다녀보고 견적 비교하겠어요?"

"아!"

지인은 알겠다는 듯 눈을 크게 떴다. 준식은 이제야 말이 통한다는 듯 씩 웃었다.

"찻값이나 옵션이나 어디 가도 똑같은 걸 누가 모르겠어요. 하지만 이쪽 영업사원은 자기 수당 떼서 블랙박스 달아주고 썬팅 해준다는데 저쪽 영업사원은 블랙박스와 썬팅 받고 유리막 코팅에 보호필름 시공까지 더블로 간다고 하면, 어디에 가서 차를 사야겠어요?"

"그렇네, 듣고 보니 정말 그래."

사실 준식은 지산 분양받을 때 자기 말처럼 조금이라도 더 혜택 같은 걸 따로 받아본 적은 없다. '이번에도 잘 되겠지?'라며 떨리는 마음으로 계약하기 바빴을 뿐이다. 준식이 너스레를 떤 이유는 지인 앞에서 전문가처럼 보이고 싶은 우쭐하는 마음이 있었기 때문이다. 선배 투자자로서 뭐라도 하나 꿀팁을 줘야 한다는 부담이 없지 않아 있었던 것도 사실이다. 다행히 지인에게는 준식의 너스레가 잘 통한 모양이었다.

"사장님! 잠시만요!"

한참 지인 앞에서 투자에 통달한 척하며 분위기 좋았는데, 아까 상담했던 상담사가 손을 흔들며 주차장까지 따라와 준식을 부르고 있었다. 준식은 자신도 모르게 어깨가 움츠러들었다. 준식의 차는 10년 된 은색 제네시스였다. 큰 차는 타고 싶지만 돈은 없어서 중고로 싸게 업어온 오래된 물건이었다. 같이 투자를 시작해서 재미 좀 본 투자 동기들은 가장 먼저 차부터 바꿨다. 애쓴 자신을 위한 선물이라며 중형 수입차를 사는 게 매뉴얼에 적히기라도 한 듯 다들 똑같이 행동했다. 하지만 준식은 차에 쓸 돈이 있으면 하나라도 더 지산을 사고 싶었다. P를 붙여서 단타로 팔아버린 걸 제외하고도 이미 여섯 개나 되는 지산을 갖고 있었지만, 준식은 그걸로는 모자랐다. 준식은 열 개를 채우고 싶었다. 중형 수입차를 살 돈이면 지산을 세 채는 더 살 수 있었다. 그래서 투자 동기들처럼 있어 보이는 수입차를 타고 싶은 마음이야 굴뚝 같았지만 꾹 참고 있었다. 그런 까닭에 준식은 오래된 자신의 차를 남에게 내보이고 싶지는 않았다. 특히 조금 전 상담사 앞에서 가뜩이나 거드름을 피웠는데, 중고차를 끌고 다닌다는 걸 들키고 싶지 않았다.

　"이야, 사장님 뭔가 포스가 남다르다 했더니 역시!"
　그런데 엉뚱하게도 상담사는 준식의 차를 보자 감탄한 눈빛으로 엄지를 척 치켜들었다.

"분양 상담사일 하면서 사람들 숱하게 만나다 보니까 이제는 차만 봐도 감이 탁 오거든요. '아, 얘는 카푸어구나', '이분은 졸부구나', '이 양반은 부모를 잘 만났네'가 바로 보이거든요? 그런데 아까 사장님은 신중하게 접근하시면서 예리한 질문을 하는 거 보니까 딱 봐도 고수 냄새가 난다 싶었죠. 사장님 차를 보니까 확실해지네요. 역시 제 눈은 틀리지 않았어요."

차를 보고 뭐가 확실해졌다는지 준식은 도통 감을 잡을 수 없었다. 더구나 영업사원은 혀에 참기름이라도 발랐는지 대체 말하면서 숨은 언제 쉬나 싶을 정도로 청산유수로 말을 이어가서 준식과 지인의 정신을 쏙 빼놓았다. 그러더니 비로소 이야기의 클라이맥스에 도입하기라도 한 듯 침을 꿀꺽 삼키더니 말을 이었다.

"제네시스 BH330 은색! 이게 바로 대한민국 프리미엄 브랜드의 태동을 알린 제네시스 최초 모델 아닙니까! '현대의 실수'라고 불릴 정도로 시대를 뛰어넘었던 역작이자 찐부자들만 탄다는 제네시스의 조상님 모델!"

제네시스 1호 모델이자 조상님이면 낡아빠진 차라는 소리인데, 왜 이러나 싶다.

"코스피 시총 1위 삼성전자, 삼성전자하면 이재용 부회장 아닙니까? 이재용 부회장이 무슨 차 탔죠? 쌍용 뉴체어맨 타다 팔았죠? 이건희 회장님 돌아가셨을 때 빈소에 직접 운전해서 온 차는 또 뭔가요? 현대 팰리세이드죠? 우리나라에서 '부자' 했을 때 가장 먼저 떠오르는 사람인 이재용 부회장이 설마 돈이 없어서 체어맨 타고 팰리세이드 탈까요? 아니죠. 차는 자산이 아니라 감가상각되는 소비재라는 걸 정확히 파악하고 있는 진짜 자본주의의 지배자이기 때문에 그런 자유로운 선택을 한 거죠. 그게 이재용이라는 사람만이 보여줄 수 있는 부자의 그릇 아니겠습니까? 내가 이재용인데, 내 이름이 나를 증명하는데 굳이 비싼 차, 수입차 안 끌어도 되는 거죠. 반면에 분수에 없는 수입차 끄는 사람들, 카푸어들 보면 견적 딱 나오거든요. 나 자신이 아직 브랜딩이 안 됐어, 나를 내세울 무기가 없어, 내 존재감이 좀 약해, 그러니까 수입 브랜드로 그걸 커버하는 거잖아요. 그게 차가 됐건 명품 의류나 가방이 됐건 시계가 됐건 간에 그런 걸 해줘야만 존재감이 겨우 생기는 거예요. 그렇잖아요? 동창회 갔더니 학교 다닐 땐 찐따였던 애가 포르쉐 끌고 뱀 그려진 클러치백 옆구리에 끼고 나왔어. 그럼 뭐라 그래요? '야~ 철수 저놈 성공했네.' 그러잖아요? 이재용 부회장이 뭐 입고 뭐 신고 나오면 사람들 뭐라고 말해요? '이재용 부회장님 출세하셨네, 명품도 입고!'이렇게 말해요? 아니죠, 옷이 출세한 거고 신발이 성공한 거지. 이재용 부회장이 입고 신었으니까. 아닌 말로 이재용 부회장이 입은 옷 뉴스에 뜨면 바로 다음 날 품절 뜨잖아요? 왜냐? 서민들이 재벌이랑 똑같은 거 입고 기분 내려고 그러잖아요? 기분이라도 느끼려고. 이렇게 진짜 있는 사람들, 진짜 부자들은 브랜드에 연연할 필요가 없는 거예요. 자기가 걸어 다니는 브랜드니까. 제가 지금까지 이름만 대면 다 아는 회장님도 만나 뵌 적 있고, 헉 소리 나올 정도의 알부자들 만나고 느낀 게 뭐냐면요, 그분들은 겉만 봐서는 부자로 안 보여요. 내가 부자라는 걸 사람들이 알아봤자 밥 사달라, 술 사달라 파리나 꼬이고, 돈이나 꿔달라고 하잖아요. 찐부자들은 내가 부자인지 아닌지 남들이 알아주는 거 전혀 중요하지 않거든요. 아니, 내가 부자인 거 나만 알면 됐지, 내 사람들만 알면 됐지 남들이 알아봤자 파리나 꼬이는데 왜?"

여기까지 말하고 상담사는 다시 한번 준식의 낡고 오래된 은색 제네시스를 지긋이 바라봤다.

"사업하는 대표님들이야 뭐 비용처리 되니까 자기 아들딸에게 수입차 한 대씩 사주긴 해도, 본인들 타는 차 보면 다 제네시스예요. 검정 제네시스. 그런데 그런 분들 중에서 잘 보면 오래된 거, 그중에서도 은색 타는 분들이 있어요. 그러면 왜 또 은색이냐, 검정색은 권위적으로 보이고 너무 회장 차 같은 느낌이라서 그렇죠. 그리고 차에 쓸 비용이나 시간이 아까워서 차 바꿀 생각도 안 하는 거예요. 물론 밑에 직원들이 다 처리한다 해도, 차 바꾸네 마네 신경 쓰이는 것조차 아깝고 싫은 거예요. 그 시간과 정신을 내 일에 투자하면 훨씬 더 큰 부가가치를 창출할 수 있다는 걸 본인이 아는 거죠. 그런데 우리 사장님 은색 제네시스 보니까 아, 내 느낌이 틀리지 않았구나. 이분 부동산 고수구나, 남들 E클래스니 5시리즈니 딜러 만나고 복작복작할 시간에 나는 부동산 한놈만 팬다, 고수의 향기가 머리를 빡 때리더라고요. 가만 보니까 사장님이랑 함께 오신 분.”

상담사는 준식의 지인에게 눈길을 돌렸다. 지인은 무슨 말을 하려나 싶어서 침을 꿀꺽 삼켰다.

“제가 딱 보니까 1억 언더로 투자할 물건 찾고 계시죠? 옆에 부동산 고수 사장님 따라서 괜찮은 거 없나 보러 오신 거죠? 맞죠?”

이쯤 되자 분양 상담사가 아니라 점쟁이 같다. 복비라도 꺼내줘야 할 것 같은 분위기다. 지인의 입은 떡 벌어졌다.

“다른 게 아니라, 이거 전해드리러 나왔어요. 이거 구하기 힘든 리미티드 에디션인 거 아시죠? 이게 별거 없어 보여도, 이런 거 하나 갖고 있으면 주변 젊은 사람들한테 센스있는 사장님이라고 은근히 인정받는 아이템이에요"

상담사가 건넨 건 해외 유명 커피 프랜차이즈의 한정판 굿즈였다. 이미지가 공개되자 SNS에서 순식간에 관심을 불러모았고, 판매 당일 오픈런이 벌어진 굿즈이기도 했다. 커피 10잔을 마셔야만 구매할 수 있었기에 아메리카노 수십 잔을 주문한 후 굿즈만 받아가고 커피는 매장에 버려두고 가는 일까지 벌어져 더 화제가 되기도 했다. 준식의 아내가 뉴스를 보다가 저거 좀 보라며 놀란 표정을 지었기에 준식도 기억하고 있다. 저게 뭐 얼마나 대단하다고 저 난리냐고 핀잔을 줬었는데, 막상 받아들고 보니 예쁘긴 했다. 준식이 상담사가 건넨 굿즈에 대해 아는 눈치를 보이자 '역시 사장님은 트렌드에도 민감하'시다며 상담사가 또 칭찬을 건넸다. 웃는 얼굴에 침 못 뱉는 법이고, 칭찬은 고래도 춤추게 한다. 이쯤에서 상담사는 마지막 멘트를 날렸다.

"딱 봐도 부동산 고수이신 게 분명한데, 제가 더 말씀 안 드려도 잘 아시겠지만 여기 지산 진짜 괜찮은 물건이거든요. 오죽하면 저도 한 개 분양받았겠어요? 여유만 있었다면 더 받았겠죠. 그러니까 사장님들도 귀가하셔서 고민하시고 나중에라도 꼭 하나는 분양받으세요. 저한테 안 하셔도 돼요. 다른 상담사 통해서 계약해도 좋으니까, 그만큼 이거 괜찮은 물건이니까 고민해보세요."

"아뇨, 그냥 지금 바로 하나 하시죠!"

준식과 동행한 지인이 먼저 나섰다. 준식의 의견과 상관없이 지인은 이미 상담사가 설파하는 지산교에 포교된 새신자나 다를 게 없었다.

"아이고 사장님, 그럼 들어가서 바로 계약하실까요? 그러면 저기 고수 사장님은 어떻게…"

상담사는 말끝을 흐리며 준식을 쳐다봤다. 부동산 초짜에 불과한 지인이 저렇게 호기롭게 나서는데 준식이 가만히 있는 것도 모양이 빠진다. 마치 경매장에서 내가 찍어둔 물건에 신경도 쓰지 않던 다른 입찰자가 호기롭게 호가를 부르는 걸 옆에서 지켜보는 기분이다.

"어차피 저도 두어 개 생각 있었어요."

준식은 상담사가 챙겨준 카페 프랜차이즈 굿즈를 부자들만 탄다는 제네시스 뒷좌석에 넣어두곤 상담사를 따라나섰다.

"역시, 우리 사장님 화끈하시고 좋네요! 투자는 그렇게 공격적으로 하는 거죠! 이거 세 개 하면 프리미엄도 세 배로 먹는 거니까 기왕 하시는 거 여러 개 하세요."

그날 준식은 한자리에서 네 개 호실을 계약해서 결국 지산 열 개를 채우고야 말았다. 이미 지산 분양권 단타를 통해 얻은 수익이 있어서 계약금 정도는 대출 없이 충분히 지불 가능했다. 어차피 잔금은 저금리로 대출이 나올 터였다. 지산은 분양권에 P를 받고 팔아도 되고, 매도에 시간이 걸린다 싶으면 그냥 월세로 돌려도 되니 리스크도 없다시피하다. 준식은 '지산 10개'를 달성했다는 뿌듯함에, 지인은 자신도 준식과 같은 부동산 고수에 한걸음 다가섰다는 기쁨에 그날 저녁 한우 곱창을 먹었다. 그날따라 소주는 어찌나 단맛인지 술술 잘 넘어갔었다.

　새벽 한 시. 준식은 식탁에 앉아 미지근한 소주를 입에 털어 넣었다. 시원하지 않으니 더 쓴맛이 났다. 준식이 한자리에서 네 개나 사들였던 지산 단지에 마이너스피가 붙은 매물이 나왔다고 했다. 프리미엄이 붙은 게 아니라 마이너스다. 이 말인즉슨 손해를 보더라도 물건을 포기하겠다는 것이고, 잃어도 좋으니 발을 빼겠다는 뜻이다. 기존에 보유하고 있던 준식의 다른 지산 상황도 나을 게 없었다. 분양만 따지면 완판이었으나, 입주가 시작됐음에도 절반 넘게 공실이었다. 들어오려는 이가 있어야 월세라도 챙길 텐데 아무도 들어오려는 이가 없었다. 그렇다고 월세를 내리는 건 매매가를 떨어트리는 제 살 깎아먹기라 월세를 건드릴 수도 없었다. 월세가 맞춰지지 않으니 팔리지도 않았다. 악순환이었다. 이전에는 완공까지 갈 것도 없이 중간에 분양권에 P를 붙여서 내놓아도 잘만 팔려나갔었다. 그러니 잔금에 대해 고민할 필요가 없었다. 들고 간다 해도 어차피 대출도 잘 나왔고 매도 수익이 크니 대출 이자가 문제될 것도 전혀 없었다. 하지만 세상이 바뀌었다. 확 팔아치우고 싶어도 매수 문의조차 없었다. 중개사무실에 하루가 멀다고 전화해서 뭐 좋은 소식 없냐 물어보면 공인중개사는 늘 같은 말이었다. 기다리라고. 개미 새끼 한 마리 없는데 별수 있겠느냐고 말이다. 오전에 전화했을 때 공인중개사는 조금은 지친 목소리로 이렇게 대꾸했다.

"저기요, 사장님. 이렇게 매일 전화 안 주셔도 돼요. 매수자 오면 제가 어련히 알아서 할까요. 사장님이 이러신다고 달라질 게 없어요."

귀찮으니까 더는 전화하지 말란 소리였다. 아마 공인중개사의 컴퓨터에는 매수되기만을 기다리는 지산 매물이 차곡차곡 쌓여 있을 게 분명했다. 틀린 말은 아니었다. 하지만 전화마저도 안 한다면 너무 절망적이어서 견딜 수 없었다. 지인과 함께 샀던 지산 네 채를 포함, 분양권을 팔지 못해 끌고 온 지산들의 분양 잔금을 넣기 위해 끌어 쓴 대출 이자가 천만 원을 넘어섰다. 연 천만 원이 아니라 다달이 갚아야 할 이자가 천만 원이 넘는다는 소리다. 2% 중반 금리로 분양가의 80%를 끌어썼는데 대출 이자가 6.5%로 올라버렸다. 처음엔 2%대 이자 정도면 중간에 분양권을 못 팔아도 입주 후 월세만 맞추면 충분히 감당 가능하다고 생각했었다. 까짓거 팔아버려도 대출 갚고도 충분히 남는 장사였다. 하지만 이건 금리도 고정되고, 경기도 불장인 상태로 딱 고정되어야만 가능한 시나리오였다. 금리는 누가 뒤에서 쫓아오고 있나 싶을 정도로 숨 쉴 틈도 주지 않고 올랐다. 대출 금리 7%가 될지도 모른다는 미친 소리가 현실이 되어버렸다. 지산을 포함해 아파트까지, 분양과 재건축 시장에까지 찬바람이 불어닥쳤다. 준식이 들고 있는 지산에는 세입자도 없었고, 팔리지도 않았다. 마이너스피에 이어 월세를 깎아 준다는 이도 이미 등장했지만 입주자 모시기는 하늘의 별 따기였다.

준식이 모르던 게 있었다. 아파트건 지산이건 분양 상담사는 자신이 파는 물건을 하나쯤은 사놓는 경우가 많다. 분양 팀장이 애초에 하나씩 분양받을 것을 팀원들에게 요구하기도 한다. '나도 하나 샀다. 돈만 있다면 하나 더 사고 싶다.'는 상담사의 멘트는 마법과도 같은 주문이다. 달리 말하면 '망할 거면 내가 이걸 샀겠냐? 그러니까 너도 믿고 하나 사!'나 다름없기 때문이다. 하나씩 산 걸 그대로 들고 가는 상담사도 있지만, 그 현장 정리하고 떠나기 전에 털고 나가는 경우도 많다. 지산 상담사가 준식의 지인더러 '1억 미만' 투자를 위해 온 게 아니냐 물었던 것도, 사실 따져보면 누구나 할 수 있는 말이다. 지산에 관심이 있거나 분양받을 생각에 방문했다면 어차피 계약금 범위인 수천만 원 선에서 투자를 생각하고 있을 게 뻔했다. 더구나 준식의 지인은 상담 받는 동안 계속 준식의 뒤에서 한 발 물러선 입장으로 준식과 상담사의 대화에 귀 기울이고 있었고, 적극적으로 대화를 주도하는 것 역시 준식이었다. 이쯤 되면 뻔히 보인다. 준식이 지인보다 기가 세거나 돈이 많거나 둘 중 하나뿐이다.

분양 상담원으로 일하는 이들을 보면 딱히 부동산 전문가라고 할만한 이를 찾아보기 쉽지 않다. 전업주부로 지내다 애가 커서 여유가 생기니 마트 캐셔나 다른 비정규직으로 일하다 분양팀에 합류한 여사님도 제법 된다. 이들은 고객과 상담할 때 학군이나 아이 교육 같은 대화 소재로 이야기를 풀어나간다. 투자는 아무래도 남편이 앞에 나서는 경우가 많지만, 최종 결정권은 아내에게 있는 경우가 많다. 이럴 때 여사님들의 영업이 빛을 발한다. 집에서는 꼴 보기 싫은 남편일지라도 밖에서는 번듯한 남자로 보였으면 하는 게 부인들의 공통된 속마음이다. 욕해도 부인인 내가 욕해야지, 밖에서 자기 남편이 줄줄 새는 바가지로 보이면 누워서 침 뱉기인 걸 알기 때문이다. 여사님들은 자신에게 상담받는 사모님들에게 자녀교육, 노후, 안정적인 월세 수입 위주로 이야기를 풀어나갔다. 두 분이 이런 데 다니시는 거 보면 너무 부럽다고, 우리 남편은 부인이 이렇게 밖에서 열심히 일하는 거 알기나 하는지 모르겠다는 푸념도 잊지 않았다. 경제와 부동산에 대해서는 남자 직원들이 더 꿰고 있었지만, 실적은 경제 까막눈인 여사님이 더 좋은 경우도 드물지 않았다.

준식을 상대했던 상담사는 중고차 딜러 생활을 하다 분양 팀장인 외삼촌의 권유로 이 바닥에 발을 들였다. 어떤 물건이든 일단 맡기면 팔아치우는 재주가 있음을 외삼촌이 알아봤기 때문이었다. 일부 악성 중고차 업체와 달리 허위 매물로 고객을 낚을 필요도 없고, 아슬아슬하게 합법과 불법을 넘나들 필요가 없는 분양 일은 그에게도 썩 잘 맞아서 누구보다도 더 열심히 했고, 그만큼 실적도 좋은 편이었다. 중고차 딜러 출신의 상담사가 보기에 준식은 부동산 고수도, 부자도 아니었다. 투자 초짜를 데리고 다니면서 으스대는 허당에 불과할 뿐이었다. 물에서 헤엄치는 물고기에게 '어떻게 물에서 질식하지 않고 살 수 있니?'라 물으면 물고기는 실없는 질문이라고 생각할 것이다. 하늘을 나는 새에게 어떻게 날 수 있느냐 물어도 마찬가지다. 부자더러 "와, 부자시네요!"라 해봤자 부자는 심드렁할 뿐이다. 물고기가 물에서 헤엄치고 새가 하늘을 날 듯 부자는 일상이 부자인 삶을 살기에 부자라는 말에 놀랄 것도, 반응할 것도 없다. 부자라는 말에 반응하는 이들은 가난한 사람뿐이다. 부자는 구태여 부자로 보이려 하지 않지만, 가난한 자들은 없음을 감추기 위해 가진 척한다. 고수가 아닌 이들은 무지를 들키기 싫어서 아는 척한다. 축구장보다 넓은 중고차 매매 단지 내에서도 내로라하는 딜러였던 분양 상담원은 준식의 몸짓에서 허세를 읽었다. 구형 제네시스 앞에서 자신과 눈이 마주쳤을 때 당황하는 표정을 읽었다. 자족하는 이들은 내가 무엇을 입고, 무엇을 먹고 마시며 어떤 차를 타든 내 만족으로 즐길 뿐이다. 남이 어찌 보든 신경을 쓰지 않는다. 오로지 내 만족이 중요할 뿐이다. 하지만 자신의 은색 중고차 앞에서 상담원과 마주친 준식의 눈동자는 크게 흔들리고 있었다. 이렇게 속이 빤히 보이는 사람은 오히려 쉽다.

만약 준식이 아니라 젊은 남자가 조수석에 여자친구를 태운 채 수입차를 타고 왔으면 어땠을까? 2013년식 은색 제네시스가 찐 부자의 차라 말했던 그는 수입차 오너에게는 어떻게 영업했을까? 젊은 남자가 탄 차가 벤츠 E클래스 구형 흰색이었다면? 그리고 그 차가 앞에는 한국타이어를 끼고, 뒤에는 넥센타이어를 낀 짝짝인데 앞바퀴 휠은 평행주차하다 반쯤 씹혔는데도 교체하지 않은 상태라면? 십중팔구 차주인 젊은 남자는 부자이기보다는 카푸어일 가능성이 크다. 여유 있는 이라면 앞뒤 타이어를 짝짝이로 달고 다닐 가능성이 낮다. 출고 당시 타이어인 미쉐린 또는 피렐리를 끼거나 금호타이어의 프리미엄 레벨인 마제스티 솔루스로 가는 식이다. 지산 상담사는 중고차 딜러 생활을 오래 했기에 차종과 상태만 봐도 상대의 재정 상태를 대충 가늠할 수 있었다. 하지만 분양 상담사에게 상대가 카푸어냐 아니냐는 전혀 중요하지 않다. 상대에게 지산을 팔 수 있느냐 없느냐, 상대가 사줄 것이냐가 중요하다. 아마도 준식을 상대했던 상담원이라면 벤츠를 끌고 온 젊은 오너에게 "E클래스는 5시리즈가 무슨 수를 써도 넘을 수 없는 거대한 산"이라 말했을지도 모른다. 벤츠가 왜 벤츠인 줄 아느냐고, 세계 최초로 내연기관 자동차를 발명한 칼 벤츠가 자기 이름 따서 만든 차라고, 자동차의 역사는 곧 벤츠의 역사인데 그런 벤츠에서도 볼륨 모델이 바로 E클래스라고 너스레를 떨었을 것이다.

부동산을 차와 비유하면 이해가 쉽다. 가장 많이 팔리는 세단이나 SUV는 사람이 타고 다니는 게 목적인 승용차다. 승용차는 아파트와 같다. 반면 트럭은 상용차다. 사람을 많이 싣는 게 아니라 짐을 많이 싣는 게 목적인 상업용으로 제작한 차다. 트럭은 지산과 같다. 승용차도 크기에 따라 대, 중, 소가 나뉘듯, 기함으로 불리는 럭셔리 세단은 차를 소유한 이의 재력을 과시하는 용도로 쓰이기도 한다. 승용차의 본질은 사람을 태우고 안전하게 이동하는 것이지만, 목적을 넘어서 재력을 가늠하는 바로미터가 되기도 한다. 아파트도 마찬가지다. 가족이 편하게 거주하는 게 목적이지만 아파트 자체가 소유자의 자산을 대변하기도 한다.

또한 아파트와 승용차는 세금 부과 비중이 상업용 부동산과 트력에 비해 높다. 예컨대 배기량 2500cc 이하 승용차의 경우 비영업용은 cc당 200원의 세금이 붙는다. 반면 같은 배기량인 영업용은 cc당 19원밖에 안 된다. 영업용이 비영업용 세금의 10분의 1 수준인 셈이다. 당장 픽업트럭만 보더라도 1년에 내는 자동차세가 3만 원 수준밖에 안 되는 걸 보면 실감할 수 있다. 지식산업센터는 옛날에 '아파트형 공장'으로 불렸다. 아파트형 공장이 '지식산업센터'라는 그럴듯한 이름으로 바뀌고 불장을 만나며 각광받는 투자상품으로 둔갑한 것이다. 우리나라 자영업 시장을 지탱하는 포터나 봉고의 이름을 럭셔리하게 바꾼다 해도 결국 본질은 상용차다. 하지만 부동산 불장에서 많은 투자자는 포터나 봉고 같은 트럭이 세단인 아파트보다 더 투자가치가 높은 상품이라며 목소리를 높였다. 지산은 세금 중과로부터 자유로운 게 투자할 때 큰 이점이라 했지만, 지산은 승용차 같은 아파트가 아닌 트럭과 같은 상업용 물건이기에 당연히 세금도 쌀 수밖에 없다. 지산이나 생숙에 세금 혜택이 있는 건 그것들이 본질적으로 트럭과 같은 상용차 범주에 속하기 때문이다. 세단을 사는 사람은 트럭을 사는 사람더러 '당신은 왜 이렇게 세금을 적게 내나?'고 따지지 않는다. 애초에 승용과 상용은 적용하는 기준과 규제가 다르기 때문이다. 아파트나 지산도 마찬가지다. 지산이 세금으로부터 자유로워 투자 상품 중의 틈새로 떠오른 건 사실이지만, 지산의 본질은 아파트형 공장이라는 걸 잊으면 안 된다. 불장에서는 지산뿐만 아니라 모든 부동산의 가격이 오르기 때문에 발생하는 착시일 뿐, 지산은 지산이고 트럭은 트럭일 뿐이다.

우리가 아는 화려한 꽁지덮깃을 지닌 공작은 수컷이다. 수컷의 화려한 깃은 암컷을 꼬드기는 게 목적이다. 여성 앞에 선 미혼 남성은 공작의 깃털보다 더한 화려한 허세로 자신을 드러내고 싶어 한다. 화려한 깃털이 암컷의 눈길을 끄는 데는 더할 나위 없지만, 사냥감을 찾는 포식자의 눈에도 그토록 잘 보이는 먹잇감이 없다. 수컷의 화려한 꽁지덮깃은 번식기 이후에는 떨어져 나가 평범한 꽁지깃만 남는다. 수컷의 화려함은 번식이 이뤄지는 봄과 여름 사이 한철이다. 가을과 겨울의 공작은 봐줄 만한 게 남지 않는다. 수컷 공작처럼 화려함을 좇던 미혼 남성 역시 가정을 이루고 아빠가 되면 별반 눈에 띄지 않는 수수한 아저씨가 되는 것과 다를 게 없다. 치기 어린 인생의 봄과 뜨거운 여름을 보내고 성숙해지는 가을과 겨울에는 평균의 삶을 살며 소소한 행복을 누리고 사는 셈이다. 대신 평범하고 욕심 없는 아저씨는 포식자의 눈에 띌 확률도 그만큼 줄어든다. 욕망으로 점철된 화려한 깃을 뽐내는 수컷이야말로 포식자의 가장 쉬운 표적이 되기 마련이다. 어떤 감언이설로 꼬드겼든 상담사는 결국 지산을 팔았을 것이다. 준식에게 그랬듯이 말이다.

준식은 호기롭게 지산을 사들였던 때를 다시 떠올렸다. 정말 이렇게 될 줄은 상상도 못 했다. 다달이 메워야할 대출 이자만 천만 원이 넘을 줄 알았다면 한자리에서 지산 분양권 네 개를 사들이는 만용은 부리지 않았을 것이다. 그리고 언제까지나 곁에 있어 줄 것으로 생각했던 아내가 정말 떠날 걸 알았더라면, 한 번 더 아내를 붙잡았을 것이다. 준식은 아내가 떠나기 전날까지도 설마 자신에게 그런 일이 일어나리라고는 생각조차 못 했다. 아내가 떠난 날 새벽에도 준식은 혼자 술을 홀짝이고 있었다. 이자 생각만 하면 잠이 오질 않았다. 눈은 감기지 않는데 몸은 피곤했다. 한강에 빠진 익수자를 건져 올릴 때 의식이 없는 익수자의 몸은 실제 몸무게보다 훨씬 무겁게 느껴진다. 준식은 자신의 몸이 물에 빠진 익수자의 몸뚱이 같았다. 절망이라는 물에 흠뻑 젖은 의식 없는 몸뚱이 같았다. 준식은 새벽 네 시까지 시뻘게진 눈을 끔뻑이다가 해가 떠오를 때쯤이 되어서야 겨우 자리에 눕곤 했다. 그러다 술을 입에 대기 시작했다. 처음엔 반병만 마셔도 조금 더 일찍 잠들 수 있었는데, 술에 내성이라도 생긴 것인지 이제는 매일 소주 두 병을 다 비워야 겨우 잠에 들었다. 잠을 청하는 게 아니라 지치고 취해 쓰러지는 것에 가까웠다. 새벽 세 시쯤 아내가 안방에서 나왔다. 등 뒤로 아내의 기척이 느껴졌으나 준식은 별다른 내색을 하지 않았다. 아내 역시 아무 말 없이 준식을 지나쳐 정수기 앞에 섰다. 정수기에서 떨어지는 물소리만이 준식이 그토록 자랑스러워하던 국평 아파트의 거실을 채웠다. 컵을 들고 들어가려던 아내는 다시 멈춰서더니 냉장고에서 뭔가를 꺼냈다. 뒤돌아서서 뭘 하나 싶었는데 감자칼로 오이 껍질을 숭덩숭덩 깎더니 툭툭 잘라 접시에 담아 내왔다. 마트에서 1+1일 때 산 고추장은 통째 꺼내 준식 앞에 두었다.

"소주만 마시면 안 쓰니? 오이라도 먹어."

아내의 시선이 식탁 위 빈 소주병에 닿았다. 아내의 한숨 소리를 들었던 것 같기도 하다.

"이따 출근해야잖아. 무리하지 마."

그 말을 남기고 아내는 안방으로 들어갔다. 새벽까지 소주를 마시다 거실 바닥이나 소파에 널브러져 잠든 게 하루 이틀 일이 아니다. 야간 근무를 마치고 해가 떠있을 때 돌아오면 낮술을 마셨고, 주간조일 때는 퇴근 후 새벽까지 술을 마셨다. 아이들이 학교에 가거나 학원에서 돌아왔을 때 아빠인 준식이 거실에서 자고 있으면 행여 아빠를 깨울까 봐 뒤꿈치를 들고 걸었다. 그러다 그것도 익숙해졌는지 아빠가 아니라 커다란 의자나 공기청정기가 거실 한복판에 쓰러져 있는 것처럼 크게 의식하지 않고 피해

다니며 걸었다. 준식의 눈에서 빛이 사라져갈수록 준식의 아내 역시 얼굴에서 생기가 사라져갔다. 하루 종일 서로 눈도 안 마주치거나 '밥 먹어.' 정도의 말을 하는 게 다였다. 어떨 때는 '아빠 식사하시라고 해.'라며 아이들에게 말을 전하게 시키기도 했다. 그래도 그날 새벽, 아내는 깡소주를 마시던 준식에게 안주하라며 오이를 깎아 내주었다. 출근해야 하니 무리하지 말라고도 말해주었다. 오히려 아내는 평소보다 많은 말을 했다. 남편을 걱정하는 눈치를 보였다. 아니, 걱정하는 거라 생각했었다. 준식이 근무를 마친 후 늘어진 몸을 끌고 귀가했을 때, 무언가 달라졌다는 걸 느꼈다. 적막이 온몸을 휘감았다. 몸서리쳐질 정도의 시린 고요가 서리처럼 내려앉았다.

아내가 떠났다.

전화해도 받지 않았다. 문자나 톡을 보냈지만 1이 사라지지 않았다. 장모님께 전화를 드릴까 하다 그만두었다. 평소에도 따로 전화 드린 적 없는데 집 나간 아내를 찾는다며 전화하는 것도 웃긴 일이었다. 준식은 첫째에게 톡을 보냈다.

아빠 보고 싶지 않니?

엄마와 달리 1이 사라졌지만 답장은 없었다. 둘째에게도 톡을
보내보았다.

밥은 잘 먹고 다니지?

1이 사라지지 않는다. 둘째는 첫째 껌딱지니까 아마 첫째 옆
에 붙어있을 것이다. 어쩜 핸드폰이 울렸을 때 첫째가 옆에서 보
고 아빠가 보낸 거라고 말했을지 모른다. 아니, 첫째가 그렇게까
지는 하지 않았을 것 같다. 아니, 아니. 잘 모르겠다. 준식은 냉장
고를 열었다. 밀폐 용기 가득 담아둔 깎아둔 오이가 보인다. 애
들 데리고 집 나가는 와중에도 깡소주를 마실 준식을 위해 남겨
둔 아내의 배려다. 아내는 이런 여자였다. 가지런했던 오이는 네
모반듯한 유리그릇 안에서 점점 말라가고 있었다. 뚜껑을 열어
집어보니 물기 하나 없이 축 늘어진다. 준식은 오이 하나를 입에
넣어 우물거리다가 싱크대에 뱉었다. 찬장에서 라면을 하나 꺼
내 전자렌지에 넣고 10초를 돌렸다. 전에 용범 선배랑 같이 야간
근무할 때 선배가 알려줬는데, 생라면을 전자렌지에 넣고 앞뒤로
10초씩 데우면 한결 더 고소하고 바삭한 맛이 난다고 했다. 한강
다리를 밝히는 가로등처럼 누런 불빛에 둘러싸인 생라면이 전자
렌지 안에서 빙글빙글 돌고 있다. 준식은 그걸 멍하니 바라보다
냉장고를 열어 소주 뚜껑을 땄다.

까드득

오늘따라 병뚜껑 따는 소리가 더 경쾌하다. 싱크대엔 설거지가
안 된 그릇이며 술잔이 한가득이다. 준식은 병째 입에 대고 벌컥
벌컥 소주를 들이켰다.

땡

생라면이 바삭하게 다 구워졌다. 준식은 생라면을 가지러 가려
다 문득 거실 창을 바라봤다. 식탁 위 조명에만 불을 켜둔 터라
거실 유리창에 비친 준식의 모습은 술병을 든 유령 같다. 준식은
소주를 한 모금 더 마신다. 문득 아내 목소리가 듣고 싶다. 아내
에게 전화를 걸었다. 음성사서함으로 전환된다. 끊고 술을 한 모
금 더 마신다. 아내에게 전화를 걸었다. 몇 번 그렇게 끊었다 걸
었다를 반복한다. 전화를 받는다. 아내다.

"……"

아내는 말이 없다.

"혜정아."

전화 너머로 나직한 한숨 소리가 들린다. 지금 몇 시인 줄 아느냐고 타박할 것만 같다. 벽시계를 보니 새벽 2시 27분이다.

"밤마다 왜 이래?"

아내, 혜정이의 목소리는 한겨울 한강보다 더 차디차다.

"아니, 그냥. 목소리가 듣고 싶어서."
"그래서 어제 새벽에도 전화를 서른네 통을 한 거야?"
"무슨 소리야? 어제 전화한 적 없어. 당신 집 나간 뒤로 처음 전화한 거잖아."
"……"
"너무 늦게 전화해서 화난 거야?"
"저기, 준식 씨."
"응? 왜?"
"제발 부탁인데, 우리 엄마한테 전화 좀 하지 마."
"장모님? 내가 왜 장모님한테 전화해?"
"준식 씨, 정신 차려. 우리 엄마 당신 번호 차단했어. 이젠 진절머리 난대."
"그게 무슨 소리야? 장모님한테 내가 전화를 왜 하냐고?"
"이젠 기억도 안 나는 거야?"

준식은 답답한 마음에 소주를 한 모금 마셨다.

"지금 전화하면서 술 마시니?"

"아냐. 술 안 마셔."

"안 먹긴 뭘 안 먹어. 딱 봐도 방금 술 마셨는데. 어쩜 당신은 참 한결같다."

"아니라니까, 자꾸 왜 그러는데."

"됐어. 끊어. 그리고 전화하지 마. 마무리 안 된 것들은 문자로 얘기해."

"혜정아."

"끊어."

"혜정아, 잠깐만."

"……"

"애들은, 애들은 잘 지내?"

준식의 질문에 아내가 웃는다. 얼어붙은 강물이 조금 녹는 건가 싶다.

"왜 이제 와서 관심 있는 척하는데?"

"뭐? 그게 무슨 말이야?"

"안 하던 짓 하지 마. 당신은 쭉 그냥 당신처럼 살아."

"……"

"내가 왜 당신이랑 못 살겠다고 하는지 알아?"

"……"

"당신 설마 다달이 나오는 돈 천만 원 이자 때문에 내가 애들 데리고 집 나온 거 같아?"

"여보, 아니 혜정아, 지금은 조금 어렵지만, 이 시기만 잘 버티면 내가 어떻게든…"

"설마 했는데 진짜 그렇게 알고 있나 보네. 내가 돈 때문에 당신 버린 거라 생각하는구나?"

"사실 그 이유 아냐? 맞잖아. 돈 때문이잖아."

"그게 진짜 이유라면, 당신이 돈 많은 부자 되면 내가 재결합하자고 애들 데리고 들어가겠네?"

"그래, 그러니까 조금만 참고 기다려주면 보란 듯이 빚도 갚고 돈도 많이 벌테니까."

"너도 정말 너다."

저 밑바닥에서부터 끌어올린 듯한 한숨이 전해졌다. 준식은 아내가 왜 이러는지 도무지 알 수가 없었다.

"당신은 정말 사람을 질리게 만들어. 진절머리가 난다고! 당신은 정말 당신밖에 몰라. 당신은 아마 죽을 때까지 내가 왜 당신과 헤어져야만 했는지 이유를 모를 거야. 그러니까 쭉 그냥 당신처럼 살라고!"

   전화가 뚝 끊어졌다. 준식은 이해할 수 없었다. 무슨 전화를 서른네 통이나 했다는 건지, 전화한 적도 없는 장모님께 무슨 전화를 하지 말라는 건지. 그리고 자신이 부자가 된다면 아내가 아이들을 데리고 다시 자기에게 돌아올 게 뻔하지 않은가. 아내가 돈 때문에 가정을 버렸다고는 차마 인정할 수 없으니 돌려 말하는 것뿐이라고 준식은 생각했다. 말을 많이 해서 그런지 목이 말랐다. 준식은 술병을 들어 벌컥벌컥 들이켰다. 유리창에 비친 자신의 모습이 마치 목청껏 나팔을 부는 것처럼 보였다. 준식은 술병을 든 채 베란다로 나갔다. 확장을 안 한 구축이라 베란다의 바닥 타일은 얼음처럼 차디찼다. 하지만 준식은 발바닥에 느껴지는 게 차가움인지 뜨거움인지 알 수 없었다. 잠깐 머리가 핑 돌았다. 문득 준식은 아내 목소리가 듣고 싶어졌다. 아내가 집을 나간 이후로 문자나 톡으로만 얘기하니 이제는 목소리마저 잊을 것만 같았다. 준식은 스마트폰을 들어 아내 번호를 눌렀다. 전화기는 꺼져있었다. 잠자리에 들면서 꺼둔 게 분명했다. 아내가 애들까지 데리고 처가에 가버렸으니 장모님 뵐 낯도 없다. 준식 씨는 내일 일어나는 대로 장모님께도 전화를 드려 죄송하다고 말씀드려야겠다고 생각했다. 그러려면 이제 그만 자야 하고, 잠들기 전에 술이 좀 깨는 편이 낫겠다 싶다.

준식은 베란다 창문을 열었다. 뻑뻑하니 잘 안 열린다. 요즘 창은 이중창이 기본인데, 준식 씨네 집은 준식 씨 만큼이나 나이를 먹은 알루미늄 단창이다. 삐걱대며 창문을 열자 차가운 바람이 준식의 얼굴을 덮친다. 준식은 허공을 향해 손을 내밀었다고 생각했는데 중간의 모기장이 힘없이 뚫렸다. 준식은 모기장마저 열어젖혔다. 이제 하늘과 준식 사이를 가로막은 건 아무것도 없다. 난간 너머로 몸을 내밀고 고개를 들어 새벽하늘을 보니 동쪽에 샛별이 반짝이는 게 보인다. 준식은 샛별을 잡으려는 듯 손을 내민다. 조금만 더 손을 내밀면 금세라도 별이 손에 잡힐 것만 같다. 몸을 좀 더 내밀어 본다. 한 뼘만, 정말 한 뼘만 더 내밀면 닿을 것 같다.

"으어어억!"

준식의 몸이 순식간에 앞으로 확 쏠렸다. 상반신은 베란다 난간 너머로 이미 반쯤 넘어간 상태다. 준식은 가까스로 난간과 창틀을 움켜쥐었다. 자칫 잘못했으면 정말 아래로 떨어질 뻔했다. 새벽 공기가 아직 찬데 등줄기에 식은땀이 죽 흐른다. 준식은 다리에 힘이 풀려 차디찬 타일 바닥에 주저앉고 말았다.

"제기랄, 까딱하다 정말 죽을 뻔했네."

말해 놓고 보니 웃기다. 아내에게도, 아이들에게도 버림받았고 모든 걸 잃었다. 요즘은 살아도 산 것 같지가 않다. 그저 살아 있는 시체처럼 다닐 뿐이다. 그럼에도 불구하고 실수로 삐끗했을 때, 저도 모르게 힘이 솟아 온 힘을 다해 난간을 움켜쥐었다. 찰나의 순간 1층 보도블럭이 눈에 들어왔을 때, 정말 짧은 순간이지만 너무 무서웠다. 정말로 떨어져 버리는 건 아닌가 싶어서 너무 무서웠다. 아이들을 다시는 못 보게 되는 건 아닐까 싶어서 너무 무서웠다. 준식은 모든 걸 다 잃은 상황에서도 살려고 버둥대는 자신의 꼴이 우스워서 껄껄대며 조금 웃다가, 살고 싶은 마음에 오랫동안 울었다. 고개를 묻고 아주 오랫동안 울었다.

불침번을 서는
철조망 아파트

❖❖❖

준식은 수난구조대 일을 그만두었다. 덕구 씨만 보면 깐족거리던 준식이 보이지 않으니 덕구 씨는 조금 허전한 기분이 들었다. 지방으로 내려갔다고 하는데, 들어보니 고향인 섬으로 돌아가 배를 탄다는 것 같았다. 준식이 자랑하던 서울 국평 아파트는 세를 내줬다고 한다. 상급지로 갈아타기할 거라고 노래를 불렀지만 일이 잘 안 풀린 모양이었다.

덕구 씨는 얼마 전 파주에 다녀왔다. 싸부가 떠난지 벌써 1년이 지났다. 덕구 씨는 싸부 곁에 팩소주 하나를 올려두고 나왔다. 간 김에 신축 빌라였던 엘리제에도 들렀다. 차는 몇 대 주차되어 있었지만 생기가 느껴지지는 않았다. 엘리제 말고도 번듯하게 지었으나 주인을 찾지 못한 빌라가 곳곳에 널려 있었다. 덕구 씨에게는 작은 아파트 한 채가 남았다. 아생연후살타, 수연의 말을 듣고 급매로 내놓은 덕에 딱 한 채 빼고는 모두 매도할 수 있었다. 천운이었다. 이후로 거래는 뚝 끊겼다. 한 채가 남았으나 보러 오는 이가 없으니 들고 가는 수밖에 없었다. 그나마 다른 집들을 정리한 덕분에 남은 한 채는 월세로 돌렸다. 전세보증금을 내어주고 더하고 빼고 보니 손에 남는 게 없었다. 덕구 씨는 1주택자였지만 세입자이기도 했다. 마지막 하나 남은 집은 세를 내주고, 본인 역시 남의 집에 전세로 들어갔다. 새 전셋집에 이사한 날, 그렇게 마음이 편할 수 없었다. 내 집도 아니고 신축도 아니었지만 비할 데 없이 마음이 가볍고 좋았다.

과연 상승장이 있었나 싶을 정도로 부동산 경기는 쪼그라들었다. 아파트 상가 1층 목 좋은 곳을 차지한 덕분에 다른 업종에 비해 월세가 높은 공인중개사 사무실은 비싼 월세를 감당하기 힘들어 줄줄이 폐업을 선언했다. 중개 물건이 없으면 공인중개사가 버틸 재간이 없다. 상승장에서 매출이 급상승했던 인테리어업체도 하나둘 업종을 바꾸거나 폐업했다. 아파트 거래량이 하늘을 찍을 당시 갈아타기나 여러 이사 수요로 인해 잘나가던 인테리어 업체는 몇 개월 치 일이 밀려있곤 했는데, 이제는 일도 줄었을뿐더러 일이 있다 해도 도배와 장판 교체 등 최소한으로 손대는 일만 겨우 있을 뿐이었다. 바닥과 가벽, 화장실을 뜯어내고 부엌 구조까지 완전히 바꾸는 인테리어는 국평 기준 1억5천만 원에서 2억 원까지 했는데, 이제는 2천만 원 내에서 도배와 장판만 바꿔도 새집 같다며 만족하는 분위기였다. 부동산 거품이 꺼져가며 금리가 치솟았고, 이사도 못 가니 국내 인구이동은 사십여 년 만에 최저를 기록했다. 다만 서울 인구는 경기, 인천으로 속절없이 빠져나갔다. 서울 인구가 빠져나가는 것처럼 경제나 주식, 재테크, 부동산, 인테리어 유튜브의 구독자가 빠져나갔고, 더 이상 구독자가 늘지 않는 정체가 발생했다. 영상을 더 자주 올려도 조회수는 더 낮아졌다. 사람들의 관심이 돈이나 재테크에서 점점 멀어지고, 이제는 생존에 대한 근원적인 고민을 하기 시작했다. 거품이 꺼진 빈자리에 우울이 흘러들었다.

데드 캣 바운스가 지나며 거래량이 줄었지만 전세가는 오르는 현상이 벌어졌다. 다들 마지막 탈출을 위해 집을 매물로 내놓는 바람에 전세 물건이 줄어들기에 당연한 결과였다. 하지만 한쪽에선 전세가가 오르니 곧 매매가를 밀고 올라갈 것이라고 외쳤다. 전세가가 오르는 건 아파트값 상승의 전조라는 것이었다. 덕구 씨처럼 과감하게 급매를 내놓은 경우는 마지막 기회를 붙잡고 가진 걸 털 수 있었다. 하지만 전세가 상승 뒤에 아파트값 상승이 올거라 생각하며 버티던 이들은 기회를 잃었다. 집이 팔리지 않자 집주인들은 매도가 아닌 전세로 돌렸다. 전세 물건은 다시 늘어났다. 전세가가 조금씩 오르긴 했지만 집값과 괴리가 커서 갭투자를 할 수 없는 상태였다. 다들 '이러다 집값이 다시 오르는 거 아냐? 지금이라도 사야 해?'라거나 '집값은 다시 오를 거야! 조금만 기다려보자!'라며 주변 눈치를 보기 바빴으나, 끝내 희망의 마지막 불씨마저 사그라들었다. 정부에서 50년 상환 대출을 홍보하며 젊은 층을 대상으로 여러 구실로 금리를 낮춘 대출 상품을 선보였고, 심지어 다자녀 부부만을 위한 저금리 대출 상품도 생겼지만 언발에 오줌누기였다. 조삼모사와도 같은 대출 상품은 무인도에 표류하게 된 사람이 갈증을 견디다 못 해 바닷물을 들이켜는 것과 다를 게 없었다. 이때의 대출은 독사과일 뿐이다. 가계 대출은 사상 최대치를 기록했고, 뒤이어 신용카드 대출 연체 역시 최대치를 기록했다. 금융권 대출에 비해 소액인 신용카드 대출이 연체되기 시작했다는 건, 그런 소액마저도 막을 길이 없어 돌려막고 돌려막다가 이제 더 이상 피할 곳이 없는 벼랑에 내몰렸다는 소리와 다를 게 없었다.

자본주의는 빚으로 굴러간다. 물건을 살 때, 돈을 빌리고 갚을 때 우리는 진짜 종이돈이 아니라 계좌에서 계좌로 옮겨 다니는 숫자로 거래한다. 가난한 자가 빚을 많이 내야만 부자들의 삶이 유지된다. 정부는 경제를 부양할 땐 돈을 풀고, 물가가 오르면 돈을 거둬들이면 그만이었다. 다수의 서민은 돈이 풀리고 금리가 낮아질 때 빚을 내어 집을 사거나 투자를 했다. 집값이 비싸지면 부자나 다주택자는 서민과 무주택자에게 자신의 집을 비싼값에 팔았다. 거시경제에 먹구름이 드리우면 기축통화국인 미국은 금리를 올렸다. 변방의 대한민국 역시 금리를 올리며 돈을 거둬들일 때 더 이상 버티지 못하는 서민들은 자신의 집을 매물로 내놓았다. 길거리에 나앉지 않으려면 어쩔 수 없는 일이었다. 부자들은 이때 헐값이 된 집을 사들였다. 금리가 오르면 현금자산이 많은 부자는 더 부자가 되었다. 대출 금리가 오르면 은행들은 이자 잔치를 벌이며 사상 최대의 실적을 갱신했다. 경기의 사이클을 대비하지 못한 채 분에 겨운 대출을 끌어 쓴 서민만이 모든 고통을 고스란히 짊어지게 되었다. 한 사이클이 돌아 다시 자산 가격이 오를 때쯤이면, 이미 지난 세대의 서민들은 투자라면 지긋지긋하다며 치를 떨고 아파트에 투자할 생각을 전혀 하지 않게 될 게 뻔했다. 투자 경험이나 정보가 대를 잇지 못하고 끊어지는 이유는 실패한 투자자들이 투자판을 영영 떠나버리기 때문이다. 반면 상승장에 사회생활을 시작한 이십대는 월급 받는 새내기 직장인이 되자마자 주식이며 코인이며 부동산이며 모든 자산 가격이 치솟기 시작하자 자신이 벌어들이는 월급이 푼돈일 뿐이며 월급만 모아서는 결코 부자가 될 수도, 서울에 아파트 한 채 살 수 없다는 절망에 빠져들게 된다. 이때 투자의 신을 자처하는 이들이 나타나 자신이 어떻게 아파트로 100억 부자가 됐는지 말을 흘린다. 거기에 혹한 이들은 빨리 부자가 될 수 있다는 말에, 자신도 서른아홉에 100억 부자가 될 수 있다는 환상에 빠져 비장의 무기를 꺼내 든다. 바로 레버리지, 대출이다. 빚은 양날의 검으로 자산이 될 수도 있지만, 팔아야 할 때 팔지 못하면 자신의 심장을 후벼파는 리스크가 되어 돌아온다. 하지만 아무도 위험하게 생각하고 있지 않다가 결국 하락장이 되어 빚의 칼날에 자신의 목을 내놓게 된다.

정부가 빚을 권한다는 건 서민을 담보로 정부와 부자들을 살리겠다는 시그널에 다를 게 없다. 50년 상환 대출 상품은 서민을 50년 동안 자본가와 은행의 노예로 만들겠다는 말의 곱디고운 표현이다. 50년이나 걸려 집을 사야만 한다면 집을 안 사는 게 맞다. 100세 시대라 해도 인생의 절반을 집 한 채에 담보 잡혀서는 안 된다. 그건 내 집이 아니라 은행의 집이며, 달콤한 내 집이 아니라 국평의 감옥일 뿐이다. 하지만 그때는 그걸 깨닫지 못한다. 사람들은 피리 부는 사나이를 따라가듯 스스로 부자라며 돈 자랑을 하고 듣기 좋은 곡을 연주하는 사나이를 따라 안전한 집을 벗어난다. 그들은 쥐 떼처럼, 아무것도 모르는 순진한 아이처럼 피리 부는 사나이를 따라 나가지만, 그들이 다시 집으로 돌아온 걸 본 사람은 아무도 없다. 피리 부는 사나이를 따라가면 부

자가 될 거라 확신했건만, 부자가 되어 금의환향한 이들은 찾아
보기 어렵다.

  미국의 생태학자이자 행동과학자인 존 B. 칼훈은 1968년 네
쌍의 쥐로 사회실험을 시작했다. 바로 '유니버스 25 프로젝트'였
다. 천적이 없으며 먹이와 둥지가 제공되는 1평이 채 안 되는 공
간에서 여덟 마리의 쥐는 번식을 거듭하여 55일마다 두 배로 숫
자가 늘어났다. 실험 315일째, 쥐는 620마리까지 늘어났으나 증
가율은 점점 떨어지기 시작했다. 실험 600일째 마지막 쥐가 태
어났다. 쥐는 2,200마리에 달했다. 그 이후로 쥐는 더 이상 늘어
나지 않았다. 이즈음 어미 쥐들은 새끼 쥐를 둥지에서 내쫓거나
죽였다. 일부 수컷 쥐들은 암컷 쥐와 둥지를 지킬 수 없게 되었
다. 암컷 쥐들의 공격성이 높아졌다. 서열이 낮은 수컷들은 번식
을 포기하는 듯했고, 서로 공격하게 되었다. 암컷과의 짝짓기는
수컷들의 관심을 끌지 못했다. 암컷을 두고 싸우는 일도 줄어들
었다. 쥐들끼리 동성애나 강간이 발생했다. 암컷은 더 이상 새끼
를 낳지 않았고, 수컷들은 혼자 지내며 먹고, 마시고, 자고, 몸을
단장하는 일에만 신경썼다. 사회 활동을 멈추고 자신만 돌아보게
된 셈이다. 결국 실험은 중단되었다.

  어떤 이는 유니버스 25 프로젝트 말미의 쥐처럼 모든 사회적

활동을 포기한 채 자신만의 공간에서 자조 섞인 만족을 누리며 살지도 모른다. 개도국의 경제가 급성장하여 선진국에 진입하는 시점이 되면 동일한 현상이 나타난다. 한국의 N포 세대나 일본의 초식남, 사토리 세대, 니트족이 그렇다. 중국도 예외는 아니다. 중국에도 가만히 누워서 아무것도 하지 않는 청년을 의미하는 '탕핑족'이라는 신조어가 생겼다. 중국 청년 실업률이 역대 최고인 21.3%를 기록한 2023년 6월 이후 중국 정부는 실업률을 발표하지 않고 있다. 2023 통계연감에 따르면 중국의 초혼자 수는 1051만4600명으로 1985년 통계를 집계하기 시작한 이후 최저치로, '결혼 파업'이라는 말까지 돌고 있다. 결혼을 하지 않으니 당연히 출산율 역시 가파르게 떨어질 수밖에 없다. 연애와 결혼과 출산, 취업을 포기한 세대가 늘어나며 한편으론 여권 신장의 목소리가 높아지고, 동성애나 강간, 묻지마 범죄와 같은 사건이 늘어난다. 혹자는 유니버스 25 프로젝트와 마찬가지로 인류 사회 역시 붕괴될 지 모른다며 지레 겁먹을 수도 있다. 인구 수는 정점을 찍었으니 초고령화 사회로 접어들며 줄어든 인구 수만큼 집은 남아돌고 집값 역시 영원히 하락할 거라 주장할 수도 있다.

하지만 유니버스 25 프로젝트와 인간 사회는 다르다. 쥐의 사회에는 자본이 없다. 인간에게는 누군가 알아서 먹이와 물을 주고 살 곳을 제공하지 않는다. 쥐 사회 실험에서는 실험이 인위적으로 중단되었으나, 인간의 삶은 반복되고 또 계속된다. 어떤 이는 2020~2021년의 집값 폭등을 말할 때 코로나19를 언급하며 팬데믹과 경기부양으로 인한 폭등이기에 다시는 그와 같은 폭등기는 오지 않으리라 말하기도 한다. 하지만 코로나19는 인류가 대비 없이 맞닥뜨린 수많은 팬데믹 중 하나일 뿐이며, 마찬가지로 인류가 끝내 극복한 수많은 팬데믹 중 하나일 뿐이다. 인류에게는 흑사병도 처음 겪었던 팬데믹이었으며, 메르스, 신종플루 또한 처음 겪는 일이었다. 우리에게는 늘 새로운 백신이 필요했고, 새로운 돌파구가 필요했으며, 결국 우리는 모든 걸 극복했다. 전쟁 때문에 집값이 떨어진다 말하는 이들에게도 묻고 싶다. 인류가 탄생한 이후로 지구상에 단 하루라도 전쟁이 일어나지 않은 때가 있었는지 말이다. 인간은 늘 누군가를 상대로 전쟁을 벌이고 있었다. 특정한 이슈가 발생했다고 해서 계절을 멈출 수는 없다. 계절이 변하는 것이 먼저고 이슈는 그 다음이다. 질병과 전쟁 때문에 계절이 바뀌는 게 아니다. 계절이 오고 가는 걸 당기고 늦출 수 있는 것도 아니다. 흘러가는 것은 그저 흘러갈 뿐이다.

위기와 기회는 늘 새로운 모습으로 다가온다. 이번 위기가 지났으니 다시는 기회가 오지 않을 것이라는 말은 이번 위기가 지났으니 다시는 위기가 오지 않으리라고 확언하는 것처럼 어리석은 말이다. 역사가 늘 반복될 수밖에 없는 것은 인간의 어리석음과 욕심이 늘 반복되기 때문이다. '이번만큼은 다르다'라며 구명조끼 없이 바다에 뛰어든 사람들은 피리 부는 사나이를 쫓아간 쥐처럼 다시는 집으로 돌아오지 못했다. 욕심이 이끄는대로 무작정 달려가다 보면 어느새 밀려든 밀물이 목까지 차오른 것을 알게 될 것이다. 복리의 강력함을 역설하는 스노볼 이펙트나 아파트 사이클은 모두 안전마진을 확보한 채 시간에 투자한다는 공통점이 있다. 시간을 초월할 수 있는 존재는 아무도 없다. 비가 내리지 않고 물이 차지 않는데 배를 띄울 수는 없으며, 너무 멀리 나갔다면 그만 돌아와야만 할 때라는 걸 받아들여야만 한다. 위험에 자신을 내던지지 않는 것, 안전한 때를 찾아 움직이는 것이야말로 평온한 투자의 기본이다. 어려울 때 어려운 투자를 할 게 아니라 쉬울 때 마음이 편한 투자를 하는 것이야말로 스마트한 투자이자 갈대 같은 마음을 강철멘탈로 바꾸는 길이다.

2013년 10월, 파주 신도시의 한 아파트 둘레에 철조망이 쳐졌다. 주민들은 하루 종일 아파트를 지켰다. 밤에는 조를 짜서 날이 새도록 불침번을 섰다. 철조망 사이 개구멍이 생기면 메웠고, 근무 중 이상이 없는지, 거동 수상자는 없는지 공유했다. 출입 차량은 차종과 차량 번호를 일일이 확인하며 검문검색했다. 밤과 새벽에는 남자들이 순찰을 했고, 낮에는 여자들이 아파트를 지켰다. 초소처럼 아파트 곳곳에 천막이 설치됐고, 근무를 마친 주민들은 근무 교대자와 인사한 뒤 천막에서 추위에 언 몸을 녹이기도 했다. 이렇게 철통같이 감시를 하는데도 누군가 철조망을 끊고 출입한 흔적이 발견됐다. 좀비 사태나 아포칼립스가 닥쳐서가 아니다. '제2의 판교'라 불리며 뜨겁게 달아올랐던 운정 신도시의 이 아파트는 입주가 시작돼도 절반이 비어있자 건설사에서 분양가 30% 할인을 내세웠다. 이미 정가에 분양받은 입주민들은 앉은 자리에서 수천에서 1억여 원을 날린 셈이었다. 입주민들은 외부인이 집을 보러 오는 것을 막기 위해 철조망을 두르고 순찰을 돌았다. 반대로 분양 대행사 측에서는 담 한 번만 넘으면 최소한 7천만 원은 버는 거라며 구매 희망자를 설득했다. 집을 직접 볼 수 없으니 내부를 촬영한 동영상을 보여주며 계약을 권유하기도 했다. 집을 보지도 않은 채 매수하는 경우도 생겨났다. 반대로 3년 거치 27년 상환 대출을 끼고 집을 산 주민은 건설사의 30% 할인 판매 이후 은행으로부터 거치 기간 종료 후 담보가치가 낮아진 30%만큼을 당장 상환할 것을 요청받기도 했다. 누구 하나 물러설 수 없는 싸움이었다. 2013년에 중, 고등학생이었던 이들은 이런 일들이 대한민국에서 벌어지고 있는지 전혀 몰랐을 것이다. 그때의 청소년들이 전역하고 대학을 졸업한 후 사회에 뛰어든 2020년, 2021년은 모든 것을 다 태워버릴 듯한 불장이었으니 2013년의 일까지 돌아보고 복기할 여력이 없었음은 당연하다. 사회생활을 시작하자마자 맞닥뜨린 게 불장이니 부동산 시장은 불패일 거라 생각하는 게 어찌 보면 당연할 수밖에 없다. 반대로 사회에 던져진 시점이 내리꽂히는 하락장일 경우, 투자는 해서는 안 되는 것이라는 선입견을 지니게 되는 것도 자연스러운 현상일지 모른다. 중요한 것은 이 모든 것은 돌고 돈다는 것이다. 2013년의 운정 신도시가 고전했듯이, 3기 신도시도 실패의 늪에서 시작할 가능성이 크다. 신도시 중 실패한 곳이 있고 성공한 곳이 있는데, 둘을 가르는 건 입지가 아니라 시기다. 어떤 사이클일 때 첫발을 내딛느냐가 이미 성공하고 시작하느냐, 실패하고 시작하느냐를 가를 것이다. 성공할 수밖에 없는 때에 시작하면 누구나 성공할 수 있지만, 대부분은 실패할 수밖에 없는 시점에 투자를 시작한다. 투자에 가장 관심이 없을 수밖에 없는 게 젊은 세대다. 젊은 세대마저 투자에 뛰어들고 모이는 곳마다 투자를 얘기한다면 휴먼 인덱스, 인간 지표로 봐도 크게 틀리지 않는다. 모두가 뛰어들 때는 이미 늦었다. 다들 사라, 오늘이 가장 싸니 오늘 당장 사라고 얘기하지만, 아무도 언제 팔라고 얘기하지 않는다. 팔아서 돈이 되지 않은 건 아직 내 돈이 아니다. 자산 100억이 되는 건 쉽지만 부채를 제외한 순자산이 100억이 되는 건 결코 쉬운 일이 아니다. 누구에게나 부자의 그릇이 있다. 딱 자신의 그릇 만큼만 부자가 될 수 있다. 다른 말로 하면 내가 감당할 수 있는 레버리지의 크기, 견딜 수 있는 빛의 그릇만큼이라 해도 과언이 아니다. 물론 그릇의 크기에 선행되어야 할 것은 때, 바로 사이클이다.

몇 년의 시간이 더 흐른 뒤,

멀지 않은 가까운 미래의 이야기

왜 더 비싼 집을
사야 해?

❖ ❖ ❖

"어때? 집 보니까 좋아?"

"요즘 집들 진짜 잘 나오네요. 아버지도 같이 보셨으면 좋았을 텐데."

덕구 씨는 핸드폰 화면 너머의 하준과 수연을 보며 활짝 웃었다. 시간이 벌써 이렇게나 흘렀나 싶다. 하준은 수연과 함께 신혼집을 보러 다니고 있었다. 수연이 함께 가자 청하였으나 덕구 씨 비번 일정이 맞지 않아 둘이 나선 길이었다. 지난달부터 부쩍 셋이서 아파트를 보러 다니자기에 늙은 아비도 챙겨주고 부동산 공부도 되니 일석이조다 싶었었다. 몇 군데 둘러보고 셋이서 생삼겹살에 소주 한잔을 하던 저녁, 하준은 불쑥 수연과 결혼하겠다고 했다. 언제 그 말을 하나 기다려왔던 덕구 씨는 그날 저녁 술김이라 그런 건지 조금 눈물을 보였다. 주책이라 미안한데 기분이 좋아서 그렇다는 말에 수연까지 덩달아 눈물을 보이고 말았다. 중간에 앉은 하준이 혼자 우는 어른 둘을 달래느라 진땀을 뺐다. 좋은 날인데 왜 눈물을 보이냐는 아들의 핀잔에 덕구 씨는 너무 좋아서 그랬다고 말하며 눈물을 훔쳤다. 하준이가 태어나 우렁찬 울음을 터트릴 때도 덕구 씨는 뒤돌아 눈물을 훔쳤었다. 아내가 청약이라는 걸 해서 태어나 처음으로 새 아파트에 입주한 날 저녁, 덕구 씨는 아내의 두 손을 잡고 눈물을 훔쳤었다. 하지만 아내를 먼저 보낸 후 겪어온 삶은 눈물도 메말라버린 삶이었다. 실로 오랜만에 흘려보는 기쁨의 눈물이었다. 품에 쏙 들어오는 아기 같던 하준이가 해병대에서 전역한 게 엊그제 같은데, 벌써 수년이 흘러 어느덧 이십대 후반이 되었다. 아이는 부모의 사랑을 먹고 자라는데, 제대로 먹이지 못했는데 이렇게 잘 커 준 게 그저 고맙기만 했다.

"여기 이방 어떠세요? 조망도 좋고, 방 크기도 나쁘지 않고 붙박이장도 제법 커요."

수연은 영상통화 도중 핸드폰 카메라로 방 구석구석을 덕구 씨에게 보여주었다.

"좋네. 나중에 아기 생기고 초등학생 되면 아기 방으로 꾸며 주면 좋겠다."

"네? 이거 아기 방 아니고 아버님 방인데요?"

"뭐? 내방이라고? 왜?"

덕구 씨와 수연의 대화에 하준이 불쑥 끼어들었다.

"그러게요. 아버지 며느리가 꼭 아버지 모셔야 한다고 하잖아요."

생각도 않던 일이라 덕구 씨는 아무 대꾸도 못 한 채 멍하니 아들 얼굴만 바라볼 뿐이었다. 수연은 차분히 말을 이었다.

"아버님 쭉 혼자셨잖아요. 이제는 가족이랑 부대끼면서 시끄럽게 사셔야죠. 저 역시 돌아갈 친정도 없고 명절에 찾아뵐 어른도 없는데, 아버님이 곁에 있으면 더 든든하고 좋을 것 같아요."

"아니, 나는…"

덕구 씨의 눈빛이 흔들렸다. 아들에게 하나라도 더 해주지는 못할망정, 짐이 되기는 싫었다.

"나는 혼자 있는 게 편해. 괜찮아."

"아버님! 이 집 방 네 개예요! 저희 둘이 살기에는 너무 커요!"

"아냐, 내가 불편해서 싫어. 너희 둘이 잘 살면 됐어."

"제가 싫어서 그러세요?"

수연이 입술을 비죽 내밀며 물었다.

"우리 며느리가 싫긴 왜 싫어."

"그런데 왜 저희랑 살기 싫다고 하세요?"

부아가 난 표정으로 수연이 따지고 들자 덕구 씨는 할 말을 잃었다. 그때 화면 밖에서 아들 하준이의 목소리가 들려왔다.

"아버지는 지금 자기한테 작은 방 줬다고 삐지신 거야. 안방 안 줬다고."

"야, 그건 또 무슨 소리야! 그냥 내가 싫다니까!"

덕구 씨가 정색하자 수연의 어깨 너머에서 하준이 얼굴을 쓱 내밀었다.

"아 몰라요. 아버지 안 모시고 오면 제가 쫓겨나게 생겼으니까 그냥 그런 줄 아세요. 나중에 다시 연락드릴게요."

하준이 일부러 심술궂게 굴자 수연은 인사를 남기고 서둘러 전화를 끊었다. 통화가 끝나기만을 기다렸던 분양 대행사 직원이 옆에 따라붙었다. 이미 며칠 전 수연 혼자 와서 보고 가면서 분양 대행사 직원과 인사하고 명함도 받아 간 터였다. 당시 분양 대행사 직원과 상담을 마친 수연은 집은 정말 마음에 드는데 신랑 될 사람은 매수가 아니라 전세를 생각하고 있어서 고민이라며 말을 흐렸었다. 하준과 함께 재방문한 수연을 보자 분양 대행사 직원은 매매 가능성이 보인다 싶었는지 수연과 하준의 몇 발짝 떨어진 곳에서 계속 서성거리고 있었다.

"하준 씨, 이거 봐봐. 정말 예쁘지 않아? 난 이런 디테일이 좋더라."

수연이 가리킨 주방 수전은 백조처럼 우아한 모습으로 유려한 곡선을 뽐내고 있었다.

"역시 사모님 안목이 있으시네요. 그거 수입 제품입니다. 요즘 국산도 참 잘 나오긴 하는데, 원래 이런 게 다 외국이 원조잖아요. 특히 그 제품은 국산이랑 코스트가 달라요."

"네? 코스트가 다르다뇨?"

하준이 질문을 하자마자 기다렸다는 듯 분양 대행사 직원이 말을 이었다.

"비싸다는 얘기입니다. 국산보다 가격이 훨씬 윗길이란 얘기죠. 하하하!"

"그런가요? 제 눈엔 그게 그거 같은데."

"아이고, 사장님, 절대 안 그렇습니다. 이 현장에 회사 보유 물량이 조금 남아서 할인을 좀 해드려서 그렇지, 여기 원래 이 일대에서 분양가가 제일 높았던 곳이에요. 그래서 뭐든 다 고급이죠. 마감도 고급, 수전이나 월풀 같은 것도 고급이죠. 그뿐만이 아니에요. 똑같은 브랜드 아파트라 해도 32평 아일랜드 상판은 국산 세라믹인데, 특별 할인 들어가는 이 라인은 진짜 천연 대리석이에요. 메이드 인 이태리. 게다가 이 바닥재도 달라요. 벽지도 실크벽지고. 나중에 따로 정수기 설치하시면 설치 기사도 바로 알아볼걸요? 인조대리석 같은 건 드릴을 갖다 대기만 해도 뺑 뚫리는데, 진짜 대리석은 달라요. 그레이드가 완전히 다르죠."

"좋은 건 알겠는데, 굳이 신혼 시작하면서 대출까지 받아가며 집을 살 필요가 있나 싶어요. 우리 부모님 세대는 다 작은 빌라에서 전세로 시작하셨어도 잘만 사셨는데."

"아이고, 사장님. 정말 제대로시네. 우리 사모님은 참 좋으시겠어요. 이렇게 알뜰하고 관리 잘하시는 사장님 만나셔서. 그런데 사장님, 주거 스트레스라는 게 있잖아요? 남의 집에 사는 거랑 내 집에서 시작하는 거랑은 천지차이에요. 벌써 심리적 안정이 다르니 바깥일 하실 때 집중도 잘 되고, 그러다 보니 사업도 술술 잘 풀리고 가정도 행복하고 그런 거예요."

하준이 심드렁한 반응을 보이자 상대는 더 열을 올리며 수연에게 도와달라는 사인을 보냈다. 수연은 하준의 팔을 잡아 끌었다.

"난 여기 좋은데 왜? 40% 할인이면 가격도 괜찮잖아. 확장도 이미 다 돼 있고 식기세척기랑 오븐이랑 붙박이랑 설치도 다 돼 있어서 따로 돈 들 것도 없고."

"그렇죠. 사모님 말씀이 맞습니다. 그냥 바로 혼수가 굳는 거라니까요? 게다가 지금 취득세도 1%밖에 안 되고요, 저기 저쪽에 앉아있는 은행 직원 보이시죠? 시중 1군 은행 대출상담 직원이 저기 나와 있잖아요. 왜겠어요? 싸게 40% 할인받아 사시더라도 이왕이면 더 부담 없이 깔끔하게 매수하시라고 이 집 담보로 저금리에 대출해드리려고 나와 있는 거예요. 이미 저희 쪽이랑 얘기 다 끝나서 대출도 바로 나옵니다. 사장님은 걱정하

실 게 하나도 없어요. 게다가 여기 양도세도 5년 면제인 거 아
시죠?"

하준은 무언가 불만인 듯 인상만 찌푸릴 뿐이었다.

"혹시 사장님 뭐 걸리는 거라도 있으세요? 여기 진짜 좋은 물
건이라니까요?"

"근데 여기 구경하는 집이잖아요. 이 라인 다 40% 할인하는
데, 구경하는 집을 다른 집과 같은 값에 사는 건 아무리 봐도 손
해 같아서요."

"아, 그러시구나. 당연히 달라야죠. 여기 구경하는 집 매수하
시면 입주 청소 서비스 나갑니다."

"아뇨, 청소는 당연한 거고, 비용적인 메리트가 있어야죠."

"비용 말씀이시구나... 아, 그렇다면 제가 특별히 5백 더 깎아
드릴게요. 물론 다른 분들한테는 비밀이고요."

"집이 몇억인데 오백이 뭐예요. 그냥 좀 시원하게 해주세요.
천만 원 깎아 주시면 생각해볼게요. 그리고 양도세 5년 면제해
줘도 어차피 집을 안 팔면 양도세 낼 일도 없으니까 그건 혜택
이 아닌 거잖아요. 게다가 요즘 세상에 누가 아파트를 사겠어요.
사는 사람이 있어야 팔고 양도세를 내죠."

하준이 따박따박 따지고 들자 분양 대행사 직원은 잠시 기다
려 달라며 종종걸음으로 안쪽 방에 들어갔다. 분양 대행사 팀장

과 상의하러 들어간 모양이었다. 잠시 후 직원은 하준의 눈치를 살피며 다가왔다.

"저희 팀장님께 말씀드렸는데, 아무래도 천까지는 어렵다고 하시네요. 오백이 한계입니다. 그 대신 입주 청소할 때 서비스 하나 더 해서 바닥 코팅이랑 줄눈에 반짝이 시공 해드릴게요. 이게 세라믹 나노코팅이라고, 강마루에 한번 코팅해주면 아주 고급스러운 광택도 나고, 방수 효과도 있어서 반려동물이 바닥에 오줌 싸도 끄떡없는 거예요. 타일 줄눈에 반짝이 시공하면 일단 화장실 들어갈 때 기분부터 아주 다르죠. 저희집도 반짝이 시공했는데 무슨 집이 아니라 호텔에서 일 보는 것 같아서 기분이 달라요. 쾌변이에요 쾌변. 오죽하면 화장실만큼은 바깥 거 못 쓰고 꼭 집 화장실을 이용한다니까요?"

쾌변까지 나온 걸 보니 직원이 최선을 다하는 게 느껴졌다. 수연은 하준을 보며 졸랐고, 하준은 어쩔 수 없다는 듯 고개를 끄덕였다. 분양 대행사 직원은 어렵게 어렵게 한 건 했다는 표정으로 계약 담당자에게 하준과 수연을 안내했다. 수연은 챙겨주셔서 고맙다며 직원에게 인사했고, 직원은 수연더러 '사모님은 좋은 선택을 하신 것'이라며 엄지를 들어 보이곤 사라졌다. 계약 담당자는 마치 스튜어디스처럼 머리를 단정하게 넘겨 묶은 여직원이었다. 주름 하나 없는 검정색 슬림핏 투피스에 안에는 흰 블라우스를 받쳐 입었고, 바늘 하나 들어갈 틈이 보이지 않는 각

잡힌 모습이었다. 수연은 계약서를 받아들며 계약 담당자에게 가볍게 물었다.

"그런데 여기 할인 분양하는 물건은 몇 세대 남았어요?"
"상담 직원에게 안내 못 받으셨어요?"

가볍게 던진 질문이었는데, 수연의 질문은 벽에 부딪친 공처럼 튕겨 나왔다.

"다른 부분은 디테일하게 설명 들었는데, 잔여 세대가 얼마나 되는지는 따로 안 여쭤봐서요."
"저는 계약 담당이라 정확한 잔여 세대 수량은 확인이 필요할 것 같습니다."

여전히 상대는 세련된 말로 즉답을 피해갔다. 복잡하게 말했지만 두 가지 뜻이다. '모른다' 또는 '알지만 말해줄 수 없다.'

"그럼 아까 상담해준 분께 확인해보면 되나요?"
"어떤 분께서 정확히 파악하고 계시는지도 확인해봐야 할 것 같네요. 아무래도 팀원마다 포지션이 다르다 보니 서로 정확한 업무를 모두 파악하고 있는 건 아니라서요."

확인을 위한 확인이라니. 눈앞에 길이 있는데 자꾸 꼬는 느낌이다. 먼발치에서 이쪽을 보고 있던 상담 직원은 수연이 뒤를 돌아보자 갑자기 등을 돌리며 통화하는 척했다. 계약 담당자는 엷은 미소를 짓고 있었지만 잔머리 하나 삐져나오지 않은 묶은 머리처럼 어디에도 빈틈은 없어 보였다. 수연은 볼펜을 든 채였고, 계약서는 여전히 순백의 공란이었다.

"어떤 점 때문에 그러세요? 지금 다른 분들보다 더 좋은 조건으로 계약하시는 거예요. 오백만 원 추가 혜택 드리는 것으로 알고 있는데요? 이번 현장에서 제가 모든 추가 계약 담당하고 있지만 이런 혜택 드리는 건 처음이에요."

잔여 세대가 얼마나 되는지, 아는 게 누구인지는 확인이 필요하다면서 오백만 원 할인받은 건 잘만 알고 있다. 하준은 대체 수연이 왜 이러는지 영문을 알 수 없으니 그저 수연을 바라볼 뿐이었다.

"참, 계약하는 건 아버님도 보시는 게 좋지 않을까?"

수연은 맑게 웃으며 하준을 지긋이 바라봤다.

"응? 아, 하긴 아버지도 직접 보시는 게 좋긴 하지. 아무래도 아들 신혼집인데."

이유는 모르지만 수연의 마음이 이미 떴다는 걸 하준은 눈치챘다. 덕구 씨는 아들 내외가 어떤 집을 어디에 어떻게 계약하든 일절 신경 안 쓰고 믿고 맡길 사람이란 걸 수연과 하준 모두 잘 알고 있었다. 수연은 계약할 생각이 없다는 걸 에둘러 표현한 것이다. 하준은 계약 담당자 쪽으로 몸을 기울이며 말을 꺼냈다.

"첫 집을 장만하는 일인데, 집안 어른이 보지 않고 저희끼리 바로 계약하는 건 경우가 좀 아닌 것 같아요. 아무래도 내색은 안 하셔도 속으로 두고두고 서운해하실 것 같네요."

하준이 먼저 일어서자 수연도 뒤따랐다. 계약 담당 직원은 짐짓 아무렇지도 않은 척 "그럼 아버님 모시고 다시 와주세요."라 말했지만, 통화하는 척하던 상담 직원은 하준과 계약 담당자 양쪽 눈치를 살피기 바빴다. 하준은 수연의 손을 잡았다. 왜 이러는지 너무 궁금했지만 엘리베이터에 탈 때까지 하준은 입을 꾹 다물고 있었다. 1층과 닫힘 버튼을 거의 동시에 누르다시피한 후 하준은 참았던 질문을 꺼냈다.

"그런데 왜? 여기 입지도 나쁘지 않고 내장재나 마감도 깔끔하고 좋던데? 가격이야 뭐 말할 것도 없고. 분양가에서 40%나 할인해 주고 추가 서비스도 나름 충분히 성의를 보였잖아?"

"우리 근처 공인중개사 잠깐 들르자."

무엇이 걸리는지 수연은 더 이상 설명을 하지 않았다. 하준 역시 더는 묻지 않았다.

"아이고, 거기 빈집 천지예요. 애초에 거기 분양가가 이 동네 다른 집들에 비해선 좀 높긴 했지. 분양가 자체가 높으니까 집 안에다 비싸고 좋은 자재 많이 썼다곤 하는데, 원래 이 동네 살던 사람들이 분양받아서 들어가기엔 택도 없죠. 뻔히 이 동네 시세를 다 아는데 그 돈 주고 누가 분양을 받겠어요?"

중개사무소 실장님은 손사래를 치며 말했다.

"이 동네 분들 아니면 누가 다 분양받은 거예요?"

"그야 투자 목적으로 다른 동네에서 돈 좀 있는 분들이 들어왔겠죠. 이 동네 시세보다 좀 비싸다 싶어도 1군 브랜드 아파트에다 분양 당시만 해도 분위기 좋았으니까 금세 집값이 오를 줄 알았겠지. 어차피 자기들은 거주 목적으로 산 게 아니니까 다 전세로 뺐어요. 지금 보고 오신 단지에 매매 물건은 있어도 전세는 없어요. 전세는 나오는 족족 매가 병아리 채가듯 없어지니까요. 좋은 자재 써서 고급스럽게 지었다고 하니까 전세로는 다들 살고 싶어 하죠. 게다가 요즘 누가 집을 사겠어요? 다 짓고 입주도 끝난 게 언젠데 아직도 안 팔려서 할인 판매까지 하는 마당에."

"분양이 얼마나 안 됐는지 혹시 아세요?"

"그건 정확히 말 안 하죠. 아파트가 얼마나 인기 없어서 이렇게나 안 팔렸다고 광고하는 꼴인데 그걸 누가 알려주겠어요? 건설사만 그런 게 아니라 이미 입주한 분들도 대충 눈치는 있어도 밖에서 말은 안 하지."

"그래도 대충 감은 있지 않으세요? 여기에서 오래 하셔서 잘 아시는 것 같은데."

"아유, 전 이 동네에서 영업한 건 몇 년 안 됐어요, 호호호."

그래도 상대는 수연의 '잘 아시는 것 같다'는 말에 기분 좋게 웃었다.

"가만 보자, 여기가 859세대 대단지인데, 모르긴 몰라도 안 팔린 게 300세대 이상은 될 거예요. 실거주나 전세 입주는 이미 마무리된 지 한참 지났으니까, 밤에 불 꺼진 집들은 다 안 나간 거라고 봐야죠."

"안 나간 집들은 건설사에서 일부러 불 켜놓지 않아요?"

"뭐 라인 하나가 싹 안 나갔다면 그럴 수 있는데, 여긴 평형별로 층별로 안 나간 게 여기저기 박혀 있어서 그러기도 쉽지 않을 거예요. 게다가 한두 집이 안 나간 것도 아니고 300세대 정도면 빈집에 불 켜놓는 전기요금도 무시 못 해요. 그것도 다 돈인데."

"하긴 그렇겠네요."

"근데 두 분 신혼이셔?"

"곧 식 앞두고 신혼집 보러 다니는 거예요."

"오마나, 정말 선남선녀가 딱 잘 만났네. 근데 왜, 신혼집 사서 들어가시려고?"

"네. 매수 위주로 알아보고 있어요."

"아니 근데 오해하지 말고 들어요. 내가 새댁이 너무 곱고 예뼈서 한마디 하는 건데, 왜 굳이 집을 사려고 그래? 지금은 그냥 전세로 들어가고 남은 돈은 꼭 쥐고 있는 게 최고야. 아닌 말로 나도 매매 중개해서 수수료 먹는 게 낫지 전세 중개해봤자 나한테 몇 푼이나 들어 온다고. 근데 매수하란 소리 안 하잖아. 왜겠어. 지금은 집 살 때가 아니야. 차라리 브랜드 신축 아파트에 전세로 들어가서 4, 5년 편히 살다 나오는 게 돈 버는 거야."

"말씀만 들어도 감사하네요."

"괜히 하는 소리가 아니라니까? 7, 8년 전만 해도 나도 좋았어. 그땐 거짓말 좀 보태서 집도 안 보고 계약서부터 쓰자고 중개사무실 앞에 줄 서고 그랬다니까? 어쩌다 집 볼 수 있다고 하면 엘리베이터 안에 그 물건 하나 보겠다고 서너 명이 같이 타서 올라가고 그랬어요. 그 서너 명이 오늘 중개사무실에서 처음 만난 다 따로 온 손님이었어요. 매물 하나 두고 서로 보겠다고 서넛이 붙은 거지. 거짓말 같죠? 아가씬 아직 젊으니까 경험이 없어서 모르겠지만, 진짜 그런 때가 있었어. 집도 안 보고 계약도 하고 그랬다고. 다른 사무실 보면 공인중개사 자격증 없는 아줌마들이 실장이라며 매물 소개하고 계약서까지 쓰게 하고 그러잖아? 그런데 난 자격증 있어. 내가 딱 9년 전에 공인중개사 땄는데, 자격증 따고 작게 사무실 열었는데 오픈하고 얼마 안 지나서 진짜 돈 많이 벌었지. 난 진짜 그게 계속 갈 줄 알았어. 그래서 큰애 오피스텔도 얻어주고, 작은 애 명의로 저기 외곽에 열

여덟 평 구축 아파트도 사주고 그랬어. 평수는 작아도 구축이라 공간이 잘 빠져서 방도 큼직하고 채광도 좋았지. 도배 장판 싹 바꾸니까 월세도 바로 들어오고 말이야. 근데 몇 년 새 세상이 이렇게 바뀔 줄 누가 알았나. 손님이 있어야 중개라도 하고 수수료가 들어오지, 손님이 씨가 말랐는데 어쩌겠어요. 결국 중개사 사무실 문 닫고 지금은 이렇게 남의 사무실에서 알바처럼 일 봐주는 거지. 여기도, 여기 대표님이 아파트 상가 이 자리 분양받아서 들어온 거라 월세가 안 나가니까 그나마 버티는 거야. 하긴 뭐 대표가 아니라 돈 많은 대표 아버님이 분양받은 거긴 하지만. 아니, 그러니까 내 말은, 지금은 집 살 때가 아니야. 중개사 아줌마라 생각하지 말고 아는 언니나 친척 이모가 하는 말이라 생각하고 들어요. 아니, 왜 집 사는데 돈을 써? 둘이서 알콩달콩 행복하기만 하면 되지, 누가 집 현관에 자가니 전세니 써서 붙여놓고 사는 것도 아니고, 마음 붙이고 둘이 잘살면 그게 내 집이고 행복한 거지. 안 그래?"

"듣고 보니 맞는 말씀이네요. 저희 신랑이랑 좀 더 얘기해 보고 다시 또 올게요."

"그래요. 잘 생각해. 돈은 손에 쥐고 있어야지 집 같은데 괜히 돈 쓰는 거 아니야."

중개사 이모님은 정말 걱정되는지 몇 번이고 신신당부했다. 수연은 상대의 마음 씀이 고마워 환하게 웃으며 사무실을 나섰다. 여전히 궁금증이 해소되지 않은 하준은 수연에게 질문을 쏟아냈다.

"잔여 세대 확인하러 중개사무실 온 거야? 잔여 세대랑 아까 계약서 안 쓴 거랑 무슨 상관인데?"

"우리가 왜 집을 사려고 하는 거야?"

수연은 대답 대신 질문을 했다.

"이제 하락장 막바지잖아. 아무도 집을 안 사니까 전세는 귀하고, 전세가율도 높아서 갭투자 최적기가 도래하기도 했고."

"몇년 전 데드캣 바운스 때도 집 사는 사람은 없었고 전세가율도 비교적 높은 편이었잖아? 그럼 그때는 왜 안 샀어?"

"뭐야. 내가 그걸 까먹었을까 봐? 나한테 늘 강조했잖아. 추세를 봐야 한다고. 그때와 달리 지금은 전세가가 꾸준히 오르면서 전세 갭이 줄어드는 추세잖아. 이제 곧 전세가가 매매가를 받치고 밀고 올라갈 테고."

만족스러운 대답이었는지 수연은 빙그레 웃었다.

"그럼 다시 물어볼게. 다른 집들은 내년이든 내후년이든 조금씩 집값이 움직일 수 있어. 그럼 아까 우리가 보고 온 집은 어떨까? 옆 단지가 오를 때 같이 오를까?"

"같이 오르지 않을까? 아파트는 주식과 달리 개별 종목이 아니라 시장 전체로 움직인다고 했잖아? 날고 기는 대장 아파트든 코앞에 지하철역이 개통하든 어떤 호재가 쌓여있어도 하락장이라는 대세를 거스를 수는 없는 거잖아? 마찬가지로 상승장에서는 너도나도 다 오르는데 아까 우리가 본 집은 브랜드도 있고 입지도 나쁘지 않으니 당연히 오르겠지."

"오를 수야 있겠지. 그런데 선행 조건이 있어. 그게 뭘까?"

하준은 곰곰 생각했다. 오를 수는 있지만 반드시 앞서야 할 조건이라는 건 뭘까 싶었다. 수연의 행동을 역으로 하나씩 짚어 보았다. 수연이 계약 담당자에게 물었던 질문과 공인중개사에게 물었던 건 동일했다. 바로 팔리지 않은 잔여 세대의 수량이었다.

"아, 알겠다! 그래서 잔여 세대를 물었구나?"

"이제 알겠지? 내가 왜 그랬는지."

"맞네! 아직 팔리지 않은 악성 재고가 잔뜩 쌓여서 떨이로 팔고 있는 셈이니까 재고를 소진하기 전까진 상품 가격이 오를 수 없겠네!"

"맞아. 우린 신혼집으로 입주할 거긴 하지만 매수하는 입장에서는 매도라는 출구 전략을 생각하지 않을 수 없잖아. 건설사 입장에서야 집값이 오르건 말건 중요하지 않아. 지어놓은 걸 완판하는 게 중요하지. 애초에 건설사와 집을 가진 매도인은 입장이 완전히 달라. 개인이라면 아무리 사정이 딱해서 급매를 놓더라도 절반 값에 가까운 40% 할인가로 단번에 내놓지는 않잖아? 하지만 건설사는 무조건 완판하고 털고 나가야 하니까 40%

씩 세일을 해서라도 팔아치우려는 거잖아. 마진이 줄더라도 악성 재고를 안고 묶여있는 것보다는 박리다매로 다 털고 가는 게 낫지. 재고 소진만 돼도 이익이니까. 그런데 안 팔린 세대가 한두 채도 아니고 중개사 이모님 말씀대로 300세대 넘게 쌓여있다면, 그 재고를 다 털 때까지 계속 40% 할인 판매를 하고 있을 수밖에 없어."

"맞아. 다 팔릴 때까지 저 아파트는 반값 아파트인 셈이지."

그러고보니 중개사는 그런 말도 했었다. 수연과 하준이 보고 온 입주 미분양 아파트와 동급의 브랜드 아파트가 하나 더 있는데, 그 아파트 역시 미분양 물량이 소량 있긴 했지만 결국 완판이 됐다고 했다. 초기 분양가는 수연과 하준이 보고 온 아파트가 몇억이 더 비쌌지만, 현재는 무려 40%나 할인을 하고 있으니 근처의 완판된 아파트가 현재는 더 비싼 셈이었다. 그런데 희한하게도 사람들은 더 비싼 아파트에는 매수 문의가 있거나 실제 계약까지 연결되는 경우가 있더라도 40% 할인하는 반값 아파트는 가면 갈수록 인기가 떨어진다고 했다.

"할인한 적 없는 분양가 7억짜리 아파트가 있고, 우리가 방금 보고 온 아파트는 분양가는 10억인데 40% 할인해서 6억에 최저가 판매 기록이 있어. 그것도 한두 채도 아니고 300채나 되는 물량을 반값으로 대량 할인하고 있지. 현재가만 따지면 우리가 보고 온 아파트가 더 싸잖아? 그런데 왜 더 싼 아파트를 두고 사람들이 1억 더 비싼 아파트를 살까? 외부적인 조건은 다를 게 없는데 말이야?"

"아무리 잘 지었다고 해도 할인해야만 소진 가능한 악성 재고가 남았으니까 인식이 점점 나빠지는 거 아닐까? "

"그래. 아무리 내장재를 수입 자재로 좋은 걸 썼다 해도 투기 목적으로 접근하는 상품으로서의 아파트에서 고급 내장재는 중요한 게 아니야. 내가 들어가서 살 것도 아닌데 안에다 아무리 좋은 걸 쓰면 뭐해? 조금이라도 더 비싸게, 더 빨리 팔 수 있는 게 더 좋은 아파트지. 40% 할인한 아파트가 값이 오르려면 일단 안 팔린 300채를 다 팔아야 해. 상승장에 이 일대 집값이 평균적으로 60% 오른다고 가정할 때, 할인한 적 없이 초기에 완판된 분양가 7억 아파트는 60% 올라서 11억 2천만 원이 되겠지. 반면 우리가 본 40% 할인 아파트는 최초 분양가 10억에서 60%가 오르는 게 아니라, 40% 할인 판매했던 가격인 6억에서 60%가 오른 9.6억 원이 되는 거야. 아무리 분양가 10억짜리 비싼 아파트였다 해도, 사람들 인식에 그 아파트는 반값 아파트고 6억짜리야. 사람들이 기억하는 건 분양가가 아니라 가장 최근에 판매된 실거래가니까. 그런데 한두 채도 아니고 300채가 반값으로 팔렸으니, 반값이 결국 그 아파트의 정가로 새겨지는 거야. 분양가만 놓고 보면 10억 대 7억으로 3억 원이나 더 비싼 아파트가 막상 상승장에서는 7억짜리 아파트보다 1억6천이 더 싼 아파트로 매매되는 셈이지. 참 아이러니하지 않아? 입지와 호재가 중요한 게 아니라 분양 시기와 시장 상황, 대중 심리에 따라 이렇게 가격이 역전된다는 게."

"듣고 보니 그렇네. 그래도 좀 아깝긴 하다. 집은 잘 지은 것 같고 내장재도 좋은 거 쓰긴 했던데. 게다가 싼 가격이긴 하잖아?"

"우리가 지난주에 봤던 분양가 7억에 완판됐던 아파트보다 방금 계약할 뻔했던 집이 현재 시점에선 오히려 1억 저렴할 뿐만 아니라 전반적인 마감은 조금 더 고급스러운 느낌이긴 했지."

"나중에 놓쳐서 아깝다는 생각이 들면 어쩌지?"

"음… 평생 저 집에서 이사 안 가고 살 거라면 아깝겠지?"

"하긴. 평생 저 집에서만 산다면 모를까 아이 크고 이사라도 가게 된다면 그땐 또 입장이 다를 테니까."

"싸게 산 건 팔 때도 싸게 팔 수밖에 없어."

"그래. 비싸게 산 건 더 비싸게 팔 수 있을지 몰라도, 싼 건 결국 싼 거니까."

최초 분양가가 더 비쌌던 아파트가 할인 판매로 재고 소진 이후 값이 뚝 떨어지는 건 중고차에 빗대어 생각해보면 이해가 쉽다. 중고차 매장에 갔는데 빨간색 제네시스가 있다면 아무도 사지 않아 남은 물건이라 동일한 체급의 대형 세단에 비해 훨씬

싼 가격에 구입할 수 있다. 차를 바꾸지 않고 폐차할 때까지 계속 탄다면야 차가 빨갛든 보라색이든 아무 상관이 없다. 나만 만족하며 타면 되기 때문이다. 그런데 아이가 생기고 가족이 늘어서 SUV나 카니발 같은 밴을 구입하려고 빨간 제네시스를 중고차로 처분하려고 한다면 싸게 산 만큼 싸게 파는 수밖에 없다. 아니, 그간 감가상각이 더해졌으니 생각하는 것보다 더 낮은 가격으로 팔아야만 한다. 그나마 새빨간 대형 세단을 산다는 사람이 있기라도 하면 다행인데, 사려는 이가 나타나지 않으면 아무리 팔고 싶어도 팔 수조차 없다. 악성 재고에는 다 이유가 있는 법이다. 아주 드물게 만날 수 있는 검정색 경차는 신차나 중고 막론하고 선택받기 쉽지 않지만, 대형 세단에서는 검정색의 인기가 높다. 반대로 새빨간 대형 세단은 애초에 찾는 이가 없다. 간혹 보험왕이 된 보험설계 여사님 선물로 빨강이나 분홍 세단을 회사에서 지급하는 경우가 아주 없지는 않은데, 으레 대형 세단하면 떠올리는 리더의 이미지와 빨강은 매치가 쉽지 않아서 자동차 제조사의 선택지에 원색적인 색은 아예 빠지는 게 현실이다. 잘 팔리면 굳이 할인해서 팔 이유가 없다. 악성 재고가 전부 소진되기 전까지 할인가는 결국 정가로 굳어진다. 명품 등급 중에서도 최상위에 속하는 에르메스는 재고가 쌓이면 할인 판매로 터는 게 아니라 하나에 천만 원이 훌쩍 넘는 가방도 불태워 없애 버린다. 손해를 감수하고서라도 브랜드의 가치를 유지하기 위한 고육지책이다. 살을 주고 뼈를 얻는 희생으로 에르메스는 최고가 명품의 위치를 굳건히 유지하고 있다. 하지만 아파트는 안 팔리고 남았다고 해서 불태워 버릴 수 없는 성질의 상품이다. 결국 어떻게든 팔아야 한다. 하지만 할인 판매로 값을 후려치는 순간, 낮아진 값은 그 브랜드의 정가로 굳어진다. 대중이 할인했던 브랜드를 떠올릴 때 '값싼 물건', '안 팔려서 할인했던 물건'으로 인식하는 것이다. 모든 아파트가 값이 오르는 상승장에서는 분양가가 아니라 대중이 인식하고 있는 가격, 대중의 머릿속에 박힌 가격이 곧 정가가 되어 거기에서부터 상승이 시작된다. 제네시스 신차 정가가 1억이라 해도 빨간 제네시스를 중고차 시장에서 3천만 원에 사왔다면, 아무리 찻값이 올라도 빨간 제네시스는 3천만 원부터 값이 오르기 시작하는 것이다. 중고시장에서 찻값이 일제히 오르기 시작할 때, 제네시스보다 한 등급 아래인 흰색이나 검정색 그랜저가 빨간색 제네시스보다 더 비싸게 팔리는 게 바로 그 이유다. 세상의 모든 값에는 이유가 있고, 싯가로 팔려나가는 것들의 값이 오르기 시작한다면 평소 팔리던 가격에서 한 단계씩 오르기 시작한다. 아파트 신규 분양이 자동차 신모델 예약구매라면, 입주가 끝나고 남은 잔여 세대 할인 판매나 구축 판매는 중고시장의 중고차 거래와 같다. 중고차는 부르는 게 값이고 팔리는 게 값이다. 내 중고차는 제네시스니까 5천만 원이라고 우겨봤자 딜러는 이렇게 말할 것이다. "고객님 제네시스는 빨간색이잖아요. 누가 빨간색 제네시스를 삽니까? 당장 저부터도 매입이 꺼려지는데요. 그러니까 잘 해드려서 2천에 만족하시면 차 두고 가시고, 아니면 다른 곳 알아보세요."

자동차는 오늘 오전에 인수한 신차라 해도 당장 오후부터 중고차에 편입된다. 오전에는 정가로 샀지만, 오후부터는 중고 시세로 팔아야 한다. 악성 재고를 할인 판매하는 아파트는 할인가가 곧 정가다. 빨간색 제네시스를 폐차할 때까지 탈거라면 상관없겠지만, 빨간 제네시스처럼 애초에 할인해서 싸게 산 집을 팔고 이사할 생각이라면 처음 샀던 싼값으로 싸게 팔아야만 갈아타기가 가능하다는 걸 잊어선 안 된다. 물론 이런 구조를 알고서도 선택하고 계약하는 건 본인의 선택이니 말릴 수는 없다. 하지만 단순히 싸다고 샀다가 언젠가 찾아올 매도 시점에서 생각만큼 집값을 받을 수 없다는 현실을 맞닥뜨리고 계획이 틀어질 수 있다는 걸 알아야 한다는 얘기다. 예정된 계획에서 틀어지는 모든 건 결국 투자의 리스크다.

"그럼 아까 거기 말고 어디를 우리 신혼집으로 하는 게 좋을까?"하준의 물음에 수연은 뒤꿈치를 들어 키를 높이며 손을 들어 사방을 가리켰다.

"뭐가 걱정이야. 아무도 집을 사지 않는데. 우리가 사고 싶은 집, 우리가 살 집이 사방에 가득한데 걱정할 게 뭐 있어? 오히려 행복한 고민 아냐?"

그렇다. 중개사 이모님이 세상 좋았다던 상승장 시절에는 대한민국에 아파트가 이렇게 가득한데 내 몸 하나 누일 내 집 하나 없어 보였다. 하지만 지금은 상황이 완전히 바뀌었다. 사방에 가득한 아파트를 이제는 골라갈 수 있는 때다. 준비한 자에게 하락장이 축복인 이유다. 기다리며 참는 자에게 기회의 순간이 온다. 하준은 수연의 손을 꼭 쥐었다. 둘에게 펼쳐진 건 대단지 아파트처럼 숱하게 쌓인 기회와 행복이었다.

모든 이야기의 끝,
그리고 새로운 시작

❖ ❖ ❖

퇴근하고 돌아와 불을 켜니 식탁에 놓인 작은 액자 속 아내가 덕구 씨를 환하게 반겨주었다. 덕구 씨는 결혼을 앞둔 둘을 생각만 해도 기분이 좋았다. 젊음이란 건 이처럼 빛나는 건가 싶었다. 얼마 전 수연은 덕구 씨더러 다시 아파트를 매수할 시기가 온 것 같다며 말을 꺼냈다. 수년 전 덕구 씨가 정리하고 마지막으로 남은 한 채의 아파트값은 바닥을 찍고는 더 이상 오르지도, 내리지도 않은 채 옆으로 게걸음을 걷고 있었다. 매수 문의는 진작에 씨가 마른 상황이라 자동이체되는 월세는 몇 년 치가 그대로 쌓였는데, 덕구 씨는 아파트 한 채를 지니고 있다는 것조차 잊을 정도로 무심히 살고 있었다. 큰돈은 아니더라도 모아

둔 월세로 하준이에게 뭔가 결혼 선물을 해주고 싶었다. 집과 일터만 오가는 덕구 씨는 월급을 받아도 크게 쓸 게 없었다. 금리가 높을 때 월급의 상당부분을 적금으로 빠져나가게 묶어 두었는데, 만기가 되어도 딱히 쓸 곳이 없으니 재예치 하는 게 전부였다. 재예치 할 때마다 적금 금리는 내려갔지만 그래도 요즘 같아선 적금만한 게 없었다. 수연의 말을 듣고 보니 수연이 입버릇처럼 강조하던 반등의 시그널이 눈에 들어오긴 했다. 하락의 끝, 상승의 조짐이 여름날 뜨거운 아스팔트 위의 아지랑이처럼 조금씩 일렁기 시작했다. 수연이 말했던 하락장의 진행 과정이 정말 매뉴얼처럼 그대로 펼쳐지기 시작했다. 미리 앞을 내다보기라도 한 듯 수연이 예견했던 그대로 상황이 흘러갔다.

정부의 규제 완화와 대출 독려로 간신히 붙들었던 아파트 시장은 지방부터 미분양이 발생하면서 조금씩 기울었다. 건설사 폐업이 십수 년 만에 최고치를 기록했다. 원자재값 인상 등으로 공사비는 늘어났는데, 대출 이자마저 급격히 늘어나니 중소 건설사들은 시공을 포기했다. 그 책임은 '책임준공 관리형 토지신탁(책준형) 계약'을 맺은 신탁사에게 떠넘겨졌다. 건설사의 시공 포기는 신탁계정대여금 증가에 이은 신탁사 부실로 돌아왔다. 아파트가 흔들리자 건설사가 흔들리고, 끝내 금융까지 흔들리는 꼴이었다. 중소 건설사 입장에서는 책임준공을 못 해서 빚을 떠안느니 파산이나 부도를 내는 게 차라리 나았다. 파장은 도미노처럼 커졌다. 인터넷 검색창에 '아파트'를 입력하면 할인 분양 광고가 덕지덕지 따라붙었다. 3천만 원만 있으면 아파트를 살 수 있다고 했다. 계약금 5%만 있으면 내 집을 마련할 수 있다고 했다. 계약금 5%도 중도금 60%와 함께 모두 무이자로 대출이 된다고 했다. 집값 65%를 미리 무이자로 대출해줄 테니 집을 사달란 소리였다. 그뿐만이 아니었다. 수천만 원대 옵션을 무상으로 제공한다고도 했다. 견본 주택 방문자에게 선물을 주는 건 너무 흔한 일이고, 계약자에게는 황금열쇠를 줬다. 지인을 소개해서 계약까지 이르면 소개해준 사람에게도 황금열쇠를 추가로 선물했다. 분양가 상한제에 해당하는 아파트인데, 그 가격에서도 2~3억 원을 더 할인해 준다고 했다. 하지만 이런 혜택에도 아파트는 팔리지 않았다. 이미 주변 아파트들이 신규 아파트의 분양가 한참 아래로 떨어진 후였기 때문이다. 분양 완판되었던 아파트들에서는 계약 포기자가 속출했다.

회생불가의 쐐기를 박은 건 입주 미분양이었다. 입주가 시작되었으나 여전히 주인을 찾지 못한 집이 부지기수였다. 한 라인 전체가 불이 켜지지 않는 단지도 있었다. 잘 모르는 이가 지나가다 보더라도 안 팔리는 집이라 인식하기에 충분했다. 불이 꺼진 라인은 악성 재고라며 스스로를 광고하는 셈이었다. 건설사에서도 이를 인식해서 빈집에도 불을 켜두었으나, 불이 켜진 간판처럼 생기 없는 밝음 뿐이었다. 팔리지 않는 빈집은 고스란히 건설사의 리스크가 된다. 결국 건설사는 분양대행사를 고용하여 잔여 물량 소진을 독려했다. 아파트 주변에 현수막이 내걸렸고, 주차한 자동차에는 행주나 물티슈와 함께 할인 분양 전단지가 꽂혔다. 주차장에 줄줄이 선 차창마다 노란색, 분홍색 행주가 단풍잎처럼 울긋불긋했다. 최초 분양가보다 30%, 많게는 40% 할인을 하는 단지가 등장했다. 분양가를 다 주고 들어온 이들은 건설사의 할인 분양에 반대하는 시위를 했고, 입주자대표회의는 할인 분양 반대 현수막을 내걸었다. 그러거나 말거나 다른 쪽에서는 분양대행사가 내건 할인 분양 안내 현수막이 펄럭였다. 커다란 배가 침몰하듯 부동산 시장은 서서히 추락했다. 한번 가라앉은 배는 다시 떠오를 수 없듯이, 바닥에 가라앉은 아파트값은 다시는 오르지 않을 것처럼 보였다. 그 누구도 집값이 오르리라 생각하지 않았다. 부동산으로 돈 버는 시대는 끝났고, 저출산과 인구절벽으로 이제 다시는 부동산으로 투자할 수 없으리라 단언하는 이들이 많아졌다. 우리나라 부동산 역시 일본의 전철을 밟아 잃어버린 10년, 잃어버린 20년을 보낼 거라 말하는 비관론자와 하락론자들로 세상이 가득 찼다. 이때 하준과 서연은 결혼 날짜를 잡았으며, 신혼집을 보러 다녔다. 아까 덕구 씨에게 보여준 집 또한 40% 할인하는 아파트였다. 덕구 씨 역시 때가 가까워지고 있음을 피부로 느끼고 있었다. 정부는 양도세 면제를 들고 나왔고, 취득세마저 없다시피한 수준으로 인하했다. 빚을 내서 집을 사라는 소리였다. 아이러니하게도 상승장의 끝자락일 때도 정부는 집값이 떨어지는 걸 방어하기 위해 50년 상환 대출 상품을 만들어 서민더러 집을 사라했고, 길고 긴 하락장의 끝 무렵 집값이 오르길 바라는 와중에도 대출 이자를 떨어뜨려 빚내서 집을 사라고 외쳤다. 떨어지지 않게 붙잡건 오르라고 부채질 하건 정부는 서민들이 빚을 내 집을 사길 바라고 있었다. 진정한 승자는 최소한의 레버리지로 아무도 팔지 않을 때 팔고, 아무도 사지 않을 때 사는 극소수의 투자자였다. 수연은 결혼을 앞두고 신혼집 매수를 계획하며 극소수의 길을 가고 있었다. 또한 덕구 씨에게도 때가 왔음을 알리고 있었다.

"아니, 형님, 지금 집을 사시겠다고요? 한번 더 생각해보는 건 어떠세요? 아무래도 지금은 좀 아닌 것 같은데요. 몇년 전에 집 때문에 마음 고생 크게 하셨잖아요?"

덕구 씨 말이라면 늘 지지했던 용범이마저 덕구 씨가 요즘 집을 보러 다닌다는 말에 고개를 저었다. 덕구 씨에 관해서는 OK 맨이나 마찬가지인 용범이가 만류할 정도면, 아마 지금 준식이가 일을 그만두지 않고 있었다면 어떻게 나올지 뻔했다.

"지금 집을 산다고요? 선배님 무슨 자선 사업가세요? 아니 요즘 누가 미쳤다고 집을 사요?"

그저 상상만 했을 뿐인데 준식이의 목소리가 귀에 들리는 듯했다. 집값이 바닥에서 계속 기어가고 있으니 아파트 매매에 대한 관심은 이미 차디차게 식은지 오래였다. 지금 집을 산다는 건미친 짓 취급을 받았다. 아무도 집을 사려고 하지 않으니 다들전세를 원했다. 아파트값이 급등하던 불장에서는 '전세 사는 건바보짓이다!'라며 전세 보증금을 빼서 투자하는 게 돈 버는 일이라는 외침이 전국을 채웠었다. 주식판에 있는 사람도, 부동산판에 있는 사람도 똑같은 얘기를 했다. 집에 전세보증금 명목으로 목돈을 묻어두지 말라는 거였다. 돈을 묻는 건 내 인생을 묶어두는 거라고 했다. 부자가 되려는 내 발목을 묶는 거라 외쳐댔다. 하지만 급격한 금리 인상을 연달아 겪자 얘기가 달라졌었다. 금리 인상은 숨 쉴 겨를도 없이 몰아쳤지만, 금리가 다시 낮아져정상화되는 시간은 유독 느리게 흘렀다. 불장 당시의 초저금리수준으로 회복되려면 아직 멀었음에도 사람들의 의식은 '월세는 생돈 나가는 것, 전세는 내 돈을 지키는 것'이라고 변해 있었다. 집단의식은 누가 바꾸라고 강요하지 않아도 약속이라도 한듯 한방향으로 변했다.

툰드라 지역에 서식하는 나그네쥐는 개체수가 늘어나면 먹이를 찾아 대이동을 한다. 나그네쥐는 무조건 직진이다. 앞에 절벽이 있어도, 절벽 아래 시퍼런 바다가 일렁여도 직진을 외치다 절벽 아래로 떨어져 죽는다. 이 때문에 흔히 나그네쥐를 '자살하는 동물'로 알고 있지만 잘못된 오해다. 세상의 그 어떤 동물이라도 죽기 위해 태어나지 않는다. 나그네쥐는 앞에 어떤 일이 벌어질지 모르기 때문에 그저 앞으로 달려나갈 뿐이다. 실제로 절벽에서 떨어져 바다에 빠졌을 때, 나그네쥐는 살기 위해 최선을 다해 헤엄을 치다가 힘이 빠져 더 이상 헤엄칠 수 없기 때문에 물에 빠져 죽는다.

돈에 관해서는 인간도 이와 다를 게 없다. 나그네쥐처럼 폭등장이든 폭락장이든 앞에 무엇이 있을지 모르니 그저 앞으로 전진하는 것이다. 폭등장 뒤에는 필연적으로 폭락장이라는 절벽이 있음에도 불구하고 모두가 직진하니 나도 따라 직진하게 된다. 그러다 절벽에 떨어져 바다에 빠지면 어떻게든 살아남으려고 헤엄을 치지만 힘이 빠진 이는 가라앉고, 겨우 살아남은 이들은 투자라면 치를 떨 만큼 강한 트라우마로 남아 쳐다도 보지 않게 된다. 나그네쥐의 대이동은 개체 수의 급격한 증가로 인한 먹이를 찾는 이동이다. 아이러니한 건 자살처럼 보이는 떼죽음을 통해 나그네쥐의 개체 수가 자연스레 조절된다는 것이다. 태반이 죽어 떨어져 나가니 남은 이들이 먹을 먹이는 다시 충분해진다. 이게 자연과 시장의 냉혹한 현실이다.

먹이가 늘어나는 게 아니라 쥐가 줄어드는 것이다.

대한민국 국민이라면 누구나 원하는 강남의 아파트는 늘어나는 게 결코 아니다. 그걸 사고자 하는 인간이 줄어드는 것이다. '갖고 싶다는 욕망'이 꺾이고 줄어드는 것이다. 대한민국 부동산 시장의 공급과 수요를 사람들은 너무나 오해하고 있다. 자원은 한정적이지만 갖고자 하는 욕망이 폭발하면 공급 부족, 수요 증가가 되는 것이고, 모두가 겁을 먹고 발을 빼면 과잉 공급, 수요 감소가 되는 것이다. 이걸 '인구감소'로 인한 수요 감소로 오해하면 안 된다. 인구가 얼마이든 사려고 하는 욕망의 감소와 증가로 봐야 한다. 그렇기에 투자는 심리게임인 것이다. 유니버스 25 프로젝트의 실험쥐나 나그네쥐의 개체수 감소에는 분명 시사하는 게 있지만, 그 실험에는 자본도, 자본주의를 지키려는 정책 변화라는 변수가 없었다는 걸 잊지 말자.

다시 한 번 말하지만 먹이가 늘어나는 게 아니라 쥐가 줄어드는 것이다.

땅과 집의 숫자가 중요한 게 아니라 그걸 가지려 하는 대중의 욕망의 심리가 늘어나느냐, 줄어드느냐를 보아야 한다. 떼죽음에서 살아남은 나그네쥐는 번식하다가 다시 한번 늘어난 숫자를 감당하지 못하는 지경이 되면 선대가 그러했듯이 다시 죽음의 여행을 떠난다. 죽음이 기다리는 건 꿈에도 모르고 먹이를 찾는 생존의 여정을 떠나는 것이다. 인간 역시 폭락 이후 지속된 하락장으로 투기의 욕심이 가라앉았다가 다시 상승의 조짐이 보이면 죽음과도 같은 리스크가 기다리는 투기 여행을 떠난다. 서울은 좁고, 서울을 가지려는 이들은 많다. 서울은 늘어나지 않으니 서울을 원하는 사람이 떨어져 나가며 한 사이클이 반복된다. 나그네쥐의 대이동과 아파트 사이클은 다를 게 없다. 투자가 어려운 이유는 대단한 공부나 기술이 필요해서가 아니다. 나그네쥐로 하여금 죽음의 사이클을 반복하게 하는 본성, 뇌리에 새겨진 본능을 이겨내야만 하기에 어려운 것이다. 너도나도 아파트를 사려 하는 대중 심리에 휩쓸려 폭락의 절벽으로 향하는 와중에 홀로 걸음을 돌려 매도라는 반대 방향으로 가야 하기 때문에 힘든 것이다. 모두가 절벽을 향해 내달리고 있을 때는 죽으러 달려가는 것이 오히려 정상으로 보인다. 방향을 트는 이들은 바보라고 손가락질 당한다. 폭등장에서 일찌감치 매물을 팔거나 성실하게 직장생활하는 이들 모두가 바보라고 손가락질 당했듯이 말이다. 피리 부는 사나이처럼 가난은 정신병이라 말하며 모두가 자신처럼 한강이 내려다보이는 아파트에 살 수 있다, 성공할 수 있다며 자신에게 돈을 내고 그 길을 배우라고 진두지휘했던 사람들은 다른 나그네쥐와 함께 절벽에서 떨어지거나 다른 나그네쥐의 머리를 밟고 절벽을 기어 올라 겨우 목숨을 부지한다. 하지만 동정할 수도, 욕할 수도 없다. 이게 자연의 이치이자 사이클에 반응하는 본능적인 대응이기 때문이다. 그리고 덕구 씨는 하락장이라는 대이동의 흐름에서 뒤돌아섰다. 스스로의 판단으로 방향을 바꾸기로 한 것이다. 폭등장 끝에 다가오는 게 폭락장의 절벽이라면, 끝도 없이 아래로 땅굴을 파고드는 하락장 끝에 기다리는 건 다시 치고 날아오를 폭등의 시간이라는 걸 이제는 알기 때문이다. 확신하기 때문에 흔들리지 않고, 굳건한 믿음이 있기에 태풍마저 이겨내는 강철같은 멘탈의 투자자로 홀로 우뚝 설 수 있는 것이다.

"네, 아버님. 오늘은 쉬는 날이세요?"
"오늘은 이따 늦게 나가는 날이야."
덕구 씨는 수연에게 전화를 걸었다. 스스로 확신이 있다고 생각했지만, 용범은 덕구 씨가 정말 걱정되는지 집을 살 거냐고 재차 물어왔다. 용범의 말리는 마음 또한 진심이었기에 덕구 씨는 흔들릴 수밖에 없었다. 그냥 수연에게 다시 한번 확인하고 싶었다. 확인받고 흔들리는 마음을 다잡고 싶었다. 수연이 먼저 전화를 걸지 않는 이상 좀처럼 먼저 전화하는 법이 없던 덕구 씨가 모처럼 전화를 걸어왔을 때, 수연은 덕구 씨가 어떤 마음인지 이미 알 것 같았다. 주변의 모두가 반대하는 길을 간다는 건 결코 쉬운 일이 아니었다. 오히려 자연스러운 일이었다.

"걱정 돼서 그러세요?"

"아니, 뭐 걱정이라기보단…"

걱정이었다. 말을 흐렸지만 전혀 걱정되지 않는다면 거짓말이었다. 차라리 걱정하고 있다는 걸 들키고 싶었다. 그래서 수연이 더욱 강하게 붙들어 주기를 바랐다. 덕구 씨의 속마음은 그랬다.

"뭐가 가장 걱정되세요?"

"그게… 무슨 부귀영화를 보겠다고 다시 또 투자인가 싶기도 하고."

수연은 말없이 듣기만 했다.

"젊은 사람이야 머리도 빠르게 돌아간다지만, 투자하기에 너무 늦은 거 아닌가 싶기도 해. 몇 년 전 투자도 겨우 본전이나 찾을까 말까였는데."

"아버님, 혹시 바둑기사 이창호 아세요?"

"알지, 왜?"

"이창호 9단이 그런 말을 했대요. '승리한 대국의 복기는 이기는 습관을 만들어 주고, 패배한 대국의 복기는 이기는 준비를 만들어 준다'라고요. 아버님께서 저 처음 만났을 즈음에 솔직히 말하면 패배한 대국이었죠?"

"그렇지. 그나마 흉하게 진 게 아니라서 다행이라고 할 정도니까."

"그렇다면 아버님은 이기는 준비를 마치신 거 아니에요?"

"내가?"

"네. 몇 년 간 하락이 지속되는 동안 저랑 부동산 공부 열심히 하셨잖아요. 상승의 사이클을 가리키는 시그널이 뭔지 충분히 이해하셨고요."

"그야 그렇지."

"아버님, 전 그렇게 생각해요. 나이 든 분의 경험은 무시 못 한다고 하잖아요? 하지만 그 경험이라는 게, 젊은 사람보다 더 많은 지식을 습득하고 더 똑똑해져서 그런 건 결코 아니라고 생각해요."

수연의 말이 맞다. 오십대 중반이 된 덕구 씨는 이제 TV에서 유명 연예인이 나와도 이름이 퍼뜩 기억나지 않는다. 숫자를 봐도 기억에 오래 남지 않아서 꼭 메모해 둬야 한다. 젊은 사람들처럼 유행에 민감한 것도 아니고, 하루가 다르게 변하는 세상이 무섭기까지 하다. 스마트폰에 익숙해지는 것도 오래 걸렸는데, 이제는 도로에 나가면 세 대 중 한 대는 전기차다. 바퀴 달린 건 똑같아도 수동으로 운전을 배웠던 덕구 씨에게 전기차는 아주 새로운 세상의 물건인 것만 같다. 본인이 젊었을 땐 알아야 하고 익혀야 할 게 적었는데, 요즘 세상엔 알아야 할 것도 많고 익혀야 할 것은 더 많다. 훨씬 복잡하고 어려워졌다. 대체 이렇게 정신없는 세상에서 요즘 젊은 사람들은 어떻게 아무렇지 않게 금방 적응해서 잘 살아가는지 신기할 정도다.

"어른에게는 젊은 사람에게 없는 게 있잖아요. 젊은 사람은 잃을 게 없지만, 나이 든 사람은 반드시 지켜야만 하는 게 생기잖아요. 그게 가족이든, 돈이든, 건강이든 꼭 지켜야만 할 게 생기잖아요."

그렇다. 덕구 씨는 하나뿐인 아들, 새로운 가족이 되는 수연이 있다. 젊은 시절 낙하산을 둘러메고 고공강하를 할 때는 목숨이 여럿인 줄로만 알았다. 정신 못 차려서 쩔쩔매는 후임들에게는 "괜찮아, 안 죽어. 그러니까 그냥 해!"란 말을 입에 달고 살았다. 강하훈련 중 정강이 뼈가 부러진 후임에게는 "안 죽었으면 됐어. 뼈는 금방 붙어."라 말했었다. 젊어서는 잃을 게 없었다. 당장이라도 북에 보내주면 다 쓸어버리고 통일시킬 수 있다는 패기가 가슴에 가득했었다. 그랬던 덕구 씨는 아들 하준이가 해병대에 입대한 후로 북한이 미사일을 쐈다는 뉴스 하나에 가슴이 철렁 내려앉았다. 덕구 씨는 무슨 일이 있어도 전쟁이 일어나면 안 된다고 생각하고 또 생각했다. 젊어서의 덕구 씨라면 아마도 가장 먼저 적진에 침투해서 적의 목을 따오겠다며 손을 들고 자원했을 것이다. 잃을 것이 없으면 무서운 게 없다. 잃을 것이 없다는 건, 어찌 보면 자신의 목숨마저도 버릴 각오가 돼 있다는 소리다. 나이가 들고 가진 게 많아지면, 또는 지켜야 할 게 많아지면 함부로 무언가를 걸 수 없게 된다. 하지만 이건 약해지는 게 아니다. 오히려 강해지는 것이다. 잃을 게 없는 이들이 '까짓거 죽으면 그만이지!'라 말한다면, 무언가를 반드시 지켜야만 하는 이들은 '죽어도 죽을 수 없다!'라 말하며 끝까지 살아남는다. 그렇다. 살아남아야 한다. 특히 투자의 세계에서는 성공의 크기가 아니라 끝까지 성공을 유지하며 행복한 투자자로 늙어가는 것이 축복이다. 행복한 투자자로 늙는 것, 그것은 겁이 많아야 가능한 일이다. 투자로 더 먹을 수 있음에도 다음에 올 사람을 위해 손을 거두고 조금 이르게 매도하고 자리를 비켜주는 것이다.

"아버님, 아버님은 이제 뭐가 위험한지, 아버님이 감당할 수 있는 리스크가 어디까지인지 잘 아시잖아요?"

"혹시 누울 자리를 보고 발을 뻗어야 하는데, 내가 누울 자리 정도는 안다는 얘기니?"

수연은 덕구 씨의 말에 깔깔 웃었다.

"네! 그거 보세요. 잘 아시잖아요. 딱 어디까지 달려가야 할지, 어디에서 멈춰야 할지 이제는 잘 아시잖아요. 전에는 무조건 사기만 하셨다면, 이제는 언제 팔아야 할지 저랑 공부 다 끝내셨고요. 지난 투자 때 성공하지 못하셨으니 이제 이길 준비를 마친 거잖아요? 그럼 남은 게 뭐겠어요?"

"남은 거라…"

돌이켜보니 어려울 게 없다. 남은 건 확신을 지니고 덕구 씨의 길을 가는 거다.

"이번 판에는 이기는 것만 남았네."

"맞아요. 이번 대국에서 승리하시면, 아마 다음 사이클이 더 기다려질 거예요. 다음부터는 승리가 습관이 되실 테니까요."

"그래, 고맙구나. 그런 말을 들으니 이제 좀 힘이 난다."

덕구 씨는 웃으며 전화를 끊었다. 지난 대국에서 패한 건 중요하지 않다. 덕구 씨는 꿋꿋하게 살아남아 다시 시작되는 사이클 앞에 섰다. 이제는 실패를 딛고 날아오를 시간이다. 확신이 있으니 더는 두렵지 않다. 나아가야 할 때와 멈춰 설 때를 알고 나니 이처럼 마음이 평안할 수가 없다.

일터에 도착한 덕구 씨는 유유히 흐르는 한강을 바라보았다. 수많은 욕망과 좌절을 흘려보내고, 서울의 남과 북을 나누고 있는 한강은 말이 없다. 그저 흐를 뿐이다. 흐르는 물은 앞을 다투지 않으니, 이제 덕구 씨는 새로운 사이클의 흐름에 몸을 맡기기로 결심한다. 활짝 열리는 대운과 함께 더 큰물로 흘러갈 일만 남았다. 덕구 씨는 더 이상 위태롭지 않았다. 노을 지는 강물처럼 덕구 씨는 고요했다. 내일의 아침은 오늘보다 더 맑을 것이 분명했다.

멈춰설 때를 안다는 것,
세상이 나에게 웃어줄 때 잔칫집을 떠나는 일

2023년 2월, 더는 인터뷰를 하지 않겠다고 선언했습니다. 아파트 사이클에 대한 저의 예측이 정확하게 맞아떨어지며 하루에도 서너 건씩 TV나 지면, 영상 매체와의 인터뷰가 진행되던 시기였습니다. 이전 책을 함께 기획했던 편집자가 당시 제게 묻더군요. 물이 한참 들어오니 노를 저어도 모자랄 판에 왜 그만두느냐고 말이지요. 편집자는 제가 남들과 두 가지 면에서 확실히 다르다고 얘기했습니다. 첫 번째가 바로 인터뷰 중단 선언이었죠. 타인이 볼 땐 의아해 보였을지 몰라도 제겐 자연스러운 선택이었습니다. 애초에 여러 채널에 얼굴을 비췄던 건 이현철이라는 사람을 브랜딩하기 위해서였습니다. 동영상 채널에 출연하는 건 아무런 대가 없이 응하는 경우가 많았고, 사례가 있다 해도 십만 원에서 아주 드물게 이, 삼십만 원인 경우가 몇 몇 있었습니다. 저는 하루에 점심 한 끼만 먹는 '1일 1식'을 꾸준히 지켜오고 있습니다. 그런데 인터뷰가 몰릴 때는 하루 한 끼조차 제대로 챙기지 못할 때가 있었죠. 돈이 되는 것도 아니고 식사까지 걸러야 할 때가 있는데도 여러 인터뷰에 응했던 건 순전히 브랜딩을 위해서였습니다. 수많은 채널에 얼굴을 드러낸 덕분에 '아파트사이클' 하면 이현철을 떠올리게 되었고, 이현철이라는 이름 역시 어느 정도 브랜딩됐다고 생각했습니다. 그래서 고향과도 같은 저의 채널 '아파트사이클연구소'에 집중하고자 타 채널과의 인터뷰와 노출을 중단하겠다고 선언한 것입니다. 애초 목적을 달성했으니 더는 미련을 둘 필요가 없기에 그 마음을 밝힌 것 뿐이지요. 명확한 목적이 있는 삶은 뚜렷해지고 합리적인 방향으로 흐르게 마련입니다. 당장은 손해 같아도 시간이 흘러 뒤돌아보면 좋은 선택이었다는 걸 깨닫게 되죠.

편집자가 두 번째로 놀랐다고 얘기했던 건 유튜브 '후랭이TV' 채널에 출연했던 에피소드 때문이었습니다. 연천에 있는 전원주택에서 취사병 경험을 살려 제가 직접 요리해서 후랭이 님을 대접하는 편안한 분위기에서 진행된 촬영이었죠. 당시에는 전세보증금에 목돈을 묶어두는 건 바보나 하는 짓처럼 여기는 분위기가 팽배했는데, 다른 곳도 아닌 연천에 전원주택을 마련한다는 건 일반적인 부동산 투자자라면 하기 힘든 행동이었던 건 확실합니다. 전세금 빼서 월세로 돌린 후 투자하라고 해도 시원찮을 판국에 집에서 차로 2시간 넘게 걸리는 연천에 전원주택을 얻는 건 기회비용 측면에서 비효율적으로 보이는 게 당연하죠. 반전 아닌 반전 스토리입니다만, 방 세 개에 화장실이 있고 넓은 마당과 텃밭, 그네까지 딸린 연천 전원주택은 오천만 원에 전세로 계약했습니다. 토지를 매입해서 전원주택을 신축하거나 이미 지어져 있는 전원주택을 매수했다면 시간도 많이 빼앗겼을 테고 투입된 비용 또한 만만치 않았을 것입니다. 하지만 전세 오천만 원으로 얻은 전원주택은 저희 가족은 물론이거니와 장모님, 동서네 식구까지 거의 매주 가족을 모이게 하는 구심점이 되었고, 상추 값이 금값이 되어 횟집에서도 상추 대신 깻잎을 내주던 시절에도 저희 식구들은 상추를 질릴 때까지 먹을 수 있었습니다. 뜯어도 뜯어도 상추가 계속 자라니 나중에는 다 못 먹고 남을 지경이었죠. 텃밭에서 상추뿐만 아니라 배추와 파, 고추 따위도 심어서 여러 가족이 함께 고기를 구워 먹으며 직접 기른 싱싱한 채소를 곁들이는 건 아이들뿐만 아니라 어른들에게도 힐링의 시간이 되었습니다.

당시 영상을 본 편집자는 "연천 전원주택 스토리를 보니 소장님이 진짜 부자로 느껴진다."고 말하더군요. 그 어떤 재벌에게서도 못 느낀 여유를 즐기는 모습에서 가진 돈의 액수보다 여유를 여유로 받아들이고 즐기는 게 진짜 부자의 모습처럼 보였다고 하더군요. 전원주택이라 하면 매수하는 것만 방법이라 생각했는데, 매수하지 않고 임대로 전원의 삶을 누리는 제 모습도 신선한 충격이었다고 합니다. 사실 간절히 원하면 어떻게든 길이 보이기 마련입니다. 아닌 말로 전원주택 전세보증금 오천만 원으로 투자를 했다면 당연히 그보다는 더 벌 수 있었겠죠. 하지만 저는 매매가 아닌 전세로, 그리고 부동산 투자 대신 가족의 행복에 투자를 했습니다. 저는 몇십억, 백억 부자는 결코 아닙니다만, 제가 가진 것과 제 형편 내에서 당장의 행복을 위해 길을 찾고 행복을 누리는 게 당연하다고 생각하고 있습니다. 부자가 되는 것과 가정의 행복은 저울의 양쪽 접시에 함께 올려 비교할 수 있는 게 아닙니다. 부자가 되려면 무언가를 포기해야만 한다고 생각하고, 그럴 경우 포기해야 할 1순위가 가정이 되는 경우가 많습니다. 하지만 부자가 되려는 걸음을 반 발짝만 늦춰도 길은 있습니다. 전원주택을 반드시 신축하거나 매수할 필요 없이 임대로도 얼마든지 전원의 자유를 만끽할 수 있고, 어차피 아파트 사이클은 돌고 돌아 저가에 매수하여 고가에 매도할 자신이 있기 때문에 약간의 비용으로 당장 살 수 있는 행복은 지금 바로 사는 게 더 중요하다고 생각합니다. 동서고금을 막론하고 돈이 있는 곳에 사람의 마음이 가기 마련입니다. 반대로 상대가 어떤 사람인지 보려면 그 사람이 과연 어디에 돈을 쓰는지 보면 단번에 파악할 수 있죠. 부자가 되고 난 후에 가족을 돌보겠다, 부자가 되기만 하면 그 후로 가족과 좋은 시간을 보내며 맛있는 음식을 사주고 좋은 옷을 입히겠다고 생각하며 부자 되기를 1순위로 꼽는 경우가 많은데, 막상 "왜 부자가 되려 하시나요?"라는 질문에 "부자가 되어 가족을 행복하게 해주고 싶다."라는 대답을 들으면 의아합니다. 가족의 행복을 위해 부자가 되고 싶다는데 지금 당장 부자가 되기 위해 가족은 후순위로 미뤄둔 게 보이기 때문입니다. 일단 가족이 언제까지고 기다려준다는 보장도 없거니와, 가족보다 투자를 우선순위에 두고 투자에 집중했는데 그 투자가 100% 성공한다는 보장 역시 없기 때문이죠. 최악의 경우 투자도 실패하고 가족도 잃는 경우가 생길 수도 있습니다. 부동산 투자, 그중 가장 안전하고 보수적인 아파트 투자만 봐도 그렇습니다. 아파트사이클을 연구한 제 입장에서 볼 때 아파트 투자만큼 안전하고 보수적인 투자도 없습니다. 그런데 사람들은 약속이나 한 듯 하락장이 지속되어 집값이 쌀 땐 집을 살 용기도 없고 돈도 없다고 말합니다. 그러다가 집값이 폭등해서 한참 비쌀 땐 없는 돈도 영혼까지 다 해 끌어오고 없던 용기마저 샘솟습니다. 결국 돈이 없어서 못 사는 게 아니라 몰라서 못 사는 것이고, 살 때와 팔 때를 모르기 때문에 투자에서 실패하는 것입니다.

편집자가 인상적이었다는 두 가지 사례를 들으니 어쩌면 많은 분에게 이런 이야기를 들려주면 좋지 않을까 하는 생각이 들었습니다. "당신은 왜 부자가 되려고 하시나요?", "부자가 되어서 정말 하고 싶은 게 무엇인가요?", "당신이 정말 하고 싶은 일은 부자가 되지 않으면 할 수 없는 일인가요?"라고 묻고 싶었습니다. 정말 간절히 원하면 길이 보이는데, 그 길이 당신이 생각했던 길과는 전혀 다른 길일 수도 있다는 말도 하고 싶었습니다. 군중심리에 휩쓸려 잘못된 투자 판단을 하는 안타까운 경우도 많기에 '때'를 아는 것이 얼마나 중요한지를 말하고도 싶었습니다. 흔히 '박수칠 때 떠나라'는 말을 하곤 하죠. 투자도 마찬가지입니다. 물이 들어올 때 해야 할 일은 노를 젓는 게 아니라 나에게 안전마진이라는 구명조끼는 있는지, 다시 안전한 뭍으로 돌아갈 때까지 노를 저을 체력이 있는지를 확인하는 게 우선입니다. 전에도 얘기했습니다만 투자라는 건 투자 상품을 사는 게 아니라 때를 사는 것입니다. 물론 안전 마진도 확보됐고 체력도 짱짱하다면 굳이 뭍으로 돌아올 필요 없이 물이 들어올 때 계속 노를 저으셔도 됩니다. 하지만 그런 선택을 내릴 자유를 지닌 분은 사실 극소수에 불과합니다. 한 가지 분명한 건 물이 들어올 때 자력으로 나갈 수 있는 곳까지 나아가고 안전하게 복귀하는 걸 몇 번 반복하다 보면 훗날 물이 들어오는 사이클을 마주했을 때 번거롭게 뭍으로 다시 복귀하는 일 없이 끝의 끝까지 노를 저어도 끄떡없는 자본 체력을 지니는 날이 반드시 온다는 것이지요. 다만 시간이 걸릴 뿐입니다. 급하다고 바늘에 실을 묶어서 사용할 수 없듯, 단번에 멀리 가기보단 꾸준히 오랫동안 가는 것이 결국은 가장 멀리 가는 길이라는 걸 명심하셨으면 좋겠습니다.

아파트사이클의 이론과 사례는 이전 책들에서 다소 딱딱하게 여러 번 언급했기에, 이번 책은 소설이라는 부드러운 형식을 빌리게 되었습니다. 허구인 소설의 형식을 빌려온 만큼, 이야기에 등장하는 인물과 여러 인물이 겪는 사건 사고는 상상에 기반한 허구임을 밝힙니다. 그럼에도 불구하고 소설이라는 형식으로 투자심리와 부동산 흐름을 묘사한 이유는 이야기를 접하는 독자분들이 다른 책에 비해 쉽게 받아들이지 않을까 하는 기대 때문이었습니다. 혼자서 강의하고 설명하는 것보다 각색된 인물이 겪어가는 상황을 한 발 떨어진 객관적인 관찰자 입장으로 보게 되면 감정이입과 동시에 투자의 흐름과 흥망성쇠를 한눈에 파악할 수 있으리라 생각했죠. 과연 어떻게 읽고 느끼실지 모르겠지만, 저에게는 첫 시도였던 만큼 독자분들에게 단 하나라도 유익이 되고 참고가 되는 간접경험으로 남는다면 더 바랄 게 없겠습니다.

이야기를 정리하고 매끄럽게 다듬으며 살을 붙이는데 편집자의 도움이 컸습니다. 인물을 입체적으로 구성하고 어떤 사건을 어떻게 엮을지 많은 얘기를 나누었는데, 이야기 속에 편집자의 실제 경험이 반영된 부분이 있습니다. 2013년 하락장의 끝 무렵, 취득세가 1%밖에 안 됐던 시절에 편집자는 최초 분양가에서 40% 할인된 가격에 1군 브랜드의 대형 평형 아파트를 매수했습니다. 입주한지 2년이 지난 회사 보유분 물량이었다고 하네요. 베란다 확장도 끝나고, 식기세척기와 오븐 등의 옵션 설치도 완료된 집이었다고 하고요. 몇몇 서비스도 받았다고 합니다. 입주민들이 새벽마다 돌아가며 불침번을 섰던 2기 신도시의 철조망 아파트는 당시 뉴스에 소개되었던 실제 사례입니다. 철조망 아파트뿐만이 아닙니다. 다른 2기 신도시에서는 할인분양에 반대하는 항의 집회 도중 분신 시도로 전신에 화상을 입은 입주민이 끝내 숨진 사고도 있었습니다. 채 10년도 지나지 않은 2014년의 일이죠. 역사는 늘 반복되기에 이런 안타까운 일들이 반복되지 않기를 바라는 마음에 지난 하락장과 상승 시기에 있었던 일을 토대로 이야기를 쌓아올렸습니다. 이론으로 접할 때는 다소 먼 남의 이야기처럼 보일 수 있어도, 소설 속 인물이 겪는 삶으로 관찰한다면 경각심과 함께 투자의 본질에 대해 쉽게 받아들이시지 않을까 싶었습니다.

  한동안 추운 겨울이 계속 지속될 것으로 보입니다. 쉬는 시간에 도끼날을 갈며 준비하는 사람만이 더 크고 우람한 나무를 벨

수 있다는 건 모두가 아는 단순한 진리입니다만, 실제로 행하는 사람은 많지 않습니다. 진정한 기회는 하락장에 있습니다. 쫓기지 않고 공부하며 공부를 바탕으로 확신을 얻어 세상의 소음에도 결코 흔들리지 않는 강철멘탈을 만들 절호의 기회가 바로 하락장이기 때문입니다. 아생연후살타, 먼저 본인의 생과 삶을 챙기시면 기회는 언제든 오게 마련입니다. 기회는 준비한 자에게 찾아옵니다. 길고 긴 하락장의 시기에 낮게 웅크렸던 것만큼, 앞으로 도래할 상승장에는 더 높게 뛰어오르시기만을 바라겠습니다. 속도보다는 방향이며, 때를 아는 것이 모든 것을 아는 것이며, 부자는 목표가 아니라 진정 원하는 것을 위한 수단이자 과정이라는 걸 잊지 마시기 바랍니다. 여러분 곁에 있는 가장 빛나는 보석 같은 가족이나 사랑하는 이들과 함께 부자의 마음으로 평범한 하루를 온전히 누리시기를 바랍니다. 행운의 네잎 클로버를 찾기 위해 행복이라는 세잎 클로버를 짓밟지 마시고, 매일매일 꾸준히 행복을 줍다 보면 결국 행운의 네잎 클로버를 만난다는 걸 기억하시기 바랍니다. 제가 느끼는 마음의 자유를 선물해드릴 수는 없으나, 있는 것으로 충분히 만족하는 부자의 삶을 언젠가 함께 느끼고 누렸으면 좋겠습니다. 평안을 전합니다.

강철멘탈

초판1쇄 인쇄 2024년 1월 10일
초판1쇄 발행 2024년 1월 18일

지은이 이현철
발행인 심은영
기획 및 편집 윤슬
디자인 공중정원 박진범

펴낸곳 새벽산책
출판등록 2023년 12월 7일(제2023-000140호)
주소 경기도 파주시 조리읍 내산길55 101/602
전화 010-7901-3837
이메일 daybreakstroll@nate.com

ISBN 979-11-986043-0-9 03320